Katarzyna Hordyniec

poza czasem szukaj

Prószyński i S-ka

Projekt okładki
Agencja Interaktywna Studio Kreacji
www.studio-kreacji.pl

Zdjęcie na okładce
© Nina Masic/Trevillion Images

Redaktor prowadzący
Michał Nalewski

Redakcja
Robert Siekierski

Korekta
Katarzyna Kusojć
Grażyna Nawrocka

Łamanie
Ewa Wójcik

ISBN 978-83-8069-322-7

Warszawa 2016

Mężowi i dzieciom – bez Was nic.

ROZDZIAŁ I
KONIEC KWIETNIA 2014

HELENA

1.

Matka z sąsiadką Jaźwińską liczyły słoiki. Zaczyna się. Nie będzie spokoju. Jeszcze truskawki nie zakwitły, a one już planują robienie przetworów, zaraz się zaczną ogórki, porzeczki, sałatki, buraki, i tak całe lato. Że też im się chce. Jakby nie było gotowych dżemów, sałatek też. A potem trzeba to wszystko wyjadać, bo matka utyskuje, że za rok świeże będą, a to zdrowie i witaminy.

Trzydzieści pięć lat już tego słucha. Z tego pewnie przez dwadzieścia miała to gdzieś, zajmowały ją wielkie, niespełnione miłości (co tydzień inna), pierwsze papierosy, zagrożenie z fizyki i konieczność życiowych wyborów. Też pomysł, żeby od osiemnastolatki wymagać decyzji, co chce robić w życiu. Poszła na dziennikarstwo, bo nie miała na siebie pomysłu, a pisać zawsze umiała. Tak przynajmniej mówiła jej polonistka. Chciała zdawać na produkcję filmową i telewizyjną, ale matka zaczęła lamentować, że reżyserzy będą ją wykorzystywać do swoich niecnych celów, i pomysł padł, tym bardziej że ojciec poparł matkę. Jakby w innych zawodach nie było napalonych mężczyzn. Dlaczego im się nie postawiła?

Nie żałuje jednak wyboru. Przez studia przeszła gładko. Oczytana, interesująca się polityką, komunikatywna, nie miała większych problemów z zaliczaniem kolejnych egzaminów. Ale nie miała też siły przebicia. Nie umiała sobie niczego załatwić, nigdy nie wykorzystywała znajomości, zresztą ich także nie miała. Na imprezach czy spotkaniach siedziała w kącie i słuchała uważnie, a potem nigdy nie zostawała na *afterparty*, szła do domu. Trochę z nieśmiałości, trochę z braku pieniędzy, ale najpewniej z powodu braku wiary w to, że mogłaby być ciekawym rozmówcą dla tych wszystkich wspaniałych twórców, dziennikarzy i pisarzy.

Po studiach wróciła do Koszalina. W czasie kryzysu nie miała odwagi zaczynać w obcym mieście, a w jej rodzinnym czekał na nią chłopak, który dosyć szybko awansował w redakcji „Głosu Koszalina". Namawiał ją, żeby do niego dołączyła.

Dostała pracę w tej samej redakcji, ucieszyła się, pisała o wydarzeniach kulturalnych, była ze Zbyszkiem i snuła plany. Miała głupie, mieszczańskie podejście do życia, które wyssała z mlekiem matki. Ideał życia według rodziny Miłych to mężczyzna zarabiający na dom, matka może i pracująca zawodowo, ale głównie dbająca o ognisko domowe, ślub, zaraz dzieci, wszystko takie gładkie, poukładane i przewidywalne.

Wyć się chce. Zamiast wymarzonego raju ma pracę, która nie pozwala jej zarobić tyle, żeby się usamodzielnić, poczuć niezależność finansową. Ma faceta, ale nawet nie wie, czy go kocha, czy chce z nim być. Niby wszystko gra, pomieszkują razem, ale ona nadal nie całkiem wyprowadziła się z domu. Wszyscy oczekują deklaracji, białej sukni, to już czas – mówią.

Kiedy dasz nam wnuki? – to pytanie było stałym punktem programu każdej niedzieli. Obiad rodzinny. U niej lub u rodziców Zbyszka. Żyła jak stara baba. Bez większych emocji, jeśli nie liczyć urlopu raz w roku, na nic nie czekała, przestała nawet mieć plany. Zresztą młoda też już nie była. Zaraz miała skończyć trzydzieści pięć lat.

– Mrau. – Zbyszek zaczynał swoje gody. – *Chodź tu do mnie, poczuj się swobodnie…* – zanucił z Feel-ingiem, przekonany o swojej wyjątkowości i dowcipie. Może i słusznie, podobał się wszystkim koleżankom Heleny, zazdrościły jej. Dobrze zbudowany, wysoki, nie musiał wiele robić, żeby wyglądać jak model. Jakiś taki za przystojny – nie raz myślała Helena.

– Wyjmij rękę z moich majtek, wiesz, że wychodzę na premierę do Bałtyckiego, robisz to specjalnie – odpowiedziała z groźną miną, ale już ciężko oddychała, była gotowa, nie potrafiła tego ukryć. Wszedł w nią bez uprzedzenia. Nie należał do mistrzów gry wstępnej, wszystko lubił robić szybko. Wcześniej jej to nie przeszkadzało, ale z czasem zaczęło irytować. Był jej pierwszym kochankiem, nie miała porównania, ale narastało w niej przekonanie, że nie wszyscy mężczyźni myślą tylko o sobie.

I znowu to samo, nie zdążyła, on już był spełniony, już w niej zanikał, a ona nadal rozpalona. Jeszcze poruszał się w niej chwilę, ale już bez przekonania, bez pierwotnego żaru, jak zwykle musiała sobie pomóc ręką, żeby dojść.

Umyła się szybko, ubrała i wyszła. Znowu czuła się zawiedziona. A on rozparty na kanapie z pilotem do Xboxa – wręcz przeciwnie. Miał umówiony z kolegami pojedynek w Warcrafta. Znowu będzie grał pół nocy. Coraz więcej rzeczy ją w nim irytowało. Dwa lata starszy, a ciągle jak dzieciak. Odmawiał sobie dorośnięcia do roli męża, ojca, powtarzał, że nadal ma czas. A ona? Nie ponaglała, wcale nie była pewna, czy jej na tym zależy. Nie z nim. Nie tu. Wszystko niby w porządku, a coraz częściej miała wrażenie, że nic takie nie jest.

Przed teatrem czekał na nią Patryk, fotograf z redakcji. Rzucił okiem na Helenę i zażartował:

– Księżniczko, wyszłaś chyba prosto spod faceta, czuję to wszystkimi zmysłami.

– Nie pozwalaj sobie. – Helena zdzieliła go żartobliwie torebką przez ramię. – Lepiej sprawdź, czy masz naładowane baterie, żeby ci znowu wszystko nie padło jak podczas koncertu w filharmonii.

– Nie martw się, co ma sterczeć, nie flaczeje. A baterie mam świeżutkie, jak ty teraz, królewno.

Sposób bycia Patryka niejednego denerwował, ale ona miała do niego słabość. Jego żarty były może i ryzykowne, ale wiedziała, że ją lubił, może nawet coś więcej. Kto wie, co by się zadziało, gdyby nie jej związek ze Zbyszkiem. Co nie zmienia faktu, że flirtowanie i jego zachwyty działały na nią więcej niż dobrze. Zawsze sprawiały, że podświadomie się prostowała, wyginała jak głaskana kotka ukontentowana głaskaniem w odpowiednim miejscu.

Weszli do foyer. Wcale się nie cieszyła na ten spektakl. Ile to już razy widziała *Zemstę*? Rozumie, że to symboliczne, że sześćdziesięciolecie teatru, wtedy Fredro, teraz Fredro, ale i tak uważa, że można było coś innego wymyślić. No nic, nie jej problem, obejrzy, opisze, Patryk pstryknie fotki i tyle. Nie wszystko musi jej się podobać.

A po spektaklu wino z Mileną. Potrzebuje tego, musi przegadać kilka spraw.

2.

– O co chodzi z tym całym gender? Wszyscy wokół oszaleli, nie można już normalnie napić się herbaty w pokoju nauczycielskim, żeby nie wpaść na jakąś awanturę o to. Żebym to ja jeszcze wiedziała, z czym to się je.

– Milena, chrzanić gender, ja mam problem! Moje życie mi się nie podoba.

– A w dupie ci się przypadkiem nie przewraca? – Milena wytrzeszczyła oczy na potwierdzenie swojego pytania-tezy. Po czym udała się lekkim skosem do kuchni po kolejną butelkę białego wina.

– Spróbuj tego niemieckiego rieslinga z Lidla, za grosze, a jakie zacne. Zaraz ci wapory przejdą.

– Milena, zlituj się, czy naprawdę sądzisz, że mi wino życie naprawi? Co ja mam robić? Przecież zmierzam donikąd. Mam pracę, a na nic mnie nie stać, mam faceta, ale nie czuję się kochana. To wszystko jakieś takie tymczasowe, bez solidnego fundamentu, a ja już powinnam pierwsze piętro stawiać, a nie dopiero ziemi pod budowę szukać.

– Budujesz się?

– Żartuj sobie. – Helena rozeźliła się na dobre. – Poważnie mówię! Posłuchaj mnie! Usłysz mnie!

– Dobra, dobra, już cię słucham. Reasumując – Zbyszek cię zawiódł, robota do dupy, chcesz coś zmienić. Masz jakiś plan?

– Nie mam – odparła Helena z rozpaczą w głosie. – Dotarło to do mnie dopiero niedawno. Zbyszek jest wiecznym chłopcem w krótkich spodenkach, nawet seks z nim nie jest specjalnie emocjonujący. Nakręcam się jak bączek na odpuście, a potem nie wiem, co z tym fantem zrobić, bo się nie spełniam. Konto oddzielne, życie oddzielne, a wolna nie jestem. Praca jest, ale się nie rozwijam. Chodzę na wernisaże, premiery i koncerty, coś tam napiszę, nawet nie wiem, czy ktoś to czyta. Teraz liczą się krótkie informacje w sieci, nikt nie lubi długich tekstów, zaczynam gonić w piętkę, w sumie już tylko podpisuję zdjęcia.

– Hmm, jak zdjęcia Patryka, to może przy okazji wiesz, ten tego... *Przeleć mnieeee, to słowa idiotyczne, przeleć mnie, tango niegramatyczne* – rozśpiewała się Milena.

– Czyś ty się czymś upaliła przed moim przyjściem? – Helena chciała zachować powagę, ale się poddała. Dostały głupawki.

Milena rzuciła się do laptopa, znalazła na YouTube tę piosenkę Alibabek i puściła na cały regulator. Zaczęły śpiewać chórem i tańczyć po pokoju z kieliszkami w rękach. To był niegdyś przebój w akademiku, piosenka hasło, kiedy któraś umawiała się z chłopakiem. Gdzie te czasy, gdy wszystko wydawało się możliwe? *Sky was the limit.*

Nawet nie chciało jej się wracać do domu. Wiedziała, co zastanie. W salonie Zbyszek otoczony miskami po czipsach, szklankami po sokach i piwie, kto wie, może nawet będą jego znajomi gracze. Podniecają się kolejnymi *levelami*, jakby to było prawdziwe życie.

– Mam to gdzieś. Wszystko mnie wkurwia!!! – zaczęła nagle krzyczeć Helena.

– Lenka, uwaliłaś się na zimno, nigdzie nie jedź, pościelę ci w gabinecie Michała, on i tak w podróży biznesowej i nie wróci do jutrzejszego wieczora.

– Nie jestem pijana, ale masz rację, zostanę. Gdybym pojechała teraz do domu, nie ręczę za siebie. Znowu byłaby kłótnia, a ja już na to nie mam siły. Muszę pomyśleć.

– Dziękuję. Proszę. Dobranoc – powiedziała, wręczając Milenie kieliszek, a przyjmując od niej ręcznik.

Leżała w dobrze znanym pokoju. Ciemno, jedynie słaba poświata latarni z oddalonej nieco ulicy rozpraszała mulisty, gęsty mrok.

Wiedziała to, chociaż jeszcze nie chciała przyznać się do porażki. Co ona sobie myślała? Że Zbyszek nagle zamieni się w księcia z bajki? Że porzuci konsolę, zamieni wieczór z *House of Cards* na bezsenne noce z niemowlakiem? Jakim niemowlakiem? O Boże, ona nawet nie myśli o dziecku. Czy to już nie czas, czy nie powinna czuć tykania zegara biologicznego?

A z drugiej strony może się czepia? Większość jej rówieśników taka była. W dzień praca w korpo, kancelarii czy w redakcji – mniej lub bardziej surowy *dress code*. Po pracy – wełniane czapki, nawet latem, styl na informatyka, czarne podkoszulki, kozie bródki, tłustawe włosy. *Take it easy, cool man*. Albo metroseksualne figury z pomalowanymi bezbarwnym lakierem paznokciami, włosami na żel, brwiami wyregulowanymi lepiej niż jej własne i obcisłymi koszulami wypuszczonymi na obcisłe spodnie. Opięte tyłeczki jak orzeszki i lok nad czołem albo zapuszczeni faceci z dorobioną ideą hipsterstwa, żeby to jakoś wytłumaczyć. *Work hard, play hard* – oto motto współczesnych mężczyzn. A gdzie w tym kobieta, poważne zobowiązania, rodzina? Nigdzie.

Zwinęła się w kłębek, podciągnęła kołdrę pod brodę i zapłakała. Całkiem się pogubiła. Mokra twarz piekła ją od łez. Sięgnęła po ręcznik, wytarła ją energicznie, suchą część podłożyła pod głowę i w końcu usnęła.

3.

– Chyba ocipiałaś! – Zbyszek darł się jak opętany. – Jak ty sobie to wyobrażasz? Po prostu się rozejdziemy? Po tylu latach? A co z naszymi planami? Już ci nie pasuję, nagle przestałaś mnie kochać?

– Zbyszek, jakimi planami? Masz jakieś? Nie widzę. Wygodnie ci tak, jak jest – praca, kumple, piwko, dvd, konsola – raj.

– A co ty, kurwa, chciałaś, żebym działkę uprawiał jak twoi rodzice? Co ci odbiło, masz kogoś? – Całkiem stracił panowanie nad sobą, krzyczał tak, że wchodził w wysokie rejestry. Nie podobało mu się to, więc wściekał się jeszcze bardziej.

– Proszę cię, porozmawiajmy. – Helena z trudem próbowała zachować spokój.

– W dupie mam twoje porozmawiajmy. Co ty sobie myślisz, że ja nic nie czuję? Chodzi sobie taki durny jebaka po świecie, a jak się znudzi, to won? Co się nagle zmieniło, kto ci w głowie poprzestawiał?

– Zbyszko, to nie tak, to nie ty jesteś problemem. Nie pomyślałeś, że to ja jestem tu zadrą? Ciągle się ciebie czepiam, jak stara żona w podomce w kwiatki, z wałkami na głowie. Jęczę – to nie tak, tamto nie tak. Nie lubię siebie za to, ale nie potrafię przestać. Jesteśmy ze sobą od końca liceum. Dorastaliśmy ze sobą, szliśmy ramię w ramię, aż w którymś momencie ja poszłam w lewo, a ty w prawo i nie zauważyliśmy tego.

– A więc nie jestem dość dobry dla ciebie, tak? – Kręcił głową z niedowierzaniem. – Mów zaraz, kto to? Patryk? Już dawno chciał cię przelecieć. Myślisz, że nie wiem? Gadaj!

– Ani Patryk, ani nikt inny. Zrozum wreszcie, chcę czegoś innego, nie umiem się odnaleźć w naszym wspólnym życiu, nie chcę już dłużej tego ciągnąć, bo gorzknieję z dnia na dzień. Nienawidzę siebie za to, ale jeśli czegoś nie zmienię teraz, nie będzie na to szans później.

Czuła się jak bohaterka kiepskiego romansu – muszą się rozstać, bo ona niby chce się odnaleźć, bo potrzebuje czasu, bo… A w dupę go kopnij – zawsze tak myślała, kiedy widziała w filmie bohatera, który tak samo tłumaczył się dziewczynie. I zawsze żałowała porzucanej.

Zbyszek nieco się uspokoił. Nie wiedziała, czy zmienił taktykę, czy może coś zrozumiał. Podszedł do niej, przytulił. Zaczął całować po włosach. Nie odsunęła się, chciała mu dać szansę na odreagowanie.

Zdała sobie sprawę, że nie przestała go kochać, tylko przerosła tę miłość. Z czasem jej apetyt się wzmógł, chciała więcej, lepiej, ich związek zaś niepostrzeżenie zaczął przypominać stare małżeństwo, gdzie ogień tli się już tylko w popiołach, a ona nadal łaknęła fajerwerków. Przecież do tej pory pamięta, jak niegdyś gnała do niego w każdy weekend z uczelni, z jaką niecierpliwością dopadali siebie w sobotę, żeby z bólem rozstawać się w niedzielę. I co się z tym żarem stało?

– Widać, że mnie jednak nie znasz, nie wiesz, jaki jestem. Też miałem marzenia, ale w tym kraju wyżej dupy nie podskoczysz, czasem trzeba iść na kompromis z samym sobą.

– Wiem, wiem – mówiła uspokajająco. – Ale ja jeszcze walczę, jeszcze chcę spróbować. Ty mówisz „miałem", a ja mówię „mam marzenia". Taka różnica. Poza tym czuję, że cię unieszczęśliwiam, że inna kobieta doceniłaby to, czego ja się bez sensu czepiam, bo mam inne oczekiwania.

– Jaka inna kobieta? O czym ty mówisz? Żadna nie bierze mnie tak jak ty. Zobacz. – Położył jej rękę na swoim kroczu. Poczuła jego podniecenie. Zawsze ją dziwiło, że mężczyźni mogą zawsze, wszędzie i w każdej sytuacji.

Nie cofnęła ręki. Pomyślała, że jest mu to winna. I sobie też. Pożegnalny seks.

Wziął ją na ręce, patrzyli sobie w oczy. Położył delikatnie na łóżku, rozbierał metodycznie, powoli, najpierw ją, potem siebie. Nagle nie spieszył się nigdzie, nigdy przedtem się tak nie kochali. Zagarniał ją pod siebie, oplatał ramionami, dotykał jej twarzy, całował zachłannie, była w tym i rozpacz, i łkanie, i prośba. Ledwo się w niej poruszał, jakby się bał od niej oddalić choćby na sekundę. Doszli w tym samym czasie. Helena pierwszy raz bez swojego udziału.

Potem leżeli długo wtuleni w siebie.

4.

Matka, niezadowolona, kręciła się po domu. A to podlała kwiaty, a to poprawiła serwetkę na stole, wzdychała przy tym i szurała kapciami jak stara kobieta. Helena udawała, że tego nie zauważa. Od tygodnia mieszkała w domu rodzinnym. Wyprowadziła się od Zbyszka, nie chciała przedłużać agonii, poza tym bała się, że ze strachu zmieni zdanie i z nim zostanie. Tylko na to czekał, do ostatniej chwili prosił, przekonywał.

Po jakimś czasie w ogóle przestał się odzywać. Zaciął się w swojej dumie. Rozumiała go. Rozumiała też, że to ona go krzywdzi. On był, jaki był, nic się nie zmienił. W tym rzecz, ale tak czy siak, to nie jego wina.

Helena wiedziała, że już nie ma odwrotu: maszeruj albo giń. Zaczęła od tego, że spotkała się z naczelnym i spytała, czy nie mogłaby przez jakiś czas pracować zdalnie ze stolicy. Pisałaby o wydarzeniach kulturalnych, o książkach, koncertach. Pan Przemysław, jak go nazywali, chociaż wszyscy byli na ty, od razu sprowadził ją na ziemię.

– Helka, jakbyś była facetem, tobym ci powiedział, z czym się na łby pozamieniałaś. „Głos Koszalina” nie potrzebuje wiadomości z Warszawy. Mogę ci zostawić felietony, ale nie wiem na jak długo, bo one też były o życiu w regionie, a nie gdzieś tam w świecie. Przemyśl to jeszcze, u nas kokosów nie ma, ale pracę masz pewną. No chyba że tytuł poleci.

– Dzięki, Przemo, ale już zdecydowałam. Nie wiem jeszcze, kiedy ostatecznie odejdę, ale obiecuję, że uprzedzę i nie zostawię cię z dnia na dzień na lodzie.

– Nie boisz się? To nie czasy na takie ruchy.

– Nigdy nie będzie dobrego momentu, a z czasem coraz mniej szans na nowy początek, jak nie teraz, to już nigdy – odparła Helena, miała nadzieję, że przekonująco, ale prawda była taka, że strach ją obezwładniał.

A teraz siedziała w domu rodziców i przeglądała w Internecie ogłoszenia o pracy. Dla dziennikarzy nie było nic ciekawego, w telewizji tylko bezpłatne lub słabo płatne staże, zresztą wcale nie chciała tam iść. Postanowiła wykorzystać swoje doświadczenie w marketingu. Jakiś czas temu dorabiała sobie w firmie znajomej, wiele się nauczyła od szefowej. Tamta wiedziała, że Helena tylko na chwilę, potrzebne im było jej lekkie pióro, dlatego niespecjalnie strzegła tajemnic zawodu. Helena myślała wtedy, że to tylko dla pieniędzy, na jakiś czas, ale teraz doceniła to doświadczenie. No i miała na to papiery. Dobrze jej ojciec doradził, że nic na czarno, żadne tam pieniądze na lewo, musi być ślad w CV, bo nigdy nie wiadomo, co się przyda.

W grę wchodziła tylko Warszawa. Chciała wielkich emocji, oceanu możliwości i anonimowości. Widziała siebie, jak przemierza miasto przez nikogo nie niepokojona. Wraca z pracy, siada na chwilę w ogródku jakiejś kawiarni, zamawia orzechowe latte, niespiesznie przegląda gazety i nikt, ani jedna osoba, nie mówi jej dzień dobry, nie pyta o rodziców, nie prosi o przekazanie mamie prośby o przepis, nie zaprasza na wernisaż, bo „pani wie, pani redaktor, bez mediów teraz nic". Marzyła o pracy w korporacji. Tak, oczywiście zdaje sobie sprawę, że wszyscy stamtąd uciekają, ale przecież po coś tam najpierw szli. Łatwo uciekać, kiedy się ma pieniądze. Gorzej, jak się ich nie ma wcale. Spodziewała się, że jej oszczędności stopnieją szybciej niż bałwan w ogrodzie Jaźwińskich przy gwałtownym ociepleniu.

W ramach wizualizacji powiesiła na lodówce panoramę Warszawy zrobioną z jednego z wieżowców. Ojciec pukał się w czoło.

– Wszystko przez Żydów, rozkradają kraj, wyprzedają Polskę, dzieci muszą opuszczać gniazda, zostawiają starych rodziców na pastwę losu, idą na poniewierkę.

– Tato, przestań z tymi Żydami. Na jaką poniewierkę? Ludzie na całym świecie przemieszczają się za pracą, próbują szczęścia w różnych dziedzinach. Poza tym nie jesteś stary, ani ty, ani mama. To demagogia.

– Ty już nie ucz ojca dzieci robić. Demagogia-śmogia. Wiem, co mówię, zobaczysz, ciągniesz do wodopoju, zaraz tam jakiś z pejsami ci się napatoczy. Tylko pamiętaj, do domu za próg nie wpuszczę. Mośków ci chować nie będę, jak zajdziesz.

– Tato, nie zaczynaj, bo znowu się pokłócimy.

Ojciec wyszedł z pokoju wzburzony. Słyszała go z kuchni, jak mówi do siebie, że „oni" rudych nie lubią, może jej nie zechcą.

Bezwiednie dotknęła włosów. Były długie, naturalnie rude, lekko falujące. Tutaj wszyscy przyzwyczajeni są do jej urody. Jasna cera, piegi i niespodziewanie ciemna oprawa oczu. Wygląda trochę dziwnie. Taki ewenement. Zbyszek taką ją właśnie kochał. Może nadal kocha? Boże, może to wszystko jeszcze odkręcić? Jeszcze nie jest za późno. Tam będzie sama wśród obcych, a do tego według ludzi rude to wredne. Niby nie te czasy, wszyscy kochamy Anię z Zielonego Wzgórza, ale jednak się zdarza, że ktoś za plecami rzuci głupi tekst.

Dobra, dość tego. Musi się wziąć w garść. Gdzież ona zapisała tę stronę? Otworzyła zakładkę z ogłoszeniami i zaczęła przeglądać.

5.

– Czy ja dobrze słyszę, że nastąpił wielki split ze Zbyszkiem?

– Czy ja dobrze słyszę, że to nie twój interes? – odparła Helena.

– Oddaj się, Dorotko! – wykrzyknął dramatycznie Patryk i padł na kolana.

– Patryk, spadaj, zajęta jestem, zamiast się wygłupiać, wybierz lepiej zdjęcia dla Pana Przemysława.

Ale Patryk jej nie słuchał, wstał z kolan i z błogim wyrazem twarzy pochylił się nad jej karkiem.

– Przestań mnie wąchać, zboku! – Helena odsunęła się w lewo, kiedy się zorientowała, że on się zbliżył.

– Kobietoooo! Doprowadzasz mnie do obłędu, czego ty używasz?

– Mydła Biały Jeleń – odpaliła zniecierpliwiona. Jednak się uśmiechała, to go zachęciło.

– Heleno Trojańska, czy nie widzisz, że wszystkie samce w redakcji chodzą w rozkroku na twój widok? Na dodatek jesteś teraz wolna, upiliśmy się wczoraj ze szczęścia, chociaż nie mamy pewności, któremu z nas, jeśli w ogóle, przypadnie w udziale zwiedzanie twojej norki. Zaraz zacznie się wyścig, krwawa walka.

– Nawet nie chcę wiedzieć, co masz na myśli. – Śmiała się już w głos. Ten obraz, zamiast działać na nią tak, jak chciał Patryk, wywoływał bezdech, ale z rozbawienia.

Zbyszek wziął urlop i wyjechał. W tym czasie Helena miała nadzieję znaleźć pracę. Zaczyna od najtrudniejszego elementu układanki. Chyba miała nierówno pod sufitem, łudząc się, że załatwi to szybko. Będzie musiała przeprosić się ze wszystkimi świętymi, a przynajmniej z jednym. Pójdzie pomodlić się do świętego Judy, patrona spraw beznadziejnych, tylko musi znaleźć w sieci odpowiednią modlitwę. Nie zna ich wiele. Właściwie to dwie – *Ojcze nasz* i *Zdrowaś Maryjo*. Wystarczy. W razie potrzeby siada na trawie i powtarza je na zmianę, jak mantrę. Niczym się to nie różni od medytacji, bardzo ją uspokaja, rozjaśnia umysł, czasem pozwala znaleźć odpowiedź na pytanie, co dalej. Ale do kościoła nie chodzi. Już nie wierzy w dobre intencje księży, nie potrafi im zaufać.

Napisała teksty na ten dzień i wróciła do szukania pracy. Zalogowała się do serwisów i zaczęła przeszukiwać bazę ofert. Znalazła kategorię „marketing – komunikacja marketingowa" i tam zaczęła. Miała nadzieję, że jej doświadczenie dziennikarskie i mniejsze, ale jednak marketingowe, kogoś zainteresuje. Dlaczego nie szukała pracy w jakiejś gazecie? Pytała siebie i nie znajdowała odpowiedzi. Chciała spektakularnych zmian. Może to nielogiczne, ale czy nie tylko takie mają sens?

Im bardziej się angażowała, tym lepiej widziała, jak trudne to zadanie. Chciało jej się płakać. A może by tak dostać widowiskowego załamania nerwowego, zapaść się w sobie, a potem ocknąć i udawać, że nie chciała, że to wszystko przez to, że jej siadła psychika? Wróciłaby do Zbyszka, naczelnemu powiedziała, że żartowała. Żyłaby jak dotąd. A od czasu do czasu, dla pobudzenia krwi, przespałaby się z Patrykiem.

Chyba mi na mózg pada z tego stresu – pomyślała. Miała ochotę robić wszystko poza przeglądaniem tych ogłoszeń. Były tak sformułowane, że wydawało się, że jedna osoba nie podoła obowiązkom: przygotowywanie materiałów marketingowych zgodnie ze standardami firmy; wsparcie w organizacji konferencji, targów i innych imprez; zarządzanie i dystrybucja materiałów promocyjnych; redagowanie tekstów do publikacji; współpraca z dostawcami usług; monitoring rynku HR oraz działań konkurencji.

Najciekawsze było godne reprezentowanie dyrektora marketingu i firmy w kontaktach z partnerami biznesowymi. Czyli co? Nie uwalić się w trupa na kolacji czy oddać się „w dobre ręce", jeśli partner biznesowy ma na to ochotę? E, to już chyba nie te czasy.

Wiedziała, że w takie ogłoszenia pcha się wszystko, co na takim stanowisku jest do zrobienia, żeby potem nie było gadania, że „nie mam tego w zakresie obowiązków, nie możecie tego ode mnie wymagać". Dawno nie miała do czynienia z tym żargonem i nie mogła się przestawić. To jednak inny świat.

6.

Nie zdążyła dobiec do telefonu. Cholera! Ledwo wlazła pod prysznic, zadzwonił, chociaż zwykle milczy. Mało się nie zabiła, gnając, żeby go odebrać. Stała półnaga na gołej podłodze, woda po niej spływała, próbowała ustalić, kto dzwonił, ale dotykowy ekran nie reagował na usilne ruchy mokrych palców.

Wzięła kilka głębokich oddechów, zawróciła do łazienki, zawinęła włosy w ręcznik, wytarła się do sucha, narzuciła szlafrok i dopiero wtedy wróciła do telefonu. Na szczęście numer nie był zastrzeżony, wcisnęła zieloną słuchawkę i z bijącym sercem czekała na odpowiedź.

– Euro-Edit, słucham.

– Dzień dobry, mówi Helena Miła. Miałam telefon z tego numeru kilka minut temu.

– Proszę chwilkę poczekać, sprawdzę.

To chyba było najdłuższe kilka minut w życiu Heleny.

– Tak, łączę z działem HR – odezwała się kobieta po drugiej stronie i natychmiast przełączyła ją na *Odę do radości* dla oczekujących.

Też sobie wybrali melodyjkę.

– Julita Paszkowska, dzień dobry. Czy rozmawiam z panią Heleną Miłą? Aplikowała pani do naszego działu marketingu, czy tak?

– Tak, to ja – odpowiedziała Helena drżącym głosem. Serce podeszło jej do gardła. Odezwali się! Odezwali się! Odezwali się!

– Gratuluję, zaczyna pani pierwszy etap rozmów kwalifikacyjnych. Zapraszam panią do nas na spotkanie. Mamy dwa terminy do wyboru – poniedziałek dwudziestego ósmego kwietnia lub wtorek dwudziestego dziewiątego kwietnia. Oba na czternastą.

– Dziękuję bardzo. Jeśli mogę wybierać, poproszę o ten poniedziałkowy. Czy mam ze sobą przywieźć jakieś dokumenty?

– Już wszystko mamy, chyba że pani chciałaby nam coś jeszcze pokazać. A, i jeszcze jedno, część rozmowy będzie prowadzona po angielsku, bo to stanowisko wymaga dobrej znajomości tego języka. Czy czuje się pani na siłach? Proszę o szczerość, nie chciałabym, żebyśmy tracili czas, my i pani.

– Nie ma problemu, znam język angielski w mowie i piśmie.

– Zatem czekam na panią w poniedziałek dwudziestego ósmego kwietnia. Szczegóły podam w mailu na adres podany w CV.

– Dziękuję bardzo za zaproszenie i czekam na wiadomość.

– Do widzenia.

O Boże, to chyba jakiś cud. Ma spotkanie w sprawie pracy. W Warszawie! Zaczęła skakać po pokoju, ręcznik spadł jej z włosów, rude, mokre kosmyki oblepiły twarz. Była taka szczęśliwa.

ROZDZIAŁ II
PIERWSZA POŁOWA MAJA 2014

HELENA

1.

– Gratuluję i witam na pokładzie, pani Heleno. Trochę to trwało, ale musieliśmy przeprowadzić cały proces według naszych zasad w firmie, chociaż przyznam szczerze, że już po pierwszym etapie wiedzieliśmy, że takiej właśnie osoby potrzebujemy. Zgodnie z umową zaczyna pani od drugiego czerwca. Cieszę się, że udało się pani skrócić okres wypowiedzenia w redakcji. Proszę wybaczyć pytanie, ale wiem, że pani nie jest z Warszawy. Czy ma już pani pomysł na mieszkanie? – spytała szefowa HR.

W tym czasie kobieta robiła kilka rzeczy naraz – próbowała utrzymać kontakt wzrokowy z Heleną, pakowała świeżo podpisany kontrakt w firmową teczkę, a na dodatek podtrzymywała łokciem zsuwające się z biurka segregatory z dokumentami. Helena nie wiedziała, czy powinna jej pomóc, czy raczej nie wypada.

– Jeszcze nie szukałam lokum, nie chciałam zapeszyć – odparła Helena. – Poza tym nie wiedziałam, jaka będzie ostatecznie pensja. Nadal nie wiem, czy będę mogła coś wynająć sama, czy będę musiała szukać współlokatorki.

– Pani Heleno, mam pomysł. Jeśli jest pani jutro jeszcze w Warszawie, zapraszam wieczorem na małą imprezę firmową. Nasza szefowa co jakiś czas w piątki, po pracy organizuje wypady do pubu. Nic zobowiązującego, taka integracja. Mamy naprawdę fajny zespół, a zwyczaje zachodnie, bo i właściciel przecież nie stąd. Proszę do nas jutro dołączyć, zaczyna pani wkrótce, dobrze poznać ludzi, z którymi będzie pani współpracować. Oni też są pani ciekawi. Poza tym może będę miała pomysł na rozwiązanie pani problemu z mieszkaniem, przynajmniej na razie, dopóki się pani nie rozejrzy. Ale dopiero jutro będę mogła coś więcej powiedzieć. Jesteśmy umówione?

– Dziękuję za zaproszenie, oczywiście będę, tylko proszę powiedzieć gdzie. – Helena nie wierzyła własnym uszom. Tak ją straszyli, że korporacja zje ją żywcem, a tu całkiem ludzkie odruchy.

– Spotykamy się w Cavie na rogu Nowego Światu i Foksal o ósmej. Wiem, że wejście do grupy, w której się nikogo nie zna, może być stresujące. Jeśli pani chce, możemy gdzieś się umówić i pójść tam razem.

– To miło, że pani o tym pomyślała. Oczywiście, tak bym wolała.

– Najłatwiej będzie się nam spotkać przy kawiarni Bliklego. To takie rozpoznawalne miejsce, trafi pani bez problemu i nie będziemy się szukać w nieskończoność. Proszę zapisać mój numer telefonu.

Helena wpisała w komórkę numer Julity Paszkowskiej i lekko oszołomiona wyszła z biura. Nie spodziewała się ani tego, że dostanie pracę, ani tego, że tak zostanie przyjęta. Miała tylko nadzieję, że to nie są dobre złego początki.

2.

W co się ubrać, w co się ubrać – śpiewała Helena, trawestując słowa piosenki Młynarskiego. Koleżanka ze studiów, u której zatrzymała się na te kilka dni, miała inny gust, poza tym inny rozmiar, więc nic jej nie mogła ani doradzić, ani pożyczyć. Helena wzięła ze sobą tylko jedną małą walizkę, czyli miała ograniczone możliwości. Zdecydowała się na biały garnitur, do tego cielistą bluzkę na ramiączkach. Trochę formalnie, trochę frywolnie – miała nadzieję, że będzie dobrze. Rude włosy rozpuściła. Miała je wystrzyżone na różnych długościach, naturalnie wiły się w różne strony. Była zadowolona z efektu. Makijaż – mocniej oczy, usta prawie niewidoczne; do tego kolczyki i zegarek w kolorze różowego złota od Michaela Korsa (korespondował z cielistością bluzki), nieco męski z wyglądu. Odkupiła go za grosze od koleżanki, której mąż przywiózł go z zagranicy z jakiejś wyprzedaży, a ona nie chciała nosić, właśnie ze względu na ten męski styl.

Paznokcie – miała ze sobą tylko czerwony lakier, pomalowała na próbę. Rezultat był fenomenalny. Czuła się naprawdę dobrze w tym zestawieniu. Wszystkiego dopełniały sandały na wysokim obcasie i coś, czego nikt nie widział, a ją wprawiało w euforię, tym bardziej że wcześniej takiej nie nosiła – wyjątkowa bielizna, którą sobie dzisiaj kupiła w Intimissimi w Arkadii, zaledwie jeden przystanek od domu Marty. Dobrze, że po drodze weszła tam też do Inglota, mogła umalować się nowymi cieniami.

Zależało jej na zrobieniu dobrego wrażenia. Wszystkie te elementy powodowały, że czuła się wyjątkowo, po królewsku, szczególnie ta bielizna, chociaż niewidoczna, sprawiła, że Lena stała się bardziej pewna siebie. Potrzebowała tego, żeby stawić czoła nowemu życiu i nowym znajomościom. Była równie przerażona, co podekscytowana.

Wyszła odpowiednio wcześniej, za nic nie chciała się spóźnić. Zawsze tak ma, nic na ostatnią chwilę. Serce biło jej mocno, stres dawał się we znaki. A może ubrała się zbyt wyjściowo? Boże, wyjdzie na prowincjuszkę, która nie potrafi się znaleźć. Co będzie, jeśli oni wszyscy ubiorą się w dżinsy i bawełniane tiszerty? Pewnie dosyć mają garniturów i marynarek w pracy. A ona na odwrót, właśnie nie chciała już chodzić ubrana na sportowo, dorosła do innego stylu, kiedyś tylko na specjalne okazje. Poza tym to właśnie była specjalna okazja. Nic to, przecież się już i tak nie przebierze.

Skierowała się w stronę przystanku, koleżanka dokładnie jej wypisała, w jaki autobus wsiąść i gdzie wysiąść. Nieznajomość Warszawy bardzo jej ciążyła, musi potem poszukać aplikacji na telefon, która pomoże jej odnaleźć się w mieście i nie zadawać miliona pytań.

W autobusie poczuła, że ludzie jej się przyglądają. Na początku było to krępujące, ale zauważyła, że mężczyźni robią to z nieukrywanym podziwem, a kobiety z zainteresowaniem. Widocznie dobrze wygląda.

Kiedy wysiadła, musiała kilka razy odetchnąć, bo stres narastał. Przeszła w kierunku kawiarni Bliklego, nie znalazła tam pani Julity. Stanęła bliżej ulicy, przy takich śmiesznych drzewach w donicach. Nagle zatrzymał się samochód, wysiadł z niego śniady mężczyzna w ciemnym garniturze i bez żadnych wstępów zaczął do niej przemawiać:

– Czekałem na ciebie całe życie, nie możesz mi teraz zniknąć, odejść. Dziewczyno, gdzie ty się ukrywałaś?

No nie, obłąkany jakiś, że też musiało jej się to przytrafić właśnie teraz, kiedy czeka na tę kobietę, ona przyjdzie i pomyśli, że podrywa facetów z nudów. Helena oddaliła się pospiesznie. Mężczyzna pewnie by za nią poszedł, ale inni kierowcy zaczęli na niego trąbić.

Jak w kiepskiej telenoweli. Co też on sobie myślał? Że wsiądzie do jego samochodu i odjadą w kierunku zachodzącego słońca? Wróciła z powrotem w pobliże kawiarni, ale tym razem weszła do środka, usiadła i zamówiła wodę. Źle się umówiły. Na przystanku czekająca kobieta nie budziłaby niczyjego zainteresowania, a pod tą kawiarnią tak. Patrzyli na nią teraz ludzie przy innych stolikach, uśmiechali się, komentowali to, co się wydarzyło. Było jej strasznie głupio, ale nie mogła teraz odejść. Na szczęście po kwadransie zjawiła się Paszkowska, cała przepraszająca za spóźnienie, jeden autobus przegapiła, a na drugi oczywiście musiała poczekać.

– Sama pani zobaczy, jak to jest z tymi dojazdami – zakończyła opowieść, siadając z rozmachem na krześle. – Dobrze, że pani tu zakotwiczyła na chwilę, mamy kilka minut, chciałabym z panią o czymś porozmawiać. Może zamówimy kawę? Przyda nam się na początek wieczoru.

– Świetnie. Nic nie jadłam od śniadania, nawet kawy nie piłam. W emocjach zawsze zapominam o posiłkach – wyrzuciła z siebie Helena, zanim pomyślała, że to może o niej źle świadczyć. Może jest zbyt naturalna, otwarta, może powinna okazać powściągliwość? Sęk w tym, że nie bardzo umie, to nie leżało w jej naturze.

– A wiesz, że ja też nie? – odparła Paszkowska i dopiero wtedy zorientowała się, że zwróciła się do Heleny po imieniu. – Pani Heleno, może nie będziemy sobie tak paniować, bo to bardzo kłopotliwe?

– Oczywiście, będzie mi bardzo miło. – Helena nie mogła uwierzyć, że tamta tak szybko skraca dystans. Czy to normalne w korporacjach? Normalne czy nie, miłe na pewno, nie ma się co tak zastanawiać nad każdą błahostką.

– Mówiłam ci, że może będę miała dla ciebie propozycję mieszkaniową, przynajmniej na jakiś czas. – Julita przeszła od razu do rzeczy, wiedziała, że nie mają za wiele czasu. – Moja siostra mieszka w mieszkaniu po naszych rodzicach, nie bardzo ją stać na jego utrzymanie, a ja nie mogę jej na razie pomagać, przeprowadzam się z rodziną do większego mieszkania. Dzieciaki dorastają, muszą mieć oddzielnie pokoje. A to oznacza kredyt hipoteczny i dlatego nie będę mogła już dokładać się do czynszu Adeli, tak ma na imię siostra. Jest tylko jeden problem. – Julita zawiesiła głos. Widać było, że nie bardzo wie, jak przedstawić sprawę.

– Słucham, mów, proszę, jestem zainteresowana – delikatnie zachęciła ją Helena.

– Mieszkanie ma trzy sypialnie, jedną większą, ta byłaby twoja, dwie malutkie i pokój dzienny. Adela nie mieszka sama. I właśnie nie wiem, jak ci to powiedzieć, żeby cię nie zniechęcić. Otóż ona podjęła się opieki nad naszą średnią siostrą, Kaśką, która ma zespół Downa i do tego kilka innych rzeczy. W każdym razie jest bardzo specyficzna i nie wiem, jak na to zareagujesz – wydusiła wreszcie Julita. Widać było, że sprawa jej ciąży i bardzo jej zależy na rozwiązaniu problemu, ale też musiała się nieraz naciąć, bo na jej twarzy malowała się rezygnacja.

– A ile musiałabym płacić za ten pokój?

– Połowę czynszu i połowę opłat za media – odpowiedziała Julita, a w jej oczach pojawiła się iskra nadziei.

– No tak, ale to czynsz do spółdzielni czy wspólnoty, a ile dla was?

– Jeśli dodatkowo zgodziłabyś się posiedzieć w domu z Kaśką dwa wieczory w tygodniu, nie płaciłabyś nic ponad to, co powiedziałam. Sęk w tym, że ja na jakiś czas muszę być zwolniona z tego obowiązku, i zupełnie nie wiem, jak ten problem rozwiązać. Kaśka nie potrzebuje pomocy w higienie ani nic w tym stylu, ale trzeba jej podać jedzenie, czasem leki, no i być po prostu. Adela musi mieć przecież czas dla siebie. Przed południem Kaśka jest w ośrodku dziennym, gdzie mają zajęcia, uczą się samodzielności, ale później musi ktoś z nią być. Adela pracuje z domu, jest grafikiem komputerowym, ale czasem ma spotkania z klientami wieczorem, a czasem po prostu chce pobyć ze znajomymi, gdzieś wyjść, do kina, na kolację. Sama rozumiesz. Pomagam utrzymywać Kaśkę, dokładałam się też do mieszkania i zostawałam z nią czasem wieczorem i na noc, ale teraz doszedł mi jeszcze jeden obowiązek, o którym nie chciałabym teraz mówić, i uzgodniłyśmy z Adelą, że wynajmiemy pokój na jakiś czas. Tylko że okazało się to niełatwe z powodu chorej siostry. Nie czuj się zobowiązana do niczego, odmówiło mi wiele osób, więc jedna więcej czy mniej już mnie nie zdziwi. Po prostu próbuję swoich szans.

– Adela chyba też ma coś do powiedzenia, może powinnyśmy się najpierw z nią spotkać? Zobaczyłabym przy okazji mieszkanie, poznała Kaśkę, przecież ona też musi zaakceptować nową lokatorkę. Umówmy się, że odłożymy wszelkie deklaracje do tego czasu. – Helena próbowała grać na zwłokę, trochę ją ta propozycja przytłoczyła.

Warunki finansowe były nie do pogardzenia, ale reszta – mieszkanie z obcymi, do tego te wieczory z siostrą, której stanu nawet nie umiała sobie wyobrazić – trochę przerażała. Nie miała pojęcia o sytuacji mieszkaniowej w Warszawie, ale na początek mogłaby się może i zgodzić, spokojnie szukać i rozpoznać sytuację.

– Och, nawet nie wiesz, jak mi ulżyło, że mnie od razu nie spławiłaś. – Julita widocznie się rozluźniła. – Jeśli jesteś jeszcze jutro w Warszawie, spotkajmy się o trzeciej, podam ci adres. Uwaga, uwaga, to jest niespodzianka, specjalnie zostawiłam to na koniec – mieszkanie jest na Miłej.

– No, jak na Miłej, to chyba nie mam wyjścia. – Helena roześmiała się w głos, to musiał być znak. – Lena Miła z ulicy Miłej.

– Ale czy my już nie musimy gnać do Cavy? – Julita pierwsza się ocknęła i przypomniała sobie o celu spotkania. Zapłaciła rachunek i wyszły z kawiarni.

3.

I tak wiedziała, że nie zapamięta wszystkich imion. Część z obecnych podeszła się przywitać, część machnęła z oddali, każdy powiedział, jak się nazywa i w jakim dziale pracuje. Byli jej ciekawi, ona przyglądała im się i rozmyślała o tym, jak będą wyglądały ich relacje.

Czuła się niezręcznie, ale z całych sił starała się to ukryć. Na szczęście garnitur dobrze się nosił i przynajmniej z nim nie miała problemu, jeszcze tego brakowało, żeby jej się coś ciągnęło albo wpijało nie tam, gdzie trzeba. Zamówiła białe wino, czerwonego nie lubiła i ono nie lubiło jej, zawsze się po nim źle czuła. Poza tym osoby, które pozostawały przy tym trunku cały wieczór, zawsze kończyły z bladoniebieskimi zębami i ustami jak topielcy. Zabawne u kogoś, u siebie przerażające.

Umierała z głodu, ale nikt nic nie jadł i nie wiedziała, czy to nie będzie obciach. No, ale upić się też nie chciała, a nie jadła od rana.

– Czy my tu zostajemy i będziemy coś jeść? – zdecydowała się zapytać. – Bo ja jestem głodna.

– Moja krew – wykrzyknął młodzieniec z burzą loków nad czołem, niezbyt gęstą kozią bródką i znamieniem na szyi. (Pewnie dział IT – pomyślała Helena). – Też bym coś przekąsił.

Zrobił się harmider, poprosili o menu i głośno dyskutowali nad każdą pozycją. Helena zdecydowała się na sałatkę z wędzonym łososiem.

Wieczór był wyjątkowo ciepły, maj ich rozpieszczał. Lena rozglądała się ciekawie dokoła. Z ogródka widać było przechodzących Foksalem, ale doskonale prezentował się też Nowy Świat. Wszystkie stoliki były zajęte. Oni mieli rezerwację. Szefowa postarała się o to, ale sama nie przyszła, coś jej w ostatniej chwili wypadło. Helena cieszyła się z tego, obecność tej kobiety pewnie by ją krępowała jeszcze bardziej.

Grupa jej nowych znajomych była bardzo różnorodna – głównie ludzie w jej wieku i młodsi, ale i kilka starszych od niej babeczek, tak przynajmniej jej się wydawało. Cieszyła się z tego, bo miała obawy, że będzie najstarsza. Miała przejmujące poczucie straconego czasu i to rzutowało na ogląd rzeczywistości.

Jej życie w Koszalinie wydawało się teraz odległe i nierealne. Czuła się całkiem inaczej, z dziewczyny z sąsiedztwa, zawsze w sportowym stylu, z makijażem tylko od święta, z włosami związanymi na karku, przepoczwarzała się w światową i bardziej świadomą siebie kobietę. Poza tym była teraz singielką, a to niezwykle fascynujące doznanie – swoista mieszanka wolności i poczucia siły. Wnikając w Warszawę, przejmowała jej wielkomiejski sznyt. Lubiła nową siebie, chociaż miała świadomość, że to tylko początek, że jeszcze pewnie siebie samą zaskoczy.

Rozglądała się z ciekawością po ludziach. Czy tu ubierają się inaczej? Na pewno jest dużo więcej ekscentryków, poza tym widać na każdym kroku pary gejowskie obu płci, co u niej w mieście było nie do pomyślenia. No i, tu sobie aż westchnęła, te chłopaki jakieś takie niewydarzone jednak. Ani to męskie, ani interesujące, nie widziała dla siebie partnera. Oczywiście hipotetycznie. Wyobrażała sobie, że jeden czy drugi właśnie przechodzący lub siedzący przy stoliku jest jej chłopakiem, czeka na nią albo spieszy się na umówione miejsce właśnie do niej. Wzdrygnęła się na samą myśl.

No, no, z kobiety będącej w wieloletnim związku zamienia się w kobietę kuguara, wyszła na łowy. Szokowała samą siebie.

Przy stolikach cały czas dochodziło do przetasowań. Dopóki mieli tylko napoje, po prostu brali szklanki w rękę i przenosili się z jednego krzesła na drugie, tak żeby z każdym porozmawiać. Helena miała za sobą już dwie takie zmiany, bez ogródek różni ludzie zapraszali ją do siebie, kazali się komuś tam przesiadać, robić dla niej miejsce. Czuła się coraz pewniej w tym towarzystwie, tym bardziej że wszystko wskazywało na to, że ma do czynienia z ludźmi podobnymi do niej, otwartymi gadułami, ciekawymi różnych tematów, łatwo wchodzącymi w dyskusje głębsze niż tylko: „Och, nie interesuje mnie polityka, nie wiem nic o sporcie, nie znam się na ekonomii". Było to już widać przy podawaniu ręki, większość uścisków była mocna i zdecydowana. „Zdechłą rybę" podał jej tylko jeden chłopak, zresztą szybko się zmył, widać nie pasował do reszty. A może po prostu nie mógł zostać dłużej? Obiecała sobie nie oceniać pochopnie, bo zawsze jej potem wstyd, kiedy okazuje się, że pierwsze wrażenie było mylne.

Podano zamówione dania. Helena była przeszczęśliwa, że jest w restauracji, w dodatku nie sama. W Koszalinie nieczęsto jej się zdarzało jadać poza domem, bo po pierwsze, nie bardzo było gdzie bywać, a po drugie, nie miała pieniędzy. Tutaj może będzie inaczej? Pensja jest dużo większa niż w redakcji, chociaż to dopiero początek, tak jej powiedzieli. Trzy pięćset może nie majątek, ale musi się najpierw wykazać. Dla niej to była fortuna. Oczywiście nie znała realiów warszawskich, może to na niewiele starczy? Ale dzisiaj postanowiła się po prostu cieszyć. Poza tym miała w perspektywie tanie mieszkanie na początek, a do tego umiała oszczędzać. Jedynie to jadanie poza domem było jej słabością. Uwielbiała weekendowe śniadania w towarzystwie znajomych czy wieczorne posiedzenia przy winie i lekkich przekąskach. W Warszawie tym bardziej było to kuszące.

Sałatka z wędzonym łososiem wyglądała przepysznie, do tego świeże pieczywo. Tylko ten dressing na sałacie, musi uważać, żeby sobie nie poplamić garnituru. Postanowiła umieścić na piersiach serwetkę. Lepiej przez chwilę wyglądać idiotycznie, niż potem resztę wieczoru spędzić z wielką zieloną plamą na białej marynarce albo wracać do domu, żeby się dłużej nie narażać na śmieszność.

Próbowała ją umocować na bluzce w dołku między piersiami, ale materiał nie bardzo chciał się trzymać. Helena wymyśliła, że ją lekko wsunie za stanik pod bluzką. Zależało jej tylko, żeby nikt tych operacji nie widział. Nie była szczególnie wstydliwa czy nieśmiała, ale po prostu nie chciała, żeby komentowano rubasznie jej manipulacje przy biuście.

Bielizna sprawdzała się świetnie. Czuła gładkość materiału, z którego była wykonana, a stanik wyjątkowo dobrze utrzymywał w ryzach jej dość pokaźny biust. Kiedy mocowała serwetkę, wygięła się kusząco, chociaż tego nie planowała, samo tak wyszło. Zauważyła, że mężczyzna siedzący na wprost niej, przy stoliku nieopodal wpatruje się w nią z mieszaniną ironii i... czy to możliwe? Zmieszała się. Cofnęła rękę. Zrobiło jej się gorąco. Bała się podnieść oczy, bo wiedziała, że dostała wypieków. Cholera, ta jej ruda przypadłość, za każdym razem, kiedy była podekscytowana lub podniecona, czerwieniła się nad górną wargą i na policzkach.

Nie mogła się powstrzymać i spojrzała w jego kierunku. Nadal na nią patrzył. Był w dużym męskim gronie, gorąco dyskutowali. Ale nie brał udziału w rozmowie, wpatrzony w nią uśmiechał się kącikami ust, lekko odchylony do tyłu, rozluźniony.

Lena za to spinała się coraz bardziej, do tego skóra jakby przestała do niej należeć i żyje własnym życiem, zwilgotniała wszędzie. Gorąco.

Mimo wszystko próbowała zachowywać się normalnie. Nabierała małe porcje sałatki na widelec, jadła powoli, bojąc się plam. Ale wychodziło na to, że je zmysłowo. Całkiem mimowolnie, ale co począć, jeśli sos zostawia za sobą błyszczące, naoliwione usta, pieczywo brudzi palce masłem, a ona, zanim pomyśli, oblizuje je automatycznie. Na dodatek wszystko takie pyszne, a ona taka głodna.

– Heleno, najpiękniejsza ze wszystkich znanych mi Helen, patrzenie na ciebie jedzącą jest jak oglądanie starych włoskich filmów z młodą Giną Lollobrigidą – powiedział z emfazą Aron, ten informatyk, jak go w duchu nazwała Helena, ze znamieniem na szyi.

Wszyscy zaczęli się śmiać i przekomarzać, że jest za młody, by znać tę aktorkę. Skąd mu się wzięło to porównanie?

– Wiem, co mówię. Moja mama ją uwielbiała i oglądała wszystkie filmy, jakie udało jej się zdobyć na DVD. Fantazjowałem o Ginie, jestem ekspertem od Lollobrigidy.

– Ale ona nie była ruda – mruknęła Helena. Wolałaby, żeby z niej zeszli, bo z doświadczenia wiedziała, że takie dyskusje rodzą mimowolną zazdrość u kobiet, a tylko tego jej brakowało.

– I tu się mylisz. – Aron podniósł palec do góry dla podkreślenia powagi swojej wypowiedzi. – Udowodnię ci to pierwszego dnia pracy, wydrukuję zdjęcie i postawię ci na biurku. Julita, gdzie będzie stało jej biurko?

– Aron, upiłeś się, chłopie. Daj jej spokój z tymi zdjęciami. – Julita objęła chłopaka ramieniem, drugą ręką poklepując go uspokajająco.

– On wszystkim drukuje ciągle jakieś zdjęcia, jest maniakiem kina, następny etap waszej znajomości to zaproszenie na seans jakiegoś wyjątkowego filmu w dziwnym miejscu. – Julita poczuła się w obowiązku wprowadzić Helenę w panujące zwyczaje.

– A żebyś wiedziała. Niedługo zaczyna się Kino pod Minogą, Heleno. – Aron skłonił się dwornie. – Uczynisz mi ten zaszczyt i wybierzesz się ze mną na stary film z Warszawą w tle?

– A wiesz, że chętnie? Wchodzę w to. – Równie dwornie odkłoniła się Helena.

– Ludzie! Właśnie uszczęśliwiła mnie ruda bogini. – Aron udawał zemdlonego. Wszyscy się śmiali, Helena też. Rozluźniła się wreszcie, spojrzała w kierunku stolika, gdzie siedział tamten mężczyzna, ale już zniknął. Szkoda.

Udało jej się zjeść sałatkę bez szkody dla garnituru. Zamówiła kolejny kieliszek białego wina i podniosła się, żeby pójść do toalety. Dopiero teraz opuścił ją stres. Czuła euforię, strasznie podobali jej się ci ludzie i atmosfera w grupie.

Stała w łazience i przyglądała się sobie w lustrze. Nie miała narcystycznych skłonności, raczej na odwrót: rodzice jej nie rozpieszczali komplementami, w szkole śmiali się z rudzielca, w liceum mniej, bo się zaokrągliła tu i tam i zaczęła mieć powodzenie, ale zazdrosne koleżanki nieraz jej dogryzały na temat jej włosów, piegów i tendencji do rumienienia się. Niejednokrotnie się przekonała, że kobieca zawiść jest bardzo bolesna. Z mężczyznami nie miała doświadczeń, bo szybko związała się ze Zbyszkiem, on był pierwszy i jak dotąd jedyny, ale to nie znaczy, że inni nie próbowali. Czasami byli czyimiś chłopakami lub mężami. Głupieli na jej punkcie, co ją zawsze niepomiernie dziwiło. Ale było miłe, dodawało pewności siebie. Nie musiała z tego korzystać, wystarczyła jej świadomość, że komuś się podoba.

A teraz ten facet. Dużo starszy. Ile? Nie umiała trafnie oceniać wieku innych ludzi, szczególnie tych po pięćdziesiątce. Szpakowaty, ale to o niczym nie świadczy, znała takich, którzy w jej wieku byli prawie całkiem siwi; szkła bez oprawek, opalony. O tej porze roku? Chyba nie w solarium? Tego by nie zniosła. Widać, że ćwiczy, zbity taki, zwarty w sobie. Że też aż tyle zdążyła zauważyć, choć przecież patrzyła głównie na jego twarz.

Helena była podekscytowana zmianami w życiu, perspektywą przeprowadzki i nowej pracy, a rozstanie ze Zbyszkiem zadziałało jak wehikuł czasu. Jakby wróciła do punktu, w którym natura budzi w kobiecie atawistyczną potrzebę wypróbowania własnej atrakcyjności, testowania jej na każdym kroku, a wszystko po to, by sprawdzić swoją moc przyciągania. Nie nadążała za swoją przemianą. Jeszcze niedawno raczej pasywna, teraz miała ochotę nie tylko rozdawać karty w tej grze, ale i dobierać sobie graczy.

Zauważyła, że skóra nad górną wargą znowu niebezpiecznie się zaczerwieniła. Przekleństwo. Poruszyła się w sobie, znowu poczuła wariacje, jakie wyprawiała jej skóra. Kolejna zaskakująca nowość. Wyprostowała się, poprawiła włosy, podrzucając je kilka razy do góry, żeby nabrały powietrza. Czuła się seksownie, nie tylko z wyglądu, ale też w środku. Cała gotowa. Momentami ją to szokowało.

Wyszła z toalety z opuszczoną głową, zapinając torebkę. O mało nie zderzyła się z… nim. Od razu spostrzegła, że był postawny, wysoki, miał zadbane ręce, cały był zadbany, ale bez przesady. Zwróciła uwagę na niewielki zarost, normalne, przecież była już noc. Żeby być gładkim o tej porze, musiałby się ogolić przed wyjściem. Zaskoczona skonstatowała, że ją to podnieciło.

– Zapytałem kelnerki, co pani piła, i zamówiłem to samo wino. Mam nadzieję, że chce pani przy nim pozostać, ale jeśli nie, zamówię natychmiast coś innego. – Podał jej kieliszek. Patrzył Helenie prosto w oczy, oczywiście tak jak przedtem, lekko ironicznie uśmiechnięty i, tak jak przedtem, z nieznośnym napięciem, od którego robiło się jej gorąco.

Zamarła. On stał z wyciągniętym kieliszkiem, a ona, o Boże, miała nadzieję, że nie z rozdziawionymi ustami, patrzyła na niego w osłupieniu.

– Przepraszam, nie przedstawiłem się. Juliusz.

– Sizar – odpowiedziała z angielska Helena, tekstem z ulubionego filmu *Asterix i Obelix: Misja Kleopatra*.

Oczywiście natychmiast chciała zapaść się pod ziemię. Zupełnie nie miała doświadczenia w takich sytuacjach i zachowywała się jak głupia gęś, jak przedwojenna pensjonarka.

– Niestety, nie – odparł mężczyzna, śmiejąc się głośno. – Czy jeśli powiem, że nazywam się Niewiadomski, to będzie pani zawiedziona?

– Masakrycznie – odparła Helena, sięgając po kieliszek. – Helena Miła.

– Miła – powtórzył miękko Juliusz.

Za miękko, za czule. Helena stała przed nim w pąsach i modliła się o wybawienie. Miała nadzieję, że jej nie dotknie, tego by nie zniosła.

– Wiem, że jest pani ze znajomymi, ale może usiądziemy tutaj na chwilę rozmowy? O tu, proszę – powiedziawszy to, dotknął lekko jej pleców, delikatnie wskazując kierunek.

Nie opanowała spazmu mięśni pod łopatkami, drgnęła nieznacznie pod jego dłonią, to było przyjemne doświadczenie, ale miała nadzieję, że tego nie zauważył.

– Głupio się czuję, powinnam chyba już wracać do stolika. – Naprawdę czuła się niezręcznie, nie miała zwyczaju rozmawiać z nieznajomymi mężczyznami.

– Proszę mi wierzyć, ja też nie podchodzę do każdej kobiety, która mnie zachwyciła, ale tym razem po prostu nie mogłem wyjść bez słowa. Dostałem ważny telefon, zaraz muszę się oddalić. Już miałem wzywać taksówkę, ale uznałem, że nie mogę tak zniknąć, nie wiedząc, kim pani jest i czy mam szansę jeszcze panią zobaczyć. Pani mówi, że głupio się czuje, a co ja mam powiedzieć?

Mówił to z taką miną, jakby miał całkiem co innego na myśli. Lubiła zdecydowanych mężczyzn, gotowych do działania, pewnie gdyby przeczytała to w jakiejś książce, w duchu skandowałaby: „Dziewczyno, *go for it*!". Ale Helenę to zirytowało. To ona chciała być teraz łowcą, przynajmniej tak chciała siebie widzieć, a tu rach-ciach i facet sięga po nią jak po swoje. I to pierwszego wieczoru w Warszawie.

Postawiła z rozmachem kieliszek na błyszczącym blacie baru. Trochę wina się wylało, krople lśniły na gładkiej powierzchni. Nierealnie to wyglądało i jakoś tak dramatycznie.

– Już pan wie, kim jestem, bo się niefrasobliwie przedstawiłam, jak grzeczna uczennica w szkole. Dobrze, że nie dygnęłam. Jeśli jest nam pisana znajomość, jeszcze na pewno się spotkamy. A teraz wybaczy pan, muszę wracać do znajomych. – Wstała i odeszła. Starała się zrobić to płynnie, seksownie. Wstąpił w nią chyba diabeł, bo miała nadzieję, że się podniecił i długo jej nie zapomni.

Bawiła ją ta myśl. Chyba pierwszy raz w życiu zamarzyła, żeby mieć nad tymi sprawami kontrolę. Chciała rozpalać mężczyzn – nie wszystkich, wybranych. Chciała poczuć, jak to jest, kiedy ktoś pożąda tak, że traci zmysły.

Jednocześnie zdawała sobie sprawę, że może być w tym wszystkim śmieszna i nieporadna, bo wiedziała o tych rzeczach tyle, ile kobieta, która miała jednego faceta, czyli nic. Zresztą, co miałaby zrobić? Dać mu natychmiast numer telefonu komórkowego? Adres? Wziąć od niego numer telefonu i nazajutrz zadzwonić? Musiała się jeszcze wiele nauczyć.

JULIUSZ

1.

Wyszedł ze spotkania we Wrzeniu Świata, by udać się do domu. Jutro miał randkę z Jolką, a ona lubiła długo i intensywnie, nie mógł dziś zarwać nocy. Nie w jego wieku. Po drodze zahaczył wzrokiem o stoliki w Cavie i kogo tam ujrzał? Arek Zajdler we własnej osobie. Nie wiedział, że już wrócił ze Stanów. Czy nie mówił, że ma cykl wykładów aż do czerwca? Siedział w większym gronie, rozmawiali po angielsku i po polsku. Juliusz nie miał zamiaru podchodzić, jutro do dziada zadzwoni i powie mu, co myśli o tym, że jego najlepszy przyjaciel nic nie wspomniał o powrocie z prawie rocznego wyjazdu.

Nie zdołał jednak przemknąć niezauważony. Arek go namierzył, zerwał się na równe nogi i z radosnym okrzykiem zawrócił Juliusza z Nowego Światu. Przywitali się serdecznie. Kiedyś Arek był studentem Juliusza. Ta przyjaźń to jedyne, co Julowi pozostało po krótkim epizodzie wykładowcy uniwersyteckiego w Polsce. Nie był zadowolony z pensji i poszedł w consulting. A teraz spokojnie, oprócz zasiadania w ciałach doradczych, Juliusz pisał o ekonomii w prasie, czasem występował w roli eksperta w radio lub telewizji. Kiedyś wykładał gościnnie na tym samym uniwersytecie w Wisconsin, gdzie teraz pracuje Arek. Sam go polecił, kiedy uznał, że już nie ma ani siły, ani ochoty latać w tę i z powrotem.

– Siadaj, brachu, z nami. Rano wylądowaliśmy, ale wiesz, *jet lag*, nikt nie może spać, więc wybraliśmy się coś zjeść. Napijesz się czegoś? Panowie, to jest mój przyjaciel, mentor, guru i idol – wszystko w jednym – Juliusz.

Chwilę trwała prezentacja, towarzystwo było międzynarodowe, zaczęły mieszać się języki. Juliusz angielskim posługiwał się tak samo jak polskim, był w swoim żywiole, poza tym znał środowisko uniwersyteckie w Milwaukee, mieli wielu wspólnych znajomych do obgadania.

Pogoda była wspaniała, chyba po raz pierwszy w tym roku można posiedzieć na zewnątrz, cieszyć się dobrą aurą. Uwielbiał tę porę, kiedy dziewczyny pozbywały się kurtek i płaszczy i obleczone jedynie w cieniutkie sukienki paradowały na wysokich obcasach, seksowne i nęcące. Rozglądał się wokół. Zauważył kobietę o niezwykle interesującej urodzie, naturalnie rudą, tego był pewien, bo miała takie piegi i kolor skóry jak Julianne Moore, ale z ciemną oprawą oczu, tak przecież nieprzystającą do urody rudzielca. To go zbiło z tropu.

Ubrana z klasą. W duchu pochwalił umiar w dodatkach i niezwykle gustowny zegarek, którego męski charakter kontrastował z eterycznością jej urody.

Kelnerka właśnie przyniosła jej sałatkę. Dziewczyna chwilę przypatrywała się czemuś na talerzu. Już myślał, że zawoła kelnerkę i będzie się na coś skarżyć, ale nie, ona postanowiła okryć się serwetką – pewnie martwiła się o jasny garnitur, w który była ubrana. Nie umiała jej skutecznie zatrzymać na dekolcie, więc operowała między piersiami. Poczuł mrowienie w kroczu. Dałby wszystko, żeby być teraz jej dłońmi. Poprawił się na krześle. Miał nadzieję pozostać niezauważonym, patrzył jak urzeczony na jej starania. Serwetka cały czas wysuwała się zza bluzki, więc Ruda Lisiczka, jak ją zaczął w myślach nazywać, postanowiła zatknąć ją za stanik. Wygięła się lekko w łuk, co go podnieciło jeszcze bardziej. Co ona, na miłość boską, wyprawia?

Spojrzała na niego. Nie odwrócił oczu, chciał, żeby widziała, co się z nim dzieje. Dziewczynko, *my eyes already like you** – zanucił pod nosem piosenkę Sade.

Zastanawiał się, czy ona jest ruda wszędzie, czy jest tam w dole wygolona (miał nadzieję, że nie), a jeśli nie, to czy jej futerko jest równie ogniste, jak jej czupryna. A sutki? Czy są ciemne, czy może lekko tylko zaróżowione, a może też miedziane?

Odwróciła wzrok. Lisico niedobra, spójrz na mnie! Zarumieniła się. Nad jej górną wargą powstała czerwona kreska, prawie niezauważalna, ale on dostrzegał wszystko. Wręcz namacalnie (och, jak by chciał, żeby to było na-ma-cal-nie) czuł każdą zmianę w jej zachowaniu. Poruszyła się nieznacznie, jakoś tak niespokojnie – Lisico, czyżbyś ty też czuła wzbierające podniecenie, czy jesteś już wilgotna? Uśmiechał się do swoich myśli, fantazje

* Moje oczy już cię lubią.

galopowały w jego głowie. Z jednej strony to było nie do zniesienia, z drugiej – nie chciał przestać.

Jadła tak, jak czasem widywał u Włoszek. Miały błyszczące od oliwy usta i zęby, oblizywały palce z hedonistyczną przyjemnością. Nigdy nie widział tego u innych Europejek. Aż tu nagle ta dziewczyna w centrum Warszawy i coś takiego. Dałby wiele, żeby teraz byli sami, żeby ona tak jadła, będąc z nim. Mógłby ją rozebrać, nasmarować tą oliwą, zlizywać ją z jej piersi, czułby pod językiem, pod palcami, jak tężeje, a potem wszedłby w nią i doprowadził do szczytowania. Pomyślał o tym, że gdyby ona zechciała go dosiąść, jej rude włosy przykrywałyby częściowo piersi. Tak wyobrażał sobie Lady Godivę jadącą nago na koniu. Wzwód.

Dzwonek telefonu wyrwał go z tych fantazji. Siostra. Stan ich matki się pogorszył, są w szpitalu, przyjmą ją na oddział, ale trzeba jechać po rzeczy. Agata nie chce zostawiać jej samej, więc Juliusz ma przyjechać i towarzyszyć matce w czasie, kiedy siostra pojedzie ją spakować. W pierwszym momencie nie rozumiał, co siostra do niego mówi, przejście z marzeń do realności było tak gwałtowne, że nie mógł się połapać, o co chodzi. Odszedł w głąb lokalu, teraz pustego, żeby spokojnie porozmawiać. Kątem oka zauważył, że jego rudzielec wchodzi do toalety.

Kochał matkę i bez wątpienia musiał natychmiast jechać, ale nie wyobrażał sobie, że odejdzie i już nigdy nie spotka tej dziewczyny. Zatrzymał kelnerkę i spytał, co zamawiała do picia jego Ruda Lisiczka, bo już ją sobie przywłaszczył w myślach. Obsługa jest do tego przyzwyczajona, ciągle ktoś zamawia trunki dla co piękniejszych dziewczyn. Kelnerka od razu podała gatunek wina i spytała, czy podać. Wziął dla Lisiczki i dla siebie to samo. Zawartość jego kieliszka nie miała znaczenia, nie miał zamiaru pić, chciał natomiast zatrzymać tę rudą na chwilę rozmowy.

– Zapytałem kelnerkę, co pani piła, i zamówiłem to wino, mam nadzieję, że nadal chce pani przy nim pozostać, ale jeśli nie, zamówię natychmiast coś innego. – Podał jej kieliszek.

Lisiczka była zaskoczona. Zamarła, pewnie zastanawiała się, co ma zrobić. Przecież się nie znali. Z bliska zobaczył, że to, co go tak w niej podniecało, nie było wystudiowane. Stanowiło dzieło natury, miał przed sobą prawdziwka, tym bardziej nie chciał jej zgubić.

Przedstawił się niezdarnie, tracił przy niej głowę, starał się, żeby nie było tego widać, ale trochę się motał. Ona chyba też była niepewna. Próbowała żartować, wtedy on zaśmiał się zbyt gorliwie. Zachowywał się jak sztubak. Pocieszało go, że ona też jest trochę jak pensjonarka. Czyżby obojgu zależało?

Helena Miła – powiedziała wreszcie, jak się nazywa. Miła – powtórzył miękko. Rozczuliło go to nazwisko, jakże do niej pasowało; kiedy je wymówiła, Juliusz ostatecznie się poddał, przestał udawać, że to tylko pogawędka. Chciał, żeby ona doskonale wiedziała, w jakim celu próbuje się do niej zbliżyć.

Miła – taka miękka, aksamitna, jędrna, smakowita... Znowu się rozmarzył.

– Wiem, że jest pani ze znajomymi, ale może usiądziemy tutaj na chwilę. O tu, proszę – powiedziawszy to, dotknął lekko jej pleców. Wykorzystał okazję, żeby chociaż przez chwilę poczuć pod palcami jej ciepło. Z zaskoczeniem zauważył, że dziewczyna zagrała pod jego dotykiem. Poczuł skurcz mięśni. Tu cię mam, rudzielcu, masz wrażliwe plecy.

– Głupio się czuję, nie zwykłam rozmawiać z nieznajomymi – powiedziała z rozbrajającą szczerością. Nie mógł uwierzyć, że nie ma do czynienia z wytrawnym graczem. Na zmianę robiła wrażenie kobiety świadomej swoich walorów i nieporadnej istoty. Czy to taka gra? Co robić, kuć żelazo, póki gorące? Oj, tak, gorące jak cholera.

Wytłumaczył się, że wzywają go ważne sprawy. Przyznał szczerze, że nie chciał stracić możliwości poznania jej i dlatego przed wyjściem zdecydował się podejść.

Za nic nie chciał, żeby ona wzięła go za nachalnego podrywacza, ale brał też pod uwagę, że może ma do czynienia z wytrawnym przeciwnikiem. Przecież tak piękne kobiety na pewno nieraz trenują swoje sztuczki na mężczyznach. Jeśli tak, to wiadomo, o co toczy się ta gra.

Przemawiał do niej w tym samym tonie, w którym chciała utrzymać konwersację, ale próbował dać do zrozumienia, że ją prześwietlił i wie, czego ona chce. Czego oboje chcą.

Coś jednak poszło nie tak, bo bańka prysła i Lisica się zirytowała. Trzasnęła kieliszkiem o blat. Czyżby źle odczytał jej intencje?

– Już pan wie, kim jestem, bo się niefrasobliwie, jak grzeczna uczennica w szkole, przedstawiłam. Dobrze, że nie dygnęłam. Jeśli jest nam pisana znajomość, jeszcze na pewno się spotkamy. A teraz wybaczy pan, muszę wracać do znajomych – z tymi słowami wstała i odeszła.

Patrzył za nią urzeczony. Cóż za tyłek. Cóż za temperament. Wyobraził sobie, że ją dogania i nie daje jej odejść, że wchodzi w nią od tyłu. Kolejny wzwód tego wieczoru. Te baby go wykończą. Jolka będzie jutro zadowolona. Dostanie wszystko to, czym chciałby obdarować tę kobietę. Jego Rudą Lisicę.

HELENA

1.

Helena wstała całkiem wcześnie jak na późny powrót. Wypiła więcej wina niż zwykle, spotkanie było zupełnie udane, ulżyło jej, że dogaduje się przynajmniej z obecną w knajpie częścią zespołu. A do tego ten mężczyzna. Czy on jej się przyśnił? Miała bardzo plastyczne sny, właściwie co noc, i na dodatek pamiętała niemal każdą z tych nieprawdopodobnych historii. Czasem budziła się z pytaniem, czy coś się zdarzyło, czy to znowu twór jej wyobraźni.

Miała kapcia w gębie, ciężką głowę i do tego wrażenie, że dzieje się coś, czego nie ogarnia. Ale miała też poczucie przyzwoitości i nie śmiała u kogoś w gościach spać do południa. Poza tym wolała wstać wcześniej niż Marta, żeby się umyć. Nie umiała czuć się swobodnie w cudzej łazience. Akademik, gdzie prysznice i toalety były wspólne, przyprawiał ją o niekończący się stres, koszmar, który – jak miała nadzieję – nigdy nie wróci. A tu okazało się, że ma zamieszkać z dwiema dziewczynami i wszystko zacznie się od nowa.

Okazało się, że Marta, mimo wolnej soboty, siedziała od wczesnego ranka w redakcji. Zostawiła kartkę, że wróci o dwunastej i przyniesie pieczywo. Helena ucieszyła się z łazienkowej swobody. Prysznic i makijaż zajęły jej ponad godzinę. Nigdzie się nie spieszyła, chodziła w ręczniku z kawą w ręku i wyobrażała sobie, że to jej mieszkanie, a ona szykuje się nie na spotkanie z Julitą i Adelą oraz ich siostrą, ale na wyjście do kina i wczesną kolację z... Juliuszem.

Dlaczego właściwie go pogoniła? Teraz tego żałowała. Podobał jej się, był inny niż wszyscy faceci, których do tej pory znała. Młodzi mężczyźni mają w sobie niepewność tego, kim chcą być, poza tym niestety niewieścieją wraz z rozwojem cywilizacji. Im łatwiejsze życie, tym oni słabsi. Większość z nich ma wyższe wykształcenie, ale im brak podstawowego, jak gdzieś usłyszała. Uznała to za bardzo trafne. Kindersztuba to słowo, które straciło na znaczeniu, a równouprawnienie doszło do takiego stopnia, że mężczyźni poczuli się zwolnieni z bycia opoką, wsparciem, mocnym ramieniem, nawet w prozaicznych sytuacjach. Nie wymagamy od naszych synów, mężów czy chłopaków, bo poczułyśmy się silne i niezależne. Niby niczego od nich nie potrzebujemy, ale to nieprawda, mężczyźni i kobiety potrzebują się nawzajem i wejście w nową rolę nie powinno oznaczać całkowitej rezygnacji ze starej. Można je było zmodyfikować, ale żeby od razu z baby był chłop, a z chłopa baba?

Jej znajomi koncentrowali się na tym, żeby się realizować, dobrze bawić, dużo zarabiać i nie zajmować się za wiele niczym, co nie przynosi korzyści. Najlepiej żadnych obowiązków poza pracą. Nie chciało im się nawet sprzątać i robić zakupów, o gotowaniu mowy nie było. To wszystko ma swój urok, ale żeby tak całe życie? Do tego pęd do niezależności nie wyrażał się w dojrzewaniu, dorośnięciu do roli męża czy ojca, lecz w tym, że tych ról się po prostu nie podejmowało. Po co komu dzieci? Przecież są kłopotliwe, niehigieniczne, dużo kosztują i zajmują cały czas i uwagę. Żona? Po co, wolne związki są lepsze, papier nam do niczego niepotrzebny. Wystarczy spojrzeć, ile wokół nieszczęśliwych małżeństw. Ich papier nie ochronił. A jeśli w związku coś się nie układa, to po co się męczyć? Niby racja, ale to jest miecz obosieczny, bo brak zobowiązań, brak starań nie sprzyja stabilizacji związku, jego umacnianiu.

Kobiety się wyzwoliły, ale w zamian dostały mężczyzn przypominających wyrób czekoladopodobny. Coś nam nie wyszła ta rewolucja. A przyznać się trudno. Teraz z bycia singielką robi się filozofię, a prawda jest taka, że to jest stan do chrzanu na dłuższą metę. Człowiek potrzebuje czułości, miłości, deklaracji i dopiero w tym wszystkim luzu i dobrego seksu.

Wróciła myślami do Juliusza. Ileż on może mieć lat? Ciągle zadaje sobie to pytanie. Jedno jest pewne, jest starszy od wszystkich mężczyzn z jej towarzystwa. Czy to dla niej ważne? Chyba nie. W końcu jest wysportowany i atrakcyjny, jeśli okazałby się pociągający intelektualnie, wiek nie miałby dla niej znaczenia.

Wyobrażała sobie, że jest stanowczy, męski w pełnym tego słowa znaczeniu. Marzyła o tym, że jest kobietą u boku takiego właśnie silnego samca. I że on potrafi ją zadowolić jak nikt inny przedtem. To znaczy lepiej niż Zbyszek, bo to on jest przecież tym „nikim innym przedtem". Pomyślała, że to żałosne mieć trzydzieści pięć lat i jednego partnera w życiu. Właściwie mogłaby się wystawić na aukcję internetową jako dziewica i niewiele by się minęła z prawdą.

Nie miała ochoty być singielką. Nienawidziła tego stanu, właściwie najbardziej doskwierało jej to, że za nikim nie tęskni. Bardzo chciała być kochana i kochać tak, żeby jej to sen z powiek spędzało. Chciała czuć podniecenie na myśl o tym, co przyniesie dzień, ale nie chciała, żeby to był dzień wypełniony wyłącznie obowiązkami zawodowymi i od czasu do czasu perspektywą przygodnego seksu. O jego braku to już w ogóle nie chciała myśleć. Nie miała zamiaru rzucać się na oślep w nowy związek, ale Juliusz ją zafascynował.

Wyobraziła sobie, że są razem, ona i on. Jest ciepły letni poranek, stoją boso na balkonie przytuleni, na stoliku obok przygotowane dwie filiżanki i świeżo zaparzona kawa, croissanty i poranne gazety. Nigdzie się nie spieszą, zaraz poczytają, podyskutują o tym, co w polityce czy kulturze, może nawet będą się spierać o tę nową adaptację Fredry. Ale na razie się całują. Jest bezpiecznie, niczego się nie boi, niczego nie wstydzi.

No właśnie, wstydzi. Czy ona w ogóle będzie umiała być z innym mężczyzną? Czy może się komuś jeszcze podobać? Jest piegowata, nie tylko na twarzy, ale wszędzie, ma piegi na piersiach, na nogach, rękach. Poza tym nie ćwiczy, nie jest żylasta i umięśniona jak Madonna. A jej brzuch to raczej miękka, dojrzała brzoskwinia niż twarda zielonkawa nektaryna. Biodra krągłe, a teraz wszyscy wolą chłopięce, prosto ciosane, wybiegane sylwetki. Raczej nie wpasowują się w ten obraz duże piersi, z którymi więcej kłopotu niż radości, wieczne zmartwienie, czy nie obwisną z czasem jak dwa naleśniki i czy uda jej się kupić ładny stanik. Pewnie ma cellulit, enigmatyczną przypadłość, o której nigdy nie słyszały wspaniałe kobiety lat sześćdziesiątych czy siedemdziesiątych, a teraz jest na przerażonych ustach większości z nas. A na dodatek jest ruda jak wiewiórka. Jedyne, co jej się w sobie podoba, to oczy, rzęsy i brwi.

Po tym, co niedawno przeczytała w Internecie, nie miała złudzeń: liczą się tylko chude patyki bez cycków, jedzące wyłącznie sałatę i rzodkiewki Jolanty Pieńkowskie. No, może mniej napastliwe i z większym poczuciem humoru.

Ubrała się szybko, nie ma sensu przeglądać się w lustrze i snuć marzeń. Pewnie go już nigdy nie spotka.

2.

– Adelo, pozwól, że ci przedstawię moją nową koleżankę z firmy – Helenę.

Uścisnęły sobie ręce. Adela nie była ani zbyt wylewna, ani rozmowna. Przedstawiła Kaśkę, ale ta nawet nie spojrzała na Helenę znad stolika. Siedziała na krześle po turecku, miała przed sobą puzzle, ale ich nie układała, tylko leżała na nich i coś mruczała.

– Wasza siostra mówiła, że szukacie współlokatorki, a ja właśnie sprowadzam się do Warszawy. – Coś należało powiedzieć, jednak zapadła niezręczna cisza. Helena była zła na siebie, że podjęła tę próbę, przecież czuła, że nikt jej tu nie chce, a i ona nie jest pewna, czy chciałaby mieszkać w takiej atmosferze. Właściwie jest pewna, że by nie chciała, tylko nie ma pojęcia, jak się wycofać i nie urazić Julity, która jej przecież od pierwszych chwil okazała tyle serca.

Adela wyglądała tak, jak Helena wyobrażała sobie graficzkę – spodnie bojówki, top ze śmiesznym napisem, dredy związane w kitkę na czubku. Naturalna, żadnego makijażu, ale bardzo zadbana, wyskubane brwi, zrobione paznokcie, chociaż niepomalowane, ekologicznie.

O dziwo, niedługo pozostała taka nieprzystępna i zaproponowała coś do picia. Stanęło na wodzie, bo znowu zrobiło się gorąco, a poza tym obie z Julitą odczuwały skutki lekkiego kaca. Kiedy Adela usiadła do rozmowy, była już całkiem rozluźniona. Czyżby spodziewała się, że Helena będzie w innym typie? A może miała niedobre doświadczenia z kandydatkami?

Gawędziły chwilę, po czym Adela zaproponowała obejrzenie mieszkania. Sypialnie faktycznie nie były duże. W większej, jak zauważyła Helena, mieszkała Adela. Większość pokoju zajmowało biurko i sprzęty potrzebne do pracy – komputer, drukarki, dwa monitory, a resztę niewielkiej przestrzeni pojedyncze łóżko. Helena pomyślała, że Adela w żaden sposób nie upchnie tego wszystkiego w innym pokoju. Natomiast mniejsza sypialnia nawet bardziej jej się podobała, może i niewielka, ale ustawna, i miała okno na cichą stronę bloku, do tego ładniejszy widok na drzewa, czyli pewnie gnieździły się tam i ptaki.

– Gdybyśmy się dogadały, wolałabym zająć ten pokój niż ten większy – powiedziała Helena i bacznie obserwowała mowę ciała Adeli. Jeśli jej się coś nie spodoba w jej zachowaniu, jeśli wyczuje niechęć lub fałszywy entuzjazm, zrezygnuje bez względu na wszystko. Oczywiście pozostawała jeszcze sprawa Kaśki.

– Żartujesz chyba, będziesz płacić za wynajem i chcesz się cisnąć w tej klitce? – Adela była naprawdę zaskoczona.

– Julita powiedziała, że miałabym płacić połowę czynszu i opłat, a do tego mogę używać pokoju dziennego, żeby sobie tu poczytać czy obejrzeć coś w telewizji, no i kuchni i łazienki bez ograniczeń. Chyba że będę musiała siedzieć zamknięta w swoim pokoju? – Helena wolała wyjaśnić wszystko zawczasu, by potem nie obudzić się z ręką w nocniku.

– Nie, no coś ty, oczywiście, że chciałabym, żebyś się tu czuła dobrze i swobodnie. O ile to możliwe, bo nie wiem, jak się zapatrujesz na Kaśkę. – Adela najwyraźniej też postawiła na szczerość.

– Nie wiem, jak będzie, nie mam doświadczenia w obcowaniu z ludźmi takimi jak Kasia, ale spróbujemy sobie jakoś ułożyć wzajemne relacje. Zawsze można się rozstać.

– Nie jestem Kasia! Kaś-ka! – wyskandowała siedząca w kącie postać i natychmiast złożyła się wpół, pokładając się na puzzlach.

– Sama widzisz – powiedziała Julita. – Ma swoje przyzwyczajenia i rutynę. Kiedy się je zaburza, traci poczucie bezpieczeństwa i robi się ciężko. Jest uparta, ale jak już się do ciebie przyzwyczai, będzie łatwiej. Potrafi być miła, uwierz mi.

– Wiecie co, nie ma co gdybać i zastanawiać się w nieskończoność, jak to będzie. Jeśli wam odpowiadam, to jestem gotowa się wprowadzić, i okaże się w praniu, jak nam się mieszka. – Helena zaskoczyła samą siebie takim oświadczeniem. O dziwo, polubiła Adelę i jakoś nie przerażała jej Kaśka (nie Kasia). Podświadomie czuła, że będzie im razem dobrze.

– Stoi. – Adela była widocznie zadowolona z obrotu sprawy. – Kiedy chcesz zjechać do Warszawy?

– W ostatni czwartek maja, to moje imieniny. Dobry dzień, żeby zacząć wszystko od nowa. Poza tym muszę być na targach książki. Dziennikarką kulturalną nie przestaje się być na zawołanie. Mam zamówienie na materiał z targów, moja ostatnia robota dla tytułu, w którym pracuję. A od drugiego czerwca zaczynam pracę w Euro-Edicie.

– A wiesz, że ja też z nimi współpracuję? Jako wolny strzelec, ale dosyć często. Pewnie będziemy ze sobą pracować od czasu do czasu. – Adela nie kryła już sympatii do Heleny, uśmiechała się szeroko. Wreszcie się trochę rozluźniła. Pomysł ze współlokatorką, który wyglądał na koszmarny, okazał się rokującym na przyszłość.

Obie, Helena i Adela, rozstawały się z nadzieją na dobre relacje, Kaśka wprawdzie się nie pożegnała, ale już nie była tak wrogo nastawiona, Julita zaś miała ulgę wypisaną na twarzy. Wszystkie widziały przyszłość w jaśniejszych kolorach.

JULIUSZ

1.

Nie mógł wyrzucić jej z myśli. Cokolwiek robił, widział tę Rudą Lisicę oczami wyobraźni. Niestety, bardzo często nagą, więc ciągle chodził pobudzony. Tak wyobracał Jolkę, że już na drugi dzień chciała jeszcze. Chyba coś czuła, ale mądrze nic o tym nie wspominała. Ich związek opierał się na luźnych relacjach, głównie seksie; czasem bywali razem na imprezach, ilekroć on potrzebował partnerki lub ona męskiego ramienia. Żadnych obietnic, żadnych tłumaczeń i wypytywania. Ale następnego wieczoru po spotkaniu Heleny, kiedy był jurniejszy niż ostatnimi czasy, kiedy to do ich stosunków wkradała się rutyna, dostrzegł w jej oczach lekki niepokój. Z większą niż zwykle werwą zmieniał pozycje, pieścił językiem, jak od dawna nie robił. Miała dwa orgazmy. Zamykał oczy, czego zwykle nie robi, ale ponad wszystko pragnął widzieć tamtą kobietę. Powstrzymywał się od mówienia podczas seksu, bał się, że się wygada, że powie coś, co go zdradzi. A chciał mieć Helenę pod sobą i właśnie do niej mówić najbardziej podniecające i sprośne słowa. Takie, które rozpaliłyby ją do czerwoności. Jeszcze większej czerwoności. Wyobrażał sobie, że ruda i cała miedziana płonęłaby pod nim, krzyczała i jęczała. Marzył, że prosi go o więcej i mocniej, marzył, że on prosi ją o to, żeby nie przestawała go pieścić. Miał orgazm intensywniejszy niż zwykle, ale wcale nie czuł się zaspokojony. Wiedział, że dopóki tamta kobieta nie położy się przy nim, jego lędźwie będą ciągle pożądały.

Chciał nazajutrz pójść do Cavy i spytać, kto dokonał rezerwacji dla grupy, w której była Lisica. Może tak ją zdoła odnaleźć? A potem? Będzie improwizował.

2.

Dowiedział się, że stoliki zarezerwowano dla firmy Euro-Edit. Kosztowało go to stówę. Kelnerka nie chciała zdradzić tej informacji, stała się podejrzliwa, bała się kłopotów, ale chłopak, który pomagał sprzątać, nie miał takich obiekcji. Obiecał się dowiedzieć i słowa dotrzymał. Ale nie za darmo.

Znalazł w necie adres firmy i jeszcze tego samego dnia pojechał zasięgnąć języka. Handlowali prasą zagraniczną, miał zamiar udawać, że interesuje go jakiś tytuł ekonomiczny, prenumerata czy coś takiego. Mógł wprawdzie zadzwonić, ale bardzo chciał ją zobaczyć, choćby z daleka.

Nie musiał za dużo kombinować, bo przy wejściu siedział strażnik i to jego postanowił spytać o Helenę Miłą. Uśmiechnął się do siebie na dźwięk tego nazwiska. Miła Lisiczka. Założy się, że jest równie miła w dotyku, po prostu nie mogła się inaczej nazywać. „Moja miła" nabrało teraz zupełnie innego znaczenia – moja Miła. Moja. Czy kiedykolwiek się to ziści? Nie sądził, że w tym wieku może jeszcze tak oczadzieć na czyimś punkcie. Nieraz podobały mu się różne kobiety, ale zwykle nie absorbowały tyle jego uwagi. Dążył do spotkania, zaspokojenia, ale nie pamięta, żeby od dawna się tak za którąkolwiek z nich uganiał. Bywało, że to one urządzały polowania na niego, i jeśli tylko miał ochotę, przeważnie ulegał. Nikogo nie ranił, od dawna nie był w stałym związku.

Tylko że tu wkradł się jakiś nowy element. Czułość. Miał dla tego rudzielca dużo ciepła w sercu, nie tylko w podbrzuszu. Sam nie wiedział, czy mu się to podoba, ale na pewno nie dało się tego zmienić ani zignorować. Czuł, że jeśli tylko uda mu się ją znaleźć, będzie się musiał liczyć z tym, że może się zakochać. A może dać sobie spokój? Po co mu to?

Strażnik przyglądał mu się podejrzliwie. Już spytał, w czym może pomóc, a kiedy mężczyzna nie odpowiedział, poczekał, aż wyjdzie z głębin swoich myśli.

– Dzień dobry, czy tu się mieści Euro-Edit? Szukam Heleny Miłej, byłem umówiony. – Juliusz postanowił zagrać *va banque*. To przeważnie zdawało egzamin.

– Proszę spocząć na kanapie, zaraz sprawdzę i wydam przepustkę.

Strażnik wybrał numer wewnętrzny, spytał o Helenę i chwilę słuchał odpowiedzi, po czym odłożył słuchawkę.

– Niestety, nikt nie wie, o kim pan mówi. Czy jest pan pewien, że ta pani tutaj się z panem umówiła? Helena Miła nie pracuje w Euro-Edicie, rozmawiałem z ich recepcjonistką.

Juliusz wyszedł z nosem na kwintę. Nie spodziewał się takiego obrotu sprawy. Zupełnie nie miał pomysłu, gdzie szukać tej dziewczyny. Widać nie była mu pisana ani ta miłość, ani ten szał. Może to i lepiej? Niepotrzebne mu to do życia. Z doświadczenia wiedział, że to zawsze prowadzi do komplikacji – próbował przekonać sam siebie, ale słabo w to wierzył.

ROZDZIAŁ III
20–22 MAJA 2014

HELENA

1.

Pożegnanie w redakcji było łzawe, chociaż Helena chciała tego uniknąć za wszelką cenę. To była jej pierwsza praca, bezpieczna przystań, może niezbyt kolorowa, ale jak w domu. A Warszawa to jednak wielka niewiadoma.

Dziwna sprawa z tą stolicą, kiedy tam była, czuła się na dachu świata, była gotowa walczyć i zdobywać szczyty, miała dużo energii, życie w Koszalinie wydawało jej się odległe i nierealne. Kiedy wróciła, o pobycie w Warszawie myślała jak o historii, która przydarza się komuś innemu. Całkiem jakby te dwa życia były nieprzystawalne i ona też była tam inna i niekompatybilna z tą kobietą tutaj.

W redakcji zarządzono zbiórkę i na odchodne dostała w prezencie nowy smartfon. Cudeńko, marzyła o takim. Koledzy śmiali się, że jej uwielbienie dla notatek ręcznych nie ucierpi, bo telefon ma rysik i można robić odręczne zapiski na ekranie.

Nie sądziła, że rozstanie będzie tak trudne. Jechała pociągiem do Koszalina z uczuciem niecierpliwości, żeby już być z powrotem w Warszawie, żeby już zacząć nowe życie, ale teraz nie była już taka pewna, czy jej do tego spieszno. Podniecała ją ta perspektywa, a jednocześnie przerażała.

Do wyjazdu zostały dwa dni. Właściwie była już spakowana. Myślała o tym, żeby wysłać jedną czy dwie paczki, a do pociągu wziąć dwie walizki, ale Zbyszek zaoferował, że ją zawiezie ze wszystkimi rzeczami samochodem. Kto by pomyślał? Próbowała się wykręcić, ale się uparł. Pogodził się chyba z ich rozstaniem, a jeśli nie, dobrze to ukrywał. Zastanawiała się tylko, co z nim zrobić, kiedy już dojadą. Czy on miał nadzieję, że się u niej zatrzyma i może odkręci to, co się stało?

Spytała wprost. Zawsze byli wobec siebie szczerzy i nie widziała powodu, dla którego miałoby się to zmienić. Opowiedziała, gdzie zamieszka, i od razu, żeby nie było wątpliwości, oświadczyła, że nocleg nie wchodzi w grę.

Zdziwił się, że zdecydowała się na taki model mieszkania, jakby wracała do czasów studenckich, których przecież nie darzyła szczególną estymą właśnie z powodu konieczności zakwaterowania w akademiku na kupie z innymi. Do tego ta upośledzona dziewczyna. Czy to bezpieczne?

– No wiesz, mówisz, jakbyś był jakimś ciemniakiem. Ona nie jest upośledzona, tylko ma zespół Downa.

– A to nie upośledzenie? – spytał Zbyszek.

– Nie lubię tak o tym myśleć – odparła. – Raczej bym to nazwała innością. Zresztą sama nie wiem, nie myślę o tym w żadnej kategorii, po prostu Kaśka jest, jaka jest, i albo nam się uda razem jakoś dogadać, albo będę szukać mieszkania na gwałt.

– A jak na gwałt, to ja mogę pomóc. – Zbyszek zaczął swoje czarowanie.

– Zapomnij. To już za nami. Zbyszko, albo zostaniemy przyjaciółmi, albo będziemy musieli o sobie całkiem zapomnieć. Wybór należy do ciebie.

– Dobra, dobra, ale wiesz, przyzwyczajenie drugą naturą. Niełatwo zapomnieć o tym, że kiedyś to wszystko – tu zakreślił rękami obszar od głowy do stóp Heleny – należało do mnie i mogłem uprawiać ten ogród co noc, byle sił starczyło.

– Nigdy nie należało do ciebie. – Nie była rozbawiona tym stwierdzeniem. – Byliśmy razem, ale to już przeszłość. To mnie obraża, nie traktuj mnie przedmiotowo.

– Oj, tam, nie bądź taka poważna. O której w czwartek wyruszamy?

– O ósmej, będziemy przecież jechali jakieś osiem godzin. Nie chcę, żebyśmy wchodzili do mieszkania za późno, jeszcze się Kaśka zdenerwuje.

– O, już się zaczyna, Kaśka to, Kaśka tamto, po co ci ten balast?

– To nie jest żaden balast. Nie mam problemu, żeby się trochę dostosować. Cieszę się, że znalazłam lokum w fajnej dzielnicy w centrum, z dobrym dojazdem do pracy i za niewielkie pieniądze. Przecież to przejściowe, ale spadło mi jak z nieba i mam zamiar dopasować się do Kaśki i Adeli tak, żeby nam się dobrze mieszkało. Pomyśl tylko, dla nich to większa rewolucja. Mieszkały sobie spokojnie we dwie i z powodów finansowych muszą zmienić bezpieczne i wygodne status quo. Ląduje im na łbie jakaś obca babka i mieszka w ich domu. To nie jest akademik, że wszyscy sprowadzają się tam w końcu września i zapełniają pustą przestrzeń. Tu jest jeszcze czynnik osobisty, emocjonalny, a ty mi tu Kaśka i Kaśka. Chłopie, gdzie ty masz serce?

– Dobra, nie moja sprawa, rób, jak chcesz. Będę w czwartek o ósmej, dowiozę panią na miejsce bez szwanku. – Skłonił się teatralnie i wyszedł, zamykając za sobą drzwi.

2.

Przy pożegnaniu rodzice zachowywali się tak, jakby odjeżdżała do Krainy Wiecznych Łowów i mieli się już nigdy nie zobaczyć. Próbowała żartować, co tylko rozsierdziło ojca, a matka zachlipała jeszcze mocniej. Z tego wszystkiego zapomnieli, że ma dzisiaj imieniny.

– Powinni za to zapłacić. Za poniewierkę młodych, za nędzę, w której żyjemy...

– Tato, nikt mnie nie wygania na poniewierkę, sama to wymyśliłam. A w nędzy nie żyjemy na pewno, chyba widzisz różnicę między tym, co teraz mamy, a latami osiemdziesiątymi?

– Widzę, że jest gorzej i nie szanuje się człowieka pracy. – Ojciec zaczynał się rozkręcać. – I majątek państwa wyprzedają w obce ręce.

Trzeba zmykać – pomyślała Helena i przyspieszyła.

– Tato, Zbyszek mnie popędza, on chce jeszcze dzisiaj wieczorem z kimś się spotkać w Warszawie, więc musimy już jechać. Mamo, nie płacz, szykuj wałówkę, w końcu zaczynam karierę słoika, to do czegoś zobowiązuje. Będę przyjeżdżała jak najczęściej. Pozdrów Jaźwińskich, pożegnaj ich ode mnie. A, i mamo, naucz się obsługiwać tę komórkę, którą ci zostawiłam. Będę ci wysyłać SMS-y i zdjęcia z pracy i miejsc, które odwiedzam. Będzie tak, jakbyśmy się widziały codziennie.

Wycałowała ich oboje i bez zbędnych ceregieli – bo wiedziała, że to nie pomoże ani jej, ani rodzicom – wsiadła do samochodu i zarządziła odjazd.

Poprzedniego wieczoru spotkała się z Mileną. Ich pożegnanie niewiele różniło się od tego z rodzicami. Milenie było przykro, że przyjaciółka ją zostawia, traktowała ten wyjazd, jakby to był koniec ich znajomości. Popłakały się obie, jedna z żałości, druga ze strachu. Z perspektywy rodzinnego miasta ta rewolucja wydawała się Helenie nie do ogarnięcia.

Już po zaledwie dwóch butelkach wina były o krok od nacinania dłoni w akcie braterstwa krwi. Na odchodnym obiecały sobie, że będą rozmawiać wieczorami na Skypie, że Milena ją odwiedzi, a Helena będzie przyjeżdżać jak najczęściej.

Jakże inne było to spotkanie od tego, które odbyło się zaledwie dwa miesiące wcześniej. Helena nie mogła uwierzyć, że można swoje życie, przy odrobinie szczęścia (albo ogromie głupoty), aż tak przewrócić do góry nogami. I w imię czego? Własnej fanaberii. Dokąd ją to zaprowadzi?

3.

Zbyszek był pod wrażeniem, twarda była. Nie spodziewał się, że Helena wprowadzi w życie swój plan. Właściwie to miał nadzieję, że wróci do niego, liżąc rany. A tu praca, mieszkanie, może nie ideał, ale jakoś się odnalazła w nowej rzeczywistości. Trochę jej zazdrościł, że pędzi za marzeniami. A on? Odpuścił czy jego marzenia nie były tak poważne, tak nęcące? A może w ogóle ich nie miał? Dobrze mu było tak, jak jest, ale gdy tak patrzył na Helenę, na jej rumieńce z podniecenia na myśl o tym, co ją czeka w Warszawie, trochę jej zazdrościł.

Im dłużej jechali, tym bardziej zdawał sobie sprawę, że ją traci na zawsze, że to się już nie zmieni. Każdy kilometr bliżej jej nowego miejsca na ziemi oddalał ją od niego. Myślał, że się z tym pogodził, ale dopiero teraz poczuł nieodwracalność tej decyzji.

Do Warszawy dojechali w niecałe osiem godzin. Zatrzymali się na obiad, trochę błądzili po mieście, do mieszkania zapukali przed czwartą. Kiedy podjechali pod blok, uprzedzona telefonicznie Adela już czekała w oknie. Zeszła pomóc.

Okazało się, że Helena niepotrzebnie martwiła się o Kaśkę. W ośrodku mieli imprezę urodzinową jednego z podopiecznych i dzisiaj wracała do domu około ósmej. Chyba że coś jej się odwidzi i zadzwonią, żeby ją odebrać. Dzięki temu mogą przenieść bagaże i nie będzie problemu, że Kaśka poczuje się zaniepokojona i nerwowa.

Zbyszek jednak sam wszystko pownosił, poustawiał w pokoju tak, żeby łatwo się było tam poruszać i rozprawić z tymi pudłami. Tak to wykombinował, że aż się Helenie głupio zrobiło, że go miała ostatnimi czasy za wygodnickiego leniwca. Jak to się człowiekowi czasem może z frustracji w głowie poprzestawiać. Znowu miała wątpliwości, czy dobrze zrobiła.

W tym czasie Adela przygotowała herbatę i odgrzała kurczaka curry, którego przyszykowała na ich przyjazd. Helena była po raz drugi tego dnia mile zaskoczona, nie spodziewała się takiego przyjęcia. Zbyszek odświeżył się po podróży, po czym bez ceregieli zasiadł w kuchni do jedzenia. Helena już się bała, że będzie zwlekał i stanie na tym, że będzie musiał zanocować, ale po wypiciu dwóch filiżanek miętowej, mocno słodzonej herbaty – zdaniem Adeli najlepszej na upał – podniósł się i zaczął zbierać do wyjścia.

Adela taktownie się oddaliła. Zbyszek podszedł do Heleny i przytulił ją serdecznie.

– Nie myśl, że tak łatwo się pogodziłem z twoim odejściem. Nie jestem głupi i wiem, kiedy warto walczyć, a kiedy trzeba się wycofać na z góry upatrzone pozycje – zażartował. – Jesteś tak zdeterminowana, że pomyślałem, że warto ci dać zrobić ten krok. Pamiętaj, że na ciebie czekam. Jeszcze jakiś czas, ale też nie wiecznie. Weź to, proszę, pod uwagę. Jeśli kogoś poznam, mogę się zakochać i wtedy powrotu już nie będzie.

Nie dał jej nic powiedzieć. Pocałował czule w usta. Zauważył jej załzawione oczy, ale nie zostawił czasu, żeby się rozkleiła. Zawinął się i poszedł. Tak po prostu.

Adela siedziała u siebie w pokoju. Helena słyszała dochodzące stamtąd stukanie w klawisze i muzykę w tle.

Była jej wdzięczna, że nie upierała się przy aktywnym odgrywaniu roli pani domu. Dzięki temu Helena miała czas na wypłakanie stresu, wysmarkanie lęków i ochłonięcie.

Jeszcze chwilę temu wszystko wydawało się takie proste, a teraz już niczego nie była pewna. Musiała wziąć się w garść, trochę rozpakować, od jutra przez trzy dni miała być na targach. Akredytację miała od dzisiaj, ale na szczęście w czwartki niewiele się dzieje.

Umyła twarz zimną wodą. Rozejrzała się po łazience. Wcześniej nie przyszło jej do głowy, żeby tu zajrzeć. Ładna, w niebieskich kolorach, część kafelków ze wzorem przedstawiającym muszle. Wanna wyglądała na wygodną, a jej część stanowiła coś w rodzaju kabiny prysznicowej. Dwie szafki, mniejsza chyba dla niej, bo drzwiczki były otwarte, a półki puste. Duże lustro, pralka. Ubikacja była oddzielnie, jak dobrze, że mieli takie rozwiązanie.

Usłyszała Adelę krzątającą się po kuchni. Weszła tam i zobaczyła, że talerze po obiedzie były uprzątnięte, a na stole stoją dwa kubki kawy.

– Obu nam się przyda – powiedziała graficzka z uśmiechem. – Mam dużo pracy, do późna będę siedzieć przy komputerze. Nie myśl sobie, że jestem niegościnna, *deadline* jest nieubłagany. Poza tym potrzebujesz czasu, żeby się oswoić. Jeśli będziesz czegoś potrzebować, to nie krępuj się, proś, pytaj.

– Dziękuję. – Helena usiadła w kącie kuchni, wzięła z wdzięcznością kubek do ręki. Potrzebowała odrobiny kofeiny. Kawa ją raczej uspokajała, niż pobudzała, mogła ją pić nawet przed snem. Ale jeszcze bardziej lubiła dobrą herbatę. W jednym z pudeł miała zapakowane kilka ulubionych gatunków, a do tego ukochane kubki i trzy (pomyślała o współlokatorkach) fikuśne filiżanki oraz imbryk, w którym najbardziej lubiła parzyć herbatę. Nigdzie się bez niego nie ruszała. Nawet do szpitala kiedyś wzięła ten czajniczek i kubek. Śmiali się z niej współtowarzysze niedoli, pani w oddziałowej kuchni tylko kręciła głową, ale zalewała wrzątkiem herbatę, i tak przez tydzień, dopóki jej nie wypuścili. W redakcji wszyscy wiedzieli o jej miłości do złocistego naparu, z wojaży zwozili jej egzotyczne gatunki herbat i prosili o relację z wrażeń smakowych.

– Jutro jadę na targi, muszę tam być o jedenastej, ale właśnie zdałam sobie sprawę, że nie wiem, jak tam dojechać. Znasz może jakąś aplikację na smartfona, której mogłabym użyć?

– Zawsze możesz mnie spytać, ale faktycznie powinnaś coś takiego mieć na wypadek, gdybyś gdzieś utknęła. Słyszałam, że jest coś takiego. Ja zawsze sprawdzam w Internecie, bo ciągle coś się zmienia, likwidują autobusy, zmieniają trasy, trudno się połapać. Zaraz spytam znajomych na fejsie i dam ci znać.

Adela odeszła na chwilę, po czym wróciła z karteczką z zapisaną nazwą.

– Jakdojadę. Powinno zdać egzamin. Jeśli nie, to poszukamy innej.

Od razu wypróbowały aplikację. Wyszukały najlepsze połączenie ze Stadionem Narodowym. Helena zdała sobie sprawę, jak wiele musi się o tym mieście dowiedzieć, ile przeszkód pokonać, żeby żyć w miarę wygodnie i bez stresu.

Nie czas się rozklejać, musi być twarda jak Wasilewska. Podniosła się z krzesła, umyła kubek, podziękowała i poszła rozpakować chociaż te rzeczy, których będzie potrzebowała jutro. Tak się w tym zapamiętała, że opróżniła wszystkie kartony i wyniosła je od razu na śmietnik. Pokoik był przytulny, łóżko wydawało się bardzo wygodne, chociaż niewielkie. Miała do dyspozycji regał na książki i jakieś drobiazgi, do tego nawet dużą szafę z szufladami, więc rozpakowanie ciuchów zajęło tylko chwilę. Przy oknie stało niewielkie biureczko, które Adela była gotowa usunąć, jeśli okazałoby się niepotrzebne, ale akurat Helenie bardzo przypadło ono do gustu. Siedząc przy nim, miała piękny widok na korony drzew. Położyła tam laptopa i swoje notesy w ilości przekraczającej potrzeby zwykłego człowieka. Niby miała teraz nowoczesnego smartfona, ale i tak nie potrafiła się rozstać z baterią moleskinów: wszystkie czarno oprawione, tyle że jedne miały papier w linie, a inne gładki. Biurko stanowiło jednocześnie stolik nocny. Stojąca na nim lampa mogła służyć też jako lampka nocna do czytania, gdyż światło po odwróceniu jej w stronę łóżka sięgało zagłówka. Bardzo ją to rozczuliło. Czytała dużo i nie wyobrażała sobie, że mogłaby zasnąć bez tego. Liczyła się z tym, że będzie musiała sobie kupić takie drobiazgi, a tu się okazało, że wszystko jest.

Uzgodniła z Adelą, że przywiezie swoje poszwy, poduszki i kołdrę, dlatego nie spodziewała się, że na łóżku zastanie całkiem nowy, jeszcze zapakowany komplet pościeli. Pomyślała nawet, że to jakaś pomyłka, ale na wierzchu zauważyła kopertę z napisem „Helena".

Wyjęła z niej kartkę z zabawną czarno-białą grafiką przedstawiającą przyjezdnych z walizami i Pałac Kultury. Do tego życzenia kolorowych snów na nowym miejscu, przypomnienie, że pierwszy sen tutaj się ziści, i informację, że pościel jest prezentem od Julity. Rozpakowała komplet, materiał był miły w dotyku, w pięknym kolorze stonowanej zieleni. Ucieszyła się, że nie z kory, miała już dosyć praktyczności, chciała czegoś bardzo eleganckiego, może niekoniecznie łatwego w utrzymaniu, ale dającego poczucie odświętności i wyjątkowości.

Powlekła kołdrę i poduszki. Co prawda, powinna najpierw uprać sprezentowaną bieliznę, ale bardzo chciała to swoje warszawskie życie zacząć jakoś po nowemu. Pościeliła łóżko i przykryła kapą, którą dostała od Mileny, też na nową drogę życia, rozrzuciła swoje ulubione poduszki (jej kolejna słabość), a w nogach ułożyła złożony w kostkę koc. Zadowolona z efektu, położyła się i zanim zdążyła o czymś pomyśleć, usnęła.

4.

Obudził ją głos Kaśki.

– Czy ona umarła? – pytała zatroskanym głosem.

– Kaśka, na litość boską, co ty tam robisz? – Z daleka dobiegło pytanie Adeli. – Chodź tu prędko, przecież widzisz, że Helena jest zmęczona.

Lena otworzyła oczy. Zobaczyła nad sobą zmartwioną twarz Kaśki. Kiedy do niej mrugnęła, dziewczyna klasnęła w ręce z radości i wyrzucając ręce do góry, wykrzyknęła na cały regulator:

– Żyje!!!

Adela wparowała energicznie do pokoju. Wzięła Kaśkę za rękę i wyprowadziła do salonu, gdzie czekały na nią kanapki i ulubiony serial. Po chwili wróciła.

– Przepraszam cię za nią. Odkąd zmarli rodzice, ciągle się niepokoi, że wszyscy wokół poumierają. Mama zmarła we śnie, Kaśka siedziała przy niej ze dwie godziny, zanim się zorientowałam, że coś jest nie tak. Nieraz wcześnie rano przesiadywała w pokoju mamy i nie podejrzewałam niczego złego. Dopiero gdy minęła godzina, o której mama zazwyczaj wstawała, zajrzałam. Okazało się, że od kilku godzin już nie żyła.

– Nie ma sprawy, w ogóle nie powinnam się kłaść, przecież muszę się jakoś zebrać na jutro. Zmogło mnie tak nagle, że nawet się nie broniłam. Ale to straszne, o czym mówisz. Dla Kaśki to musiała być trauma. Czy ona zrozumiała, co się stało?

– Niestety, tak, długo potem mieliśmy problemy z jej snem i zachowaniem. Ale minęło już kilka lat i jakoś się jej to wszystko w głowie poukładało. Chodzimy czasem na cmentarz i ona wszystko rodzicom opowiada. Taki ma sposób na poradzenie sobie z uczuciem straty. Trochę wyparcie, trochę pogodzenie się, zresztą nie wiem, trudno z nią o tym rozmawiać.

– Wiesz co, jeśli masz chwilę, to napijmy się herbaty. Przywiozłam specjalnie dla nas trzy filiżanki i mam też ze sobą ulubione gatunki sypkiej. Zaparzę i pogadamy. Czy Kaśka też da się namówić? – Helena nadal nie wiedziała, jak postępować ze średnią siostrą. Postawiła na metodę prób i błędów.

– Nie wiem, zapytajmy – odpowiedziała Adela. Wzięła spodki i czajniczek, zostawiając Helenie filiżanki.

W kuchni Helena zagotowała wodę i rozpoczęła rytuał parzenia. Ogrzała czajniczek, nasypała odpowiednią ilość herbaty do specjalnego koszyczka, zalała gotującą się wodą i odczekała pięć minut, po czym wyjęła ruchomą część z herbacianymi liśćmi i z powrotem nałożyła pokrywkę. Na małej tacce ustawiła miseczkę z miodem, melasę, cukier owocowy – wszystkiego po trochu, do wyboru, i zaniosła to wszystko do pokoju.

Adela uprzedziła Kaśkę, że Helena zaprasza je obie na specjalny wieczór zapoznawczy: wypiją herbatę z filiżanek przyjaźni. Bardzo to zainteresowało dziewczynę i kiedy Helena dotarła z czajniczkiem i dodatkami, Kaśka nie potrafiła ukryć ekscytacji.

– Hurra! Ja pierwsza. A co to jest to brązowe? A tu cukier – stwierdziła dumna, rozpoznając białe kryształki.

– Kaśko, tu jest miód, znasz? Można go jeść na kanapce, ale można też rozpuścić w herbacie. To melasa, powstaje podczas produkcji cukru, jest zdrowsza i pyszna, też można nią posłodzić. A tu cukier, ale inny, bo z owoców. Zdrowy i ja taki wolę.

Nagle Helena uderzyła otwartą dłonią w czoło.

– O, ja gapa, nawet nie spytałam, czy słodzicie herbatę. Może to wszystko niepotrzebne?

– Słodzimy, lubimy – Kaśka zapewniła Lenę, energicznie potakując głową. Była bardzo dumna, że ma filiżankę przeznaczoną tylko dla niej.

– A to na pewno moja? Zabierzesz mi czy to na zawsze? – dopytywała.

Zamiast odpowiedzieć, Helena poszła do pokoju, przyniosła niezmywalny marker i podpisała pod spodem filiżankę – KAŚKA. Pokazała dziewczynie i zapewniła:

– Widzisz, tu jest twoje imię, czyli możesz z niej pić zawsze, gdy masz ochotę, należy do ciebie.

– Hura! – krzyknęła Kaśka, wstała i objęła Helenę za szyję. – I jesteśmy teraz przyjaciółkami, bo mamy filiżanki przyjaźni?

– Tak, jeśli tylko chcesz, będziemy przyjaciółkami. – Helena nie mogła się nie uśmiechać, ten uścisk Kaśki sprawił jej nadspodziewanie dużą przyjemność.

ROZDZIAŁ IV
23 MAJA 2014

HELENA

1.

Kładąc się do łóżka po bardzo udanym wieczorze, pamiętała, że koniecznie musi zapamiętać sen, bo wiadomo, że na nowym miejscu zawsze się spełnia.

Po obudzeniu ze zdziwieniem skonstatowała, że nic jej się nie śniło. A jeśli nawet, to nic a nic nie pamięta. Czuła się wypoczęta i wolna. Tak, poczucie wolności dominowało. Uwolniona od spraw, które jej ciążyły, od życia, które prowadziło do frustracji, i od wstydu, że chciała coś zmienić.

Od dwóch miesięcy wyrzucała sobie, że ludzie mają gorzej, że są chorzy, bezrobotni, niekochani i daliby wszystko za to, żeby mieć jej życie. A ona dla swojego widzimisię wywraca je do góry nogami, rani bliskiego człowieka, zasmuca rodziców, i to tylko dlatego, że z dnia na dzień zorientowała się, że chce w życiu czegoś innego. Poczucie winy było ogromne.

Aż nagle wstaje i nie czuje tych wszystkich zatruwających jej radość myśli, ma wrażenie, że się wreszcie odnalazła na właściwej drodze, a ta jest fascynująca, pełna niespodzianek. Może też i niewiadomych, ale czyż życie nie na tym polega, żeby odkrywać wciąż nowe karty? Krew krąży szybciej, czuje adrenalinę, euforię, jak po ćwiczeniach fizycznych. Wprawdzie nie należy do tych aktywnych, ale kiedy jej się zdarza, w jakimś zrywie, trochę poruszać, takie właśnie ma odczucia.

Wstała i poszła do łazienki. O dziwo, nie odczuwała dyskomfortu, że jest w obcym miejscu i musi z niej skorzystać. Dziwne wrażenie, jakby z rozpoczęciem nowego życia stare lęki i różne drobne fobie przestały jej doskwierać. A może to sposób bycia Adeli i Kaśki miał na nią tak zbawienny wpływ?

Wzięła prysznic, trochę się obijała i zmagała z materią, ale wiedziała, że to tylko kwestia czasu, kiedy dojdzie do tego, jak działa bateria, jakie są odległości do ściany i gdzie lepiej ograniczyć ruchy rąk, bo się można knykciami boleśnie zderzyć z glazurą. Makijaż zrobiła sobie w pokoju; tam urządziła kącik z kosmetykami i ustawiła specjalne lusterko na nóżce, której wysokość można było dostosować do poziomu twarzy. Lubiła się malować, delikatniej na dzień, mocniej na wieczorne wyjścia, w zależności od nastroju bardziej naturalnie lub świadomie kobieco i seksownie. Makijażem można wiele wyrazić, dużo o kobiecie mówi (gdyby tylko panowie wiedzieli, jak wiele, mieliby połowę kłopotów z komunikacją z głowy), także jego brak ma duże znaczenie w określeniu osobowości czy samopoczucia.

To był jej pierwszy dzień w stolicy w roli warszawianki. Zależało jej, żeby wyglądać wyjątkowo, jakoś zaznaczyć ten dzień. Panował niezwykle dotkliwy jak na tę porę roku upał. Nie była z tego zadowolona, bo miała do zabrania torbę z aparatem fotograficznym, notes na notatki do artykułu, rozmaite drobiazgi. Jak to u kobiety. Była też pewna, że coś kupi na targach – znała siebie i wiedziała, że się nie powstrzyma. Zdecydowała się na skórzany plecaczek, który miała na takie właśnie okazje, ale do niego trzeba ubrać się tak, żeby jej się na piersiach materiał nie ciągnął, a na ramionach nie było widać pręg od noszenia ciężaru. Przeglądała z zatroskaną miną szafę i jak każda kobieta na świecie miała do powiedzenia tylko jedno – nie mam co na siebie włożyć.

Stanęło na luźnych grafitowych spodniach w jaśniejsze o kilka odcieni wzorki i białej bluzce, która miała tak luźny krój, że jakkolwiek by się ułożyła, i tak prezentowała się dobrze. Do tego niemal przezroczysty letni szal, który wyglądał jak obłok dymu na szyi. Lubiła zestawiać szarości ze swoimi rudymi włosami, które nie były w odcieniu marchewkowym, raczej w głęboko miedzianym, chociaż i tak żywe jak cholera. Próbowała więc tonować wrażenie pastelami w ubiorze. Nie zawsze, czasem nie wytrzymywała tego terroru włosów i zestawiała je z mocniejszymi kolorami. A niech tam, niech się ludzie śmieją, nie można zawsze żyć tak, żeby cię nie widzieli.

Na Stadion Narodowy dojechała bez problemu, na szczęście od razu wiedziała, gdzie wysiąść, widać go z daleka, nie da się przegapić. Nie miała jednak pojęcia, że od przystanku trzeba iść taki kawał, i to po rozżarzonej patelni, jaką był plac przed stadionem, aleja, a na końcu schody. Do tego nie wiedziała, gdzie jest wejście, więc snuła się w tym upale w tę i z powrotem. Znalazła wreszcie biuro prasowe, odebrała akredytację i plan stoisk. W duchu pochwaliła się za to, że odszukała spray do utrwalania makijażu i go użyła. Obniżał temperaturę twarzy o kilka stopni, dzięki czemu nie wyglądała teraz jak spocony knur, a kreski nie spłynęły jej z oczu do brody.

Jeszcze nie zaczęła rajdu między stoiskami, a już była zmęczona. Na dodatek tak ją pochłonęła przeprowadzka, że nie przygotowała się należycie. Musiała teraz gdzieś usiąść, przejrzeć program na ten dzień, przemyśleć strategię – jak chce o tym wydarzeniu napisać i jakiego materiału potrzebuje. A do tego musiała kupić wodę, bo istniała obawa, że zanim coś postanowi, zanim napisze, po prostu padnie trupem.

Łaknęła kawy, ale uznała, że woda będzie jednak mądrzejszym wyjściem. Kupiła butelkę na parterze, ale już na górze pożałowała, że nie ciągnie za sobą całej skrzynki. Nic to, trzeba być twardym, nie miętkim – pomyślała i ruszyła na wstępny rekonesans.

Szybko zorientowała się, że nie doceniła powierzchni wystawowej, wystawców było tylu, że jedna osoba nie miała szans, by dotrzeć do wszystkich, z którymi by chciała porozmawiać.

Reporterka z niej jak z koziego zadu trąba, bo zaraz po wejściu na pierwszy poziom i minięciu kilku stoisk utknęła w kąciku Iskier. Chwyciła kilka książek naraz, bo i Nowakowskiego chciała, i *Dzienniki* Kisiela, i *Warszawskie kawiarnie literackie* Makowieckiego, a i nowego

Urbanka też. Już miała zapłacić, gdy dotarło do niej, że z tymi nabytkami równie dobrze może się zwijać do domu, bo najzwyczajniej w świecie nie da rady ich dźwigać. Ze smutkiem odłożyła książki na miejsce, obiecując sobie, że w niedzielę zrobi większe zakupy i po prostu wróci do domu taksówką.

Zamiast tego obfotografowała stoisko, bardzo wdzięcznie urządzone, staroświecko i z klimatem. Obsługa też była trochę niedzisiejsza, kompetentna, życzliwa. Z żalem stamtąd odchodziła.

Po dalszych peregrynacjach pojęła, że owszem, będzie potrzebna taksówka, ale bagażowa. Na stoisku Wielkiej Litery nie wiedziała, gdzie oczy podziać, czy planować zakupy, czy podziwiać instalację z rur. W Wydawnictwie Literackim już tradycyjnie musiałaby oddać nerkę, a u Prószyńskiego zobaczyła zbiór felietonów Kisiela zdjętych przez cenzurę, byłby piękny komplet z *Dziennikami*, książkę o Teresie Tuszyńskiej, zawsze chciała wiedzieć, dlaczego tak nagle zniknęła po wielkim sukcesie *Do widzenia, do jutra*, ach – i jeszcze tę o STS-ie, koniecznie. Na koniec wypatrzyła drugi tom *Magnolii* i w ogóle się załamała – w takim tempie od razu zapełni swój pokój książkami i nie będzie mogła się tam ruszyć. Gdy mijała stanowisko Czarnego, nawet tam nie zajrzała, bała się, że się złamie i coś kupi, a dziś zdecydowanie nie miała jak tego targać.

2.

Była w niebie. Siedziała na płycie głównej boiska, które na potrzeby targowe przekształcono w coś w rodzaju plaży z leżakami i różnego rodzaju siedziskami. Niedaleko stała scena, gdzie produkowały się różne osoby, a to dzieci śpiewały, a to ktoś czytał fragmenty książek, ciągle się coś działo. Przy samych trybunach znalazł miejsce ogródek kawiarniany ze stolikami. Kupiła dwie butelki wody i kawę w papierowym kubku. To był błąd, okazała się okropna. Miała ochotę coś zjeść, ale nic ciekawego nie oferowali, więc pocieszyła się ciastkiem, w duchu obiecując sobie, że następnego dnia zabierze kanapki.

Wprawdzie nie siedziała na świeżym powietrzu, bo dach był zamknięty, ale jakimś cudem nawet lekko wiało. Przed oczami miała trybuny i zaczytanych ludzi, a powyżej galerię ze stoiskami.

Tak się zaparła, żeby nie kupować książek, że siedziała teraz bez niczego do czytania. Za to wi-fi działało, więc przejrzała maile i wpisy na fejsie, po czym postanowiła odpocząć chwilę, zanim zagłębi się w gazetkę targową i zacznie planować, co dalej.

Przymknęła oczy i oddała się *dolce far niente*. Wyobraziła sobie, że jest na plaży w Mielnie. Jeździła tam często, najpierw jako dziecko z rodzicami, potem w czasach licealnych sama lub z przyjaciółmi; całe wakacje spędzała, wylegując się na kocu i czytając książki. Co jakiś czas wskakiwała do wody, żeby się schłodzić, a potem leżała na brzuchu na ręczniku i powoli wysychała na słońcu. Słona skóra robiła się wtedy lekko sztywna i ściągnięta. Do tej pory znajdowała w książkach, które wtedy czytała, ziarenka piasku.

Zastanawiała się, czy jeszcze trochę posiedzieć, czy jednak dać zwyciężyć wrodzonemu poczuciu obowiązku i wrócić do pracy. Zresztą, co to za praca, skoro jednocześnie jest przyjemnością? Tylko ten upał i duchota. Raz zasiane ziarno winy, że się obija, zakiełkowało obficie, trzeba się było zbierać. Miała dziwne uczucie, że ktoś ją obserwuje. Rozejrzała się wokół. Kilku mężczyzn przyglądało jej się z daleka. To pewnie to ją tak zaniepokoiło. Gdy jeden z nich się zorientował, że na nich patrzy, podniósł się i ruszył w jej kierunku. Helena, udając, że nic nie widzi, nic nie rozumie, szybko zebrała rzeczy i umknęła w kierunku stoisk.

Już wiedziała, że nie ma dziś interesujących spotkań. Pokręciła się jeszcze trochę, ostatecznie też nie oparła się zakupom i zapakowała do plecaka nową powieść Franzena i drugi tom *Dzienników* Pilcha.

Cieszyła się na wieczór z książką, ale przedtem zaplanowała jeszcze wizytę w Faktycznym Domu Kultury na spotkaniu z dwoma młodymi reportażystami, którzy napisali książkę o Polakach i Ukraińcach. Koleżanka dała jej cynk, że warto. Znały się jeszcze ze studiów, Hanka teraz mieszkała we Wrocławiu i tam poznała jednego z autorów, a że nie mogła być w stolicy, uprosiła Helenę o zrobienie zdjęć. Że też się zgodziła. Była zmęczona, głodna i wcale nie miała ochoty, chociaż rano wydawało się to dobrym pomysłem. Kurczę, jak tam dojechać? Gdyby szybko dotarła, może jeszcze zdąży coś przekąsić.

Aplikacja w telefonie wskazała, jaki tramwaj ją dowiezie prawie na miejsce, jednak ku swemu zdziwieniu Helena musiała jeszcze dość długo iść. Pogubiła się w uliczkach, musiała pytać przechodniów, ale wciąż trafiała na turystów.

Wreszcie ktoś skierował ją na Gałczyńskiego. Okazało się, że gdyby pytała od razu o Wrzenie Świata, może więcej ludzi wiedziałoby, dokąd ją skierować, ale nazwa Faktyczny Dom Kultury była znana tylko niektórym. W dodatku okazało się, że to zupełnie co innego, niż spodziewała się Helena. Wyobrażała sobie coś podobnego do takich placówek w małych miasteczkach, a miejsce okazało się po prostu salą naprzeciwko kawiarni, gdzie odbywały się spotkania.

U drzwi czekał na gości sam Mariusz Szczygieł. Rozmawiał z jakimiś babkami, przemknęła do sali, onieśmielona trochę obecnością tak znanego człowieka. Była jego wielką admiratorką, ale nie miała charakteru fanki rzucającej się na szyję. Raczej wycofywała się i obserwowała z daleka. Co innego, kiedy była w pracy, ale teraz nie pracowała, w każdym razie nie miała na niego zlecenia, a kłamać też nie potrafiła.

Mariusz Szczygieł wszedł do sali i oświadczył:

– Proszę państwa, gdyby ktoś chciał kupić coś do picia, zapraszam do kawiarni, jest jeszcze chwila, poczekamy.

Ucieszyła się, bo głód doskwierał jej bardzo. Pomyślała, że chociaż się czegoś napije, oszuka ssanie w żołądku. Miała ochotę zostawić ciężki plecak, ale bała się, bo aparat był cenny. Któryś już raz pożałowała, że jest sama.

Wpadła jak wicher do położonego naprzeciwko Wrzenia Świata. Nie mogła się zdecydować, czego ma się ochotę napić. Pierwsza do głowy przyszła jej kawa, ale zauważyła parę odchodzącą z wysokimi szklankami z jakimś kuszącym aromatycznym napojem na ciepło, w którym pływały kawałki owoców, i nabrała na niego ochoty. Herbaty nie chciała ryzykować, cóż mogli jej zaproponować oprócz jakichś zmiotków z ładowni w torebkach? Piwo? Upał straszny, zna swoje możliwości, a raczej niemożliwości, i wie, że uwaliłaby się w sekundę. Czyli ten intrygujący napój.

– Co dla pani? – spytał młodzieniec za ladą.

– Wiem, na co mam ochotę, ale nie wiem, jak to się u was nazywa – powiedziała Helena, bezwiednie marszcząc nos, co zdarzało jej się, kiedy była czegoś niepewna, a bała się, że tłumaczenia nie wyjaśnią, o co jej chodzi. – Przed chwilą pana kolega przygotował gorący napój z owocami, w wysokiej szklance. Ja też o taki poproszę.

Głupio się czuła, że tak opisuje jak dziecko, ale cóż począć.

– A to pewnie ma pani ochotę na naszą zieloną herbatę z owocami: kawałkami limonki, pomarańczy i malinami. Już się robi.

– Tylko czy to długo potrwa? Bo tam już na mnie czekają z rozpoczęciem spotkania – zaniepokoiła się Helena, nerwowo zerkając przez okno w stronę budynku naprzeciwko.

Nie słyszała odpowiedzi barmana, gdyż kątem oka zauważyła grupę mężczyzn przy stoliku w rogu. Na wprost siedział i patrzył jej prosto w oczy ON.

Odwróciła się szybko, ale spokoju już nie odzyskała. Stała jak sparaliżowana, czuła jego spojrzenie na sobie. Serce galopowało jej jak dziki źrebak po łące, nierówno, chaotycznie. Włosy na karku stanęły. Oczywiście natychmiast spąsowiała. Myślała gorączkowo, co powiedzieć, jeśli podejdzie. Lepiej, żeby nie podchodził. Ale dlaczego?

Lepiej, żeby podszedł. Głupia, przecież on już cię nie pamięta, skarciła się. Jak to nie pamięta, przecież koniecznie chciał porozmawiać. Ale go spławiłaś, idiotko.

– Heleno, pamięta mnie pani?

Dotknął jej ramienia. Spodziewała się tego, ale jednak drgnęła, odskoczyła i strąciła z lady kosz z batonikami. Chciała schylić się, żeby je pozbierać, ale powstrzymał ją ręką i dopiero kiedy się upewnił, że się nie schyli, sam to zrobił.

– Tego nam tylko brakowało, żebyśmy sobie ponabijali guzy podczas pierwszego spotkania – powiedział z uśmiechem.

– To nie jest nasze pierwsze spotkanie – sprostowała.

– Potraktujmy je jako pierwsze, dobrze? Czymś musiałem panią urazić poprzednio, odeszła pani tak nagle, bardzo się martwiłem, że pani więcej nie zobaczę.

– Naprawdę, martwił się pan?

– A jakże. Czy ja wyglądam na człowieka, który rzuca słowa na wiatr? Nawet przekupiłem kelnera, żeby mi powiedział, z kim pani wtedy się bawiła. Pojechałem do tej firmy, ale okazało się, że pani tam nie pracuje – mówiąc to, patrzył jej w oczy. Hipnotyzował.

– Pracuję. Zaczynam drugiego czerwca. To była dla mnie w pewnym sensie impreza zapoznawcza. Dzień wcześniej podpisałam umowę i mnie zaprosili. – Ledwie to powiedziała, dotarło do niej, że słowotok zdradza zmieszanie; widać, że za bardzo jej zależy.

– W takim razie już wiem, gdzie będę po panią przyjeżdżał po pracy, żeby zabrać na randkę. Bo przecież teraz już mi pani nie umknie. Proszę mi tego nie robić, moje serce może tego nie wytrzymać – mówił z ironicznym uśmiechem.

Jego znak rozpoznawczy – pomyślała Helena. Powinna być zła, ale już to u niego lubiła. Co tu dużo mówić, zaczęła wymiękać, ale za nic nie chciała tego okazać.

– Pan sobie ze mnie drwi – powiedziała głośno i starała się, żeby na jej twarzy odbiło się umiarkowane oburzenie. Umiarkowane, bo nie chciała go zniechęcić.

Popatrzył na nią czule, podszedł blisko, tak że dzieliły ich tylko dwa oddechy, i powiedział niskim, ciepłym głosem:

– Lisico, igrasz ze mną, zanęcasz, zaraz potem się oddalasz, uganiam się za tobą jak sztubak. Śnisz mi się po nocach. Wystarczy, że w dzień przypomnę sobie twoje rumieńce, skurcz mięśni pod moim dotknięciem, twoje usta błyszczące od oliwy, i już jestem gotowy. Zostań teraz ze mną, chcę, żebyś i ty poczuła tę chemię, dała nam szansę.

Zaniemówiła. Żadnych długotrwałych podchodów tygodniami, żadnego udawania, dwuznacznych gierek. Wywalił kawę na ławę i już. I co ona teraz powinna zrobić, jak zareagować? Miała nadzieję, że nie widać, jak bardzo ją to podnieciło. Boi się poruszyć, czuje słabość w nogach, nadwrażliwość skóry i co gorsza, gdy tylko ujął jej dłoń, a drugą ręką objął w pasie, nogi ostatecznie się pod nią ugięły.

Z zewnątrz musiało wyglądać to jak spotkanie dawno niewidzianych znajomych. On ją obejmuje, całuje w policzek, a ona zarzuca mu rękę na szyję i przytula delikatnie, na krótko. W rzeczywistości podtrzymał ją ramieniem i wyszeptał do ucha: „Urywamy się stąd". Odwróciła się do barmana, chciała coś powiedzieć, ale nie mogła wykrztusić słowa. Chłopak zdawał się wszystko pojmować. Przyjął od Juliusza pieniądze za niewypitą herbatę z uśmiechem człowieka, który niejedno widział, a mimo to chyba trochę zdziwiony odprowadził parę wzrokiem do drzwi.

Juliusz nawet nie pożegnał się z mężczyznami, z którymi wcześniej siedział przy stoliku. Ona nie spojrzała ani na moment w stronę budynku, gdzie odbywało się spotkanie promujące książkę o stosunkach polsko-ukraińskich; jak wytłumaczy brak zdjęć Hance? Uspokoiwszy się, że Jul (w myślach tak już go nazywała) ma jej plecak, dała się wyprowadzić za rękę.

– Lenka, co ty masz w tej torbie, cegły?

Gorączkowo myślała, co by tu mądrego powiedzieć. Koniecznie chciała mu zaimponować, przecież to nie był jakiś kmiot w bermudach, to taki… i tu jej znowu zmiękły nogi – prawdziwy, dojrzały mężczyzna.

– Aparat fotograficzny, książki, babskie przydasie... – zaczęła grzecznie wymieniać.

Boże, co się ze mną dzieje? Zachowuję się jak pensjonarka za każdym razem, kiedy on się do mnie odezwie. Pora z tym skończyć, wyrównać poziom, niech mnie zacznie traktować jak partnerkę.

Zatrzymała się nagle. On jeszcze zrobił krok, ale napotkał opór i też się zatrzymał. Spojrzał na nią zaskoczony. Ale szybko się uczył, był czujny, podszedł i spytał:

– Co się dzieje, Lenuś? – Objął ją ramieniem, ale zaraz musiał puścić, bo mu plecak zaczął spadać.

– Ty mnie tu nie leniusiaj, tylko mów, dokąd idziemy. Wywlokłeś mnie z Wrzenia Świata, nie dałeś wypić herbaty, głodna jestem – powiedziała z animuszem.

– I dlatego idziemy coś zjeść. Ale najpierw musimy dotrzeć do samochodu. Zabieram cię na kolację do miłej knajpki. Porozmawiamy, będę cię czcił, karmił i podrywał na całego. A ty się temu wszystkiemu poddasz.

I znowu ta bezpośredniość, która za każdym razem wprawiała ją w zdumienie.

Chciał coś jeszcze powiedzieć, ale zamiast tego zbliżył się do niej, przygarnął ją i pocałował. Poczuła jego język miękko tańczący z jej własnym. Zapomniała o oddychaniu, czuła się, jakby miała zaraz zemdleć. Na bank miała rumieńce, włącznie z tą nieszczęsną kreską nad wargą. A do cholery z tym, w ogóle już nie będzie się nimi przejmować, niech sobie będą.

Przestał całować, ale jej nie puścił. Patrzył w oczy tak, że odczuwała podniecenie graniczące z bólem. Pomyślała, że nie wytrzyma tego dłużej, powinna się uwolnić z jego objęć, ale nie potrafiła. Nie chciała. Próbowała przypomnieć sobie, co mówił Wiśniewski o chemii w miłości. Wkurzało ją to jego naukowe gadanie, ale teraz by jej się przydało takie rozłożenie na czynniki pierwsze tego, co się z nią działo. Gdyby potrafiła to wszystko tutaj ogarnąć myślą i rozumem, nie czułaby się tak, jakby jej świat rozpadał się na kawałki po to, żeby złożyć się z powrotem, ale już nie w stanie sprzed rozpadu. Nic już nie będzie takie samo.

– Ratunku. – Nie do wiary, że powiedziała to na głos.

– Wzywasz mnie czy chcesz przede mną uciec? – spytał Juliusz, uważnie się jej przyglądając. – Lisiczko Miła, spójrz na mnie. Nic ci nie grozi. Będzie tak, jak zechcesz; w takim tempie, na jakie jesteś gotowa; wtedy, kiedy ty zdecydujesz. Jesteś ze mną absolutnie bezpieczna. – Ich spojrzenia się spotkały, po czym Jul puścił Helenę i zaśmiał się serdecznie. – A teraz chodźmy, bo mi tu z głodu zemdlejesz.

Stwierdziła, że podoba jej się ta bezpośredniość i powinna spróbować tego samego. To leży w jej naturze dużo bardziej niż jakieś gierki i zasłony dymne. Z czasem pewnie poczuje się swobodnie. Na razie była oszołomiona i nie dowierzała temu, co się działo. Ale przede wszystkim, ku własnemu zdumieniu, czuła się niezwykle szczęśliwa.

JULIUSZ

1.

Około południa musiał wyskoczyć na targi książki na stadion. Nie lubił takich spędów, ale obiecał znajomej z wydawnictwa, że ją podrzuci i pomoże znaleźć kogoś do przestawienia regałów, bo po pierwszym dniu targów zmieniła koncepcję ich ustawienia. Miał z nią kiedyś krótki, acz namiętny romans, do tej pory robiło mu się gorąco na wspomnienie jej cycków tańczących nad nim. Co jakiś czas wyczuwał, że liczyła na powtórkę, ale Juliusz rzadko wchodził do tej samej rzeki. Miał do niej słabość, chociaż irytowało go, że traktowała go jak męża i zawsze dzwoniła do niego, kiedy trzeba było przenieść jakąś szafę.

Załatwił, co było trzeba, i postanowił jednak przejść się po targach. Chciał kupić kilka książek, więc właściwie mógł to załatwić teraz. Tym bardziej że samochód był zaparkowany na parkingu na dole, nigdzie nie będzie musiał tego dźwigać.

Pokręcił się między stoiskami, spotkał kilku znajomych z wydawnictw, ale nie mógł się skupić na rozmowach, jego myśli wciąż zaprzątała Helena.

Wszędzie ją widział, gdziekolwiek mignęła mu ruda głowa, zaraz myślał, że to ona. Nawet teraz, na dole, na płycie głównej, siedzi na leżaku dziewczyna cała w szarościach. Wygląda, jakby ją spowiła mgła, i ma rude włosy. Wydaje mu się, że to ona. Czy to możliwe? Wahał się chwilę, czy schodzić aż tam, na dół. Już tyle razy pędził za jakąś obcą dziewczyną w nadziei, że to Helena.

Lenka, tak ją w myśli nazywał. A gdy był podniecony, to Ruda Lisica. Rozmarzył się. Znowu. Sam był zdziwiony tym, co się z nim dzieje, dawno nie miał takich stanów wzmożonego napięcia seksualnego połączonego z podnieceniem równym zakochaniu.

W tym wieku nie spodziewał się już takich stanów. Od dawna nie był w stałym związku. Po trzech rozwodach odechciało mu się tego miodu. Lubił swoją niezależność, czas do własnej dyspozycji według uznania. Chciał ćwiczyć, to szedł na siłownię, miał ochotę na zakupy, to je robił, a jak nie, to miał pustą lodówkę i szedł na miasto coś przekąsić. Nikomu nie musiał się tłumaczyć. Wbrew obawom nie był też samotny, miał wielu przyjaciół i znajomych, nie potrzebował na siłę wiązać się dla towarzystwa. Prać umiał, sprzątać też, ale mu się nie chciało. Do prac domowych znalazł więc przemiłą panią z Ukrainy, która dbała o jego apartament raz w tygodniu.

Aż tu nagle dziewczyna, i to dużo młodsza. Można by rzec *cliché*, gdyby nie to, że nigdy nie gustował w młodszych i był nawet z tego znany. Poza tym kryzys wieku średniego miał już dawno za sobą – powitał go, rozchodząc się z żoną, kupując motor, po czym po dwóch latach pożegnał ten okres wraz z motorem. Została mu z tamtego czasu jedynie dbałość o formę fizyczną. I wspomnienie kilku niezłych dziewczyn lubiących te rzeczy. Chociaż rzadko o nich myślał, bo w tej materii ciągle coś się nowego działo, nie narzekał na powodzenie. Świat był pełen chętnych kobiet.

Za rok skończy sześćdziesiąt lat. Niektórzy nad nim ubolewają w żartach, że już idzie w stronę cienia, ale on wcale się tym nie przejmował, bo to najlepszy okres w jego życiu. Obaj synowie już dorośli, założyli swoje rodziny i mieszkali za granicą. Jeden w Kanadzie, drugi w Austrii. Dzwonili do siebie średnio raz w tygodniu, pisali prawie codziennie, z wnukami widywał się na Skypie. Był zadowolony z takiego stanu rzeczy.

Z Jolą mógł się pokazać w razie potrzeby, seks z nią był fantastyczny, a do tego nic nie chciała w zamian.

Aż tu ten rudzielec wyskoczył jak filip z konopi. I co zrobić z tym fantem? Właściwie to należałoby się cieszyć z tego, że zniknęła, bo po co mu taka młoda koza, ale zaczął tracić głowę na jej punkcie i nic na to nie mógł poradzić.

Chyba jednak zejdzie na dół i sprawdzi, czy to nie ona tam siedzi. Zniknęła? Jeszcze mu tego brakowało, żeby zaczął mieć zwidy.

Pokręcił się chwilę po boisku, na ten dzień zamienionym w niby-plażę. Jakby się pod ziemię zapadła. Wrócił na górę, kupił parę książek, a wracając, zahaczył jeszcze o stoisko z moleskinami i kupił dwa mniejsze, z kartkami w linię. Lubił je, zawsze miał w domu zapas.

Miał jeszcze kilka tytułów na oku, ale stracił zapał do przepychania się w gęstniejącym tłumie. Zawsze można je kupić online.

Wieczorem był umówiony we Wrzeniu Świata, obiecał przejrzeć artykuł znajomego, który chciał wiedzieć, czy nie popełnił jakiegoś babola w kwestii gospodarki Korei. Juliusz zwykle prosił o wysłanie tekstu mailem i odsyłał go z poprawkami, ale tym razem miał ochotę po prostu pogadać. Przy okazji sczyta mu ten artykuł i naniesie poprawki na bieżąco.

2.

Dawno nie widział Michała, który w międzyczasie zdążył się ożenić, rozmnożyć, o czym świadczyła grzechotka wyjęta z teczki, zanim pojawiły się kartki z artykułem. Późno mu to wszystko przyszło. Juliusz już myślał, że ma w nim pokrewną duszę, raczej wolnego strzelca, a tu pieluchy, kupy i zachwyt nad pierwszym zębem. Cóż, można i tak, dziwiło go jednak, że Michał nie zdecydował się na to wcześniej, skoro już chciał mieć rodzinę.

– Nie trafiałem na odpowiednie kobiety – odrzekł Michał, widząc zdziwioną minę Juliusza na widok grzechotki. – Wcale nie miałem tego w planach, ale poznałem Zojkę i mi rozum odjęło, od razu chciałem mieć z nią dzieci, małe klony Zoi, dużo takich jak ona. Strasznie ją kocham.

– Taaa, na utratę rozumu nie ma rady – odparł rozbawiony Juliusz, a towarzyszący im Ziutek zawtórował mu energicznie.

Zamówili po kawie, każdy z nich był samochodem i jakoś nie mieli ochoty się tego dnia upodlić, chociaż kiedy Juliusz jechał na spotkanie, brał pod uwagę taki scenariusz. Upał jednak temu nie sprzyjał, a i zaangażowanie Michała w usypianie potomka lub potomki (przezornie nie pytał, bo jeszcze by to rozpoczęło niekończący się monolog o wspaniałościach rodzicielstwa) nie rokowało pomyślnie wieczorowi z winem i morskimi opowieściami. Stanęło na tym, że Jul przejrzał artykuł, coś tam poprawił, coś dopisał, parę rzeczy polecił doczytać i tyle.

Już mieli się żegnać, gdy poczuli zawirowanie powietrza i do kawiarni wpadła… jego Lisiczka. Zakręciło mu się w głowie, z niedowierzania i jakiegoś dziwnego poczucia nieuniknionego. To musiało być przeznaczenie.

Chwilę wahała się, co zamówić, wodziła wzrokiem po butelkach, menu na ścianie, nawet po stolikach, ale jego jeszcze nie zauważyła.

Podeszła do baru złożyć zamówienie. Zaczęła coś niezbornie tłumaczyć, wyglądała na lekko zagubioną czy zaniepokojoną. Była taka bezpretensjonalna. Rozczulało go to jej lekkie zagubienie.

Odwróciła się, żeby wyjrzeć przez okno, i wtedy go zauważyła. Nie słyszała, co do niej mówi barman. Zwróciła się z powrotem plecami do nich, znieruchomiała.

Nie zastanawiał się wcale, podszedł do niej i dotknął jej ramienia. Oczywiście zarumieniła się po swojemu, co go strasznie bawiło i podniecało jednocześnie.

Drgnęła nerwowo, kiedy wymówił jej imię. Posypały się batoniki, które strąciła z baru. Jul przejął inicjatywę. Widział, że ona coraz bardziej się denerwuje i nie wie, jak się zachować. Zażartował, że ich pierwsze spotkanie może skończyć się zderzeniem czołowym, na co ona zaoponowała:

– To nie jest nasze pierwsze spotkanie.

Poczuł, że musi ją do siebie przekonać, teraz albo nigdy. Starał się, by konwersacja była swobodna, w dowcipnym tonie.

Dziewczyna powoli chyba się oswajała z jego obecnością, rozgadała się o nowej pracy. Postanowił zaryzykować, niby żartobliwie, ale chciał, by wiedziała, że mu zależy. Chrzanić pozory i gierki.

– A to w takim razie już wiem, gdzie będę po panią przyjeżdżał po pracy, żeby zabrać na randkę. Bo przecież teraz już mi pani nie umknie, proszę mi tego nie robić, moje serce może tego nie wytrzymać.

– Pan sobie ze mnie drwi – stwierdziła, niby naburmuszona, ale widział, że topi się pod jego spojrzeniem jak lody w upał. Poczuł się pewniej. Niewiele myśląc (w ogóle w tym wypadku więcej zdawał się na instynkt, bo przy niej rozsądek mu szwankował), przysunął się do niej blisko i wyszeptał cicho, tak żeby nikt inny nie usłyszał:

– Lisico, igrasz ze mną, zanęcasz, zaraz potem się oddalasz. Uganiam się za tobą jak sztubak. Śnisz mi się po nocach. Wystarczy, że w dzień przypomnę sobie twoje rumieńce, skurcz mięśni pod moim dotykiem, twoje usta błyszczące od oliwy, i już jestem gotowy. Zostań teraz ze mną, chcę, żebyś i ty poczuła tę chemię, dała nam szansę.

Widać było gołym okiem, że ją zamurowało. Przestraszył się. Teraz wszystko się rozegra: albo odejdzie i więcej nie da mu do siebie podejść, albo mu ulegnie. Wahała się, miał nadzieję, że szala przechyla się na jego korzyść. Nic już więcej nie mógł zrobić.

Zauważył jakąś nieokreśloną słabość w jej oczach, której nie potrafił zinterpretować. Ale znowu zaryzykował. Jedną ręką ujął jej dłoń, drugą objął w pasie, a ona uchwyciła się jego szyi, tak jakby zaraz miała zemdleć. Przytulił się do jej policzka i wyszeptał: Urywamy się stąd.

Zapłacił, pochwycił plecak Heleny i wyprowadził ją bez słowa z kawiarni. Nawet nie pożegnał się z kolegami. Nieźle ich pewnie zatkało.

Plecak był naprawdę ciężki, więc zainteresował się jego zawartością.

Dziewczyna się nie odzywała. Juliusz uznał, że przedobrzył, teraz ona się opamięta i da mu popalić. Tymczasem Helena zaczęła wymieniać, co nosi ze sobą.

Grzeczna dziewczynka. Ledwie to pomyślał, ona nagle zmieniła front.

Stanęła jak wryta. Jul zrobił jeszcze krok, ale napotkał opór i też się zatrzymał. Spojrzał na nią zaskoczony. Ale szybko się uczył, był czujny, podszedł i spytał, co się dzieje.

– Ty mnie tu nie leniusiaj, tylko mów, dokąd idziemy. Wywlokłeś mnie z kawiarni, nie dałeś wypić herbaty, głodna jestem – wybuchnęła.

Aha, pokazuje pazury, jeszcze się broni, próbuje ustalać status quo, mądra bestia. Ale on też nie od macochy. Wytrącił jej broń z ręki, oznajmiając, że właśnie wybierają się na kolację.

Zdumiała się. Widać było, że jego bezpośredniość jej się podoba, więc miał zamiar się tego trzymać. Jemu to też pasowało.

Nabrał powietrza, żeby powiedzieć coś uspokajającego, ale zamiast tego podszedł do niej, objął ten rudy łepek i pocałował.

I znowu poczuł, jak Helena topi się mu w rękach. Podobało mu się to, czuł, jak ona odpowiada na każdy dotyk, chociaż bardzo starała się nie pokazywać tej słabości. Oddała pocałunek niezwykle czule i namiętnie jednocześnie. Poszukał jej oczu, by sprawdzić, co się z nią dzieje. Przerwał, ale nie wypuścił Heleny z objęć.

– Ratunku.

– Wzywasz mnie czy chcesz przede mną uciec? – spytał Juliusz, uważnie się jej przyglądając. – Lisiczko Miła, spójrz na mnie. Nic ci nie grozi. Będzie tak, jak zechcesz; w takim tempie, na jakie jesteś gotowa; wtedy, kiedy ty zdecydujesz. Jesteś ze mną absolutnie bezpieczna.

Poczuł, że panuje nad sytuacją. Był zadowolony i ze spotkania, i z obrotu sprawy, chociaż gdzieś głęboko czaił się nieokreślony niepokój. Nie chciał go teraz dopuszczać do głosu.

– Mam jednak nadzieję, że ulegniesz mojemu urokowi szybciej niż później. A teraz chodźmy, bo mi tu z głodu zemdlejesz.

HELENA

1.

Dała mu się uprowadzić jak branka. Jak to wygląda? Co on sobie teraz o niej myśli? Spotyka kobietę, widzi ją raptem drugi raz, zaraz ją wywleka z lokalu, całuje pod drzewem i zabiera jak swoją. Z drugiej strony nie była małolatą, wiedziała, na co się decyduje, i skoro on jej się podobał, skoro ją pociągał, to dlaczego miałaby sobie go odmawiać. Też sobie go wzięła, sięgnęła jak po dojrzałą w greckim słońcu, soczystą brzoskwinię, tylko on o tym jeszcze nie wiedział.

Dokąd on ją wiezie? Głodna była niemożebnie i miała zamiar to zamanifestować zaraz, jak tylko dotrą do restauracji. Zdecydowała się na spontaniczność i bezpośredniość w jego wydaniu, zobaczy, jak to działa w praktyce. I jak on na to zareaguje? Jeśli źle, lepiej, żeby to się od razu skończyło, niech się nie męczą oboje.

Ciekawa była, do jakiego samochodu podejdą. Miała nadzieję, że to nie będzie jakiś sportowy model, gdzie się siedzi na poziomie minus jeden, z kolanami przy uszach, a wysiadać trzeba na czworaka. Nie miała zamiaru dźwigać na barkach jego kryzysu, jakikolwiek by w tym wieku był.

Na szczęście okazało się, że jeździ najzwyklejszym hyundaiem i nie będzie musiała się do niego wczołgiwać. Rozsiadła się wygodnie, już trochę uspokoiła i nawet wróciło jej mowę.

– To dokąd mnie zabierasz, rozbójniku Rumcajsie?

– Mam nadzieję, że lubisz japońskie jedzenie, bo mam świetną miejscówkę na wszelkiego rodzaju sushi, maki i inne robaki.

– Lubię. Tylko wolałabym nie łowić pałeczkami uciekającego na łódkach jedzenia, do tego siedząc na wysokich stołkach.

– Obiecuję, że posadzę cię przy najzwyklejszym stoliku i będę dokarmiał, aż poprosisz o litość – powiedział, patrząc na nią czule.

Helenie znowu zrobiło się słabo. Z głodu? Chyba jednak z całkiem innego powodu. Dziwnie to się wszystko rozwijało, robiła rzeczy całkiem nieleżące w jej naturze. Nigdy nie zajmowali ją inni mężczyźni poza Zbyszkiem, a kiedy już ma wolność wyborów i akcji, nie poznaje samej siebie. Traktowała to jako swego rodzaju sensację.

Juliusz prowadził pewnie. Ona wprawdzie też miała prawo jazdy, ale poruszanie się po Warszawie trochę ją przerażało. Zanotowała sobie w pamięci, że musi wziąć kilka lekcji. Tylko po co, skoro nie ma samochodu? No, ale kaleką motoryzacyjną nie godzi się być, może od czasu do czasu będzie miała okazję poprowadzić samochód służbowy albo wynajmie sobie coś w razie potrzeby. Trzeba się tym zająć, przecież to tylko kwestia nabrania biegłości.

Przyglądała się Juliuszowi kątem oka. Miała nadzieję, że on tego nie widzi. Zmęczenie dawało jej się we znaki, gdyby przyłożyła głowę, na pewno by przysnęła. A może by tak tylko na chwilę? Ciekawe, czy to daleko?

Zorientowała się, że nie dostała od Adeli klucza, na dodatek nie wpisała jej numeru do kontaktów w swojej komórce, a wizytówka została w torebce. Niedobrze, nie ma jak uprzedzić, że później wróci do domu. Co robić? Rozmyślając, oparła się o zagłówek i o mało nie usnęła.

– Jesteśmy na miejscu, proszę głodnej wycieczki. Sushi Zushi. Wysiadka.

Helena siedziała bez ruchu, zastygła na granicy jawy i pierwszego snu. Śmieszne uczucie, wie, co się dzieje, ale zaczyna jej to być obojętne, bo już zdąża w stronę wyłączenia sennego. Nagle drzwi po jej stronie otworzyły się z głuchym trzaskiem. Drgnęła.

– Przepraszam, zamyśliłam się, zmęczył mnie upał i emocje.

Juliusz podał jej rękę, wysiadła i chciała ruszyć w stronę drzwi, ale nadal ją trzymał, zrobiła więc półobrót i zatrzymała się w oczekiwaniu na niego. Zamknął samochód, chwycił jej plecak i ruszyli w stronę drzwi. Ona nawet nie pomyślała o swoich rzeczach. Prowincjonalna nieostrożność.

Chyba znał właściciela albo managera, w każdym razie machnął jakiemuś mężczyźnie ręką, a ten wskazał mu stolik we wnęce. Niby widzieli salę, ale sami czuli się komfortowo, lekko na uboczu. Rozejrzała się. Ładny wystrój, brązy i czekolada. Przytulnie. Odprężyła się. Dostali menu i zieloną herbatę. Jej żołądek wykonał podwójnego flipa na myśl, że zaraz coś zje. Zdecydowanie przegięła, myśląc, że jest w stanie długo funkcjonować o lekkim śniadaniu i marnym ciastku z kawą.

– Pozwól, kochanie, że zamówię za ciebie. Po prostu wezmę po trochu tego i owego i będziemy sobie wyjadać z talerzy, co ty na to?

Z tego wszystkiego zrozumiała tylko „kochanie". Wszystko było dla niej takie nowe i ekscytujące. Przytaknęła tylko głową. Gdy kelnerka oddaliła się w stronę okrągłego baru, Jul sięgnął po dłoń Heleny i pocałował jej wnętrze, po czym położył ją sobie na policzku. I tak trzymał przy sobie przez chwilę.

– Szukałem cię, wiesz?

– Mówiłeś już, ale trudno mi w to uwierzyć. Warszawa to nie Darłowo, przecież nie biegałeś po ulicach, pytając o jedyną w mieście rudą kobietę.

– Nie biegałem, masz rację. Użyłem intelektu, w Cavie dowiedziałem się, gdzie cię szukać, ale w firmie portier powiedział mi, że Helena Miła u nich nie pracuje. Od razu mu uwierzyłem, przecież nie mógłby zapomnieć takiej kobiety jak ty. Nawet gdybyś tam pracowała dopiero kilka dni.

– No, ale już wszystko sobie wyjaśniliśmy.

– Już nie chcę więcej cię szukać, obiecaj. Proszę. Podaj mi swoje namiary, spotkajmy się jutro, pojutrze, zawsze, a najlepiej w ogóle się nie rozstawajmy.

– Przecież my się w ogóle nie znamy. Dlaczego tak pędzisz? Daj nam czas.

Kelnerka przyniosła pierwszą część zamówienia i spytała, czy chcą od razu resztę. Jul potwierdził. Musiał tu bywać wcześniej, bo kelnerka traktowała go jak stałego bywalca, a poza tym doskonale znał menu. Nałożył Helenie na talerzyk kilka kawałków.

– Lenuś, tu masz sashimi maki owinięte ogórkiem, a to kimura maki z delikatną krewetką, pyszne. A, i jeszcze maki z tuńczykiem i warzywami. Chcesz krewetkę w tempurze?

– Chcę. – Lena uśmiechała się szeroko na widok Juliusza tak intensywnie zajętego misją nakarmienia jej. Nalała sobie sosu sojowego, nałożyła wasabi i imbiru, ale po pałeczki nie sięgnęła.

– Nie umiem jeść pałeczkami, użyję rąk, będziesz musiał to przeżyć. Jeśli się wstydzisz, udawaj, że mnie nie znasz.

– A może serwetkę sobie włożysz za dekolt? Chciałbym to jeszcze raz zobaczyć. – Ledwo się opanował, żeby nie przeciągnąć się z podniecenia.

– Nie mam dekoltu na tyle dużego, żeby to było znowu tak podniecające – Lena odpowiedziała wprost. Sama się zdziwiła, jak łatwo jej to przyszło. Nowość, ale przyjmie ją z dobrodziejstwem inwentarza. Może nieraz go tym zaskoczy, ale i on nie owija w bawełnę.

Poszły konie po betonie – pomyślała. Nachyliła się nad talerzem i jednym ruchem, zaraz po namoczeniu w sosie, wsunęła sobie kawałek maki do ust.

– Mhmmmm, niebo w gębie. Już za to, że mnie tu zabrałeś, należy ci się rok z mojego życia – stwierdziła z zamkniętymi oczami i lekko podniesioną do góry głową.

– Tylko rok? Ja chcę dziesięć.

– Nie proś, bo jeszcze będzie ci dane i pożałujesz.

– Lena, nigdy.

– Powtarzam, nie znasz mnie.

– Chcę.

– Czego chcesz?

– Poznać cię jak nikt inny, chcę, żebyś nie mogła beze mnie żyć, chcę się z tobą kochać, mieć cię pod sobą, chcę zobaczyć w twoich oczach…

– Nigdy nie otwieram oczu podczas seksu.

– Ze mną otworzysz. Nie idź dzisiaj do domu, zostań ze mną, proszę.

Mówił do niej coraz niższym głosem, chwilami szeptał prawie bezgłośnie, bardziej domyślała się, co mówi, niż słyszała. Wyprostowała się, wygięła plecy lekko w łuk, nie mogła tego opanować. Zrobiła się tam wilgotna i chciała mieć go w sobie. Boże, jak mu tego nie okazać, jak nie pozwolić mu się zorientować?

– Lena, Lisico bezlitosna, pragnę cię jak żadnej kobiety od dawna. Nie pożałujesz, nie dam ci zasnąć długo w noc.

Wstał i przeszedł na jej stronę stolika. Usiadł obok. Objął Helenę w pasie, przysunął się bliżej, po czym niespodziewanie ucałował dołek w zgięciu jej obojczyka, przy samej szyi. Westchnęła głęboko, odgięła się w tył. Ciemno w oczach.

Nie przestawaj – myślała gorączkowo.

– Powiem kelnerce, żeby zapakowała nam to sushi w pudełka. Wezmę cię do siebie, zjemy i będziemy się kochać – szeptał jej do ucha, czuła jego oddech, a sama nie mogła odetchnąć. Miała wrażenie, że on zabiera całe powietrze.

– Jul, nie mogę.

– Możesz, nie chcesz, jeszcze nie wiesz, że chcesz, nie rozumiesz... Dlaczego?

– Dlaczego?

– Tak się bronisz?

– Jul, proszę.

Pocałował. Nie powinien, a jednak. Przecież byli w restauracji. Co na to inni? Nie potrafiła się tym przejąć, a należałoby, przecież obowiązuje jakaś przyzwoitość. Do cholery z tym. Niech on tylko nie przestaje. Miękkie, wijące się języki, jej, jego; wielka bańka powietrza rosła jej w piersiach, bezdech, jakby pływała pod wodą. Umrze zaraz, przestanie istnieć. Już unosiła się w niebycie. Pomocy!

Przestał, całe szczęście, inaczej straciłaby przytomność.

Zerwała się na nogi, przeprosiła i odeszła. Musiała złapać oddech, uspokoić się. Wstydziła się wrażenia, jakie na niej wywarł, i tego, że podniecały ją pieszczoty w miejscach publicznych. To jeszcze nie był seks, ale o tym pomyślała.

Weszła do toalety. Nie mogła przemyć twarzy wodą, miała przecież makijaż. Zadowolona stwierdziła, że utrwalacz nadal działał, że wygląda dobrze i w miarę świeżo. W ten upał nie mogła się spodziewać lepszego efektu.

Przesunęła językiem po wargach. Nabrzmiały. Widziała na nich wspomnienie pocałunku. Zapragnęła więcej.

Wyszła z łazienki, pewnym krokiem przeszła przez salę i skręciła za załom, gdzie stał ich stolik. Jul siedział tam, pojadając imbir, i czekał. Zamiast usiąść na swoim miejscu, stanęła obok niego. Zaskoczony odsunął się lekko od stolika, chciał wstać, ale ona na to nie pozwoliła. Usiadła mu na kolanach, ujęła jego twarz w dłonie i spojrzała mu w oczy tak, jak on zrobił to wcześniej. Chciał coś powiedzieć, ale nie zdążył, bo Helena przymknęła oczy i go pocałowała. Zaskoczony, zrazu nie odpowiedział, ale zaraz poczuła, że rozchyla usta i pozwala jej językowi pójść na zwiady. Weszła miękko, ale zdecydowanie. Miała na sobie cienkie spodnie, czuła pod sobą jego pulsującą sztywność. Kiedy Jul objął ją w pasie i przejechał jedną ręką wzdłuż kręgosłupa na wysokości talii, przerwała i wygięła się do tyłu. To było silniejsze od niej, działo się niezależnie od jej woli. Wtedy on jedną ręką chwycił jej pierś i lekko ścisnął na czubku. Jej sutki odpowiedziały natychmiast, podniecenie eksplodowało w jej głowie. Cichy jęk wyrwał jej się z gardła, a właściwie gdzieś z przepony.

Jul wypuścił całe powietrze z płuc, czuła, jak zapada mu się brzuch.

Wstała, przeszła na swoje miejsce. Płonęła, jej piegi wyglądały jak oblane czerwoną farbą. Włosy lśniły jak pochodnia.

– Dziewczyno, co ty wyprawiasz? Jeszcze kilka sekund i byłoby po mnie.

– Zemsta za to, co zrobiłeś kilkanaście minut temu mnie.

– Chcę więcej, chcę się teraz zemścić na tobie, a potem ty mścij się na mnie. Pałam zemstą.

– A ja jestem głodna. Potem, niestety, muszę jechać do domu.

– Dlaczego uparłaś się mnie dręczyć?

– Nie dręczę cię. A jeśli, to w takim samym stopniu siebie. Wczoraj przeprowadziłam się do Warszawy, mieszkam z dwoma dziewczynami i nic im nie powiedziałam, że wrócę późno. Poza tym nie mam jeszcze klucza. Nie mam zamiaru zaczynać naszej wspólnej lokatorskiej przygody od spięcia, źle bym się z tym czuła.

– Jak to z dwoma dziewczynami? Nie będę mógł cię odwiedzać?

– Niestety.

– Przeprowadź się do mnie.

– Opanuj się, Jul. Co się z tobą dzieje? Proponujesz mieszkanie całkiem obcej kobiecie.

– Jeśli chcesz czuć się swobodnie, wynajmę ci studio gdzieś niedaleko mnie.

– Zapamiętaj sobie jedno, Jul, więcej tego nie będę powtarzać: nigdy nie zostanę twoją utrzymanką, wybij to sobie z głowy.

– Ale ja nie to chciałem powiedzieć, głupio wyszło. Po prostu chciałem mieć cię przy sobie. Przepraszam.

– Wiem, wiem, ale dobrze to sobie jasno powiedzieć. Jedzmy, cieszmy się tą chwilą. Przecież to nasz pierwszy wieczór. Jeśli tylko zechcemy, jeszcze wiele przed nami.

Sięgnęła po kolejny kawałek maki z tuńczykiem. Dołożyła trochę wasabi, za dużo, bo kiedy ugryzła, łzy stanęły jej w oczach.

Jul przestał jeść, patrzył tylko z uśmiechem, jak Lena zajada; jak sos cieknie jej po brodzie, a ona, śmiejąc się, wyciera go serwetką; jak oblizuje palce i ze skupieniem wybiera kolejne zawijaski z rybą.

Po kolacji posiedzieli jeszcze kilka chwil, po czym Juliusz zapłacił i wyszli. Na ulicy objął ją w pasie. Zanim wsiedli do samochodu, Helena odwróciła się w stronę Jula i pocałowała delikatnie w usta.

– Dziękuję, to był piękny wieczór.

– Lisico, to ja jestem twoim dłużnikiem. Nawet nie wiesz...

– Nie licytujmy się. Zawieź mnie do domu, proszę.

Zanim Juliusz włączył silnik, poprosił Lenę o numer jej komórki. Wpisał cyfry w swojego smartfona, zapisał pod Moja Miła i od razu do niej zadzwonił. Aparat w jej plecaku zaświergotał.

– No to masz i mój numer. Dla ciebie czynny całą dobę. Jeśli nie możemy być razem, dzwońmy do siebie często. Nie zastanawiaj się, czy to wypada, czy ja najpierw, a ty potem, czy można dwa razy z rzędu. Jeśli nie będziesz mogła odebrać, daj potem znać, żebym się nie zamartwiał, że już mnie nie chcesz. A jeśli ja będę poza zasięgiem lub na spotkaniu, oddzwonię jak najszybciej. Widzimy się jutro?

– Sobota, kolejny dzień na targach. Mam tam dużo pracy, piszę ostatni artykuł dla mojej, już byłej, gazety. Chyba nie dam rady.

– Śniadanie?

– Muszę tam być już o jedenastej, nie sądzę, żeby coś było tak wcześnie otwarte. A jeśli nawet, przecież nie będziesz się zrywał po to, żeby zjeść ze mną kanapkę i wypić herbatę.

– Cały dzień tam będziesz?

– Niestety, tak.

– A w niedzielę?

– Też.

– Za co ty mnie tak karzesz?

– Jul, nie gadaj głupot. Pewnie, że wolałabym być z tobą, ale takie życie. Będziemy w kontakcie.

– Jak chcesz.

Widziała, że się nabzdyczył. Zamilkł i ruszył samochodem. Bez słowa wiózł ją na Miłą. Uśmiechnął się, kiedy podała adres, ale zaraz potem spochmurniał. Trudno jej było uwierzyć, że tak skończy się ten wieczór, że facet strzelił focha. Nie rokowało to dobrze na przyszłość.

Jedno, czego nie lubiła i czego nie będzie tolerować, to niezrozumiałe humory. Co innego, gdyby miał powód.

Podjechali pod blok, wskazała mu klatkę, spytał o numer mieszkania. Podała, ale uprzedziła, że mieszka z Adelą i Kaśką, pokrótce nakreśliła sytuację i poprosiła o wyrozumiałość. Nie chciała, żeby Kaśka przestraszyła się z powodu nagłego pojawienia się Juliusza.

– Przyjdzie czas, to poznam cię z nimi. Kaśka się przyzwyczai i wtedy kto wie...

– Lena, czy ty mnie zwodzisz? Chcesz mnie zniechęcić, odepchnąć? Przestraszyłaś się mojego wieku, tak?

– Jul, gdyby twój wiek był problemem, w ogóle bym się z tobą nie umawiała. Zapewniam, że umiem sobie sama kupić coś do jedzenia. Zachowujesz się jak rozkapryszony nastolatek, nie pamiętasz już, co wyprawialiśmy w knajpie? Będę tęsknić, ale muszę pracować.

Pochyliła się ku niemu, pocałowali się, ale po niedawnej pasji nie było już śladu.

– Jul, co jest? Muchy w nosie?

– Pragnę cię, Lenuś. Idź już. Boli.

Uznała, że faktycznie lepiej tego nie przedłużać. Wysiadła, sięgnęła po plecak, na odchodne machnęła mu jeszcze ręką i weszła do klatki.

Na szczęście Adela jeszcze nie spała. Drzwi były otwarte, dobrze, że Helena sprawdziła, zanim zadzwoniła. Zajrzała do Adeli, przeprosiła za późny powrót.

– No coś ty, przecież jesteś dorosła, masz prawo do swojego życia. U ciebie na biurku leży dorobiony komplet kluczy. Przepraszam, że weszłam do twojego pokoju, ale nie wiedziałam, o której wrócisz, a chciałam, żebyś wiedziała, że już je masz. My jutro jedziemy z Kaśką do Julity na grilla, ciebie też zaprasza.

– Chętnie bym pojechała, ale niestety przez cały weekend będę długo pracować i na pewno się nie wyrwę. Szkoda. Mam prośbę. Nie zdążyłam zrobić zakupów, czy mogę sobie jutro zrobić jakąś kanapkę na te targi? Tam nie ma nic do jedzenia, jakieś coś dziwne, zapiekane z warzyw leży na tym upale i straszy. Albo zupa nie wiadomo z czego. Wolę nie ryzykować, a nie sądzę, żebym dała radę wyrwać się do jakiejś knajpy.

– Pewnie, w lodówce jest ser, wędlina, chleb w metalowej puszce. Na pewno znajdziesz wszystko, co ci potrzebne. Nie krępuj się.

– Adela, daj mi jeszcze te dwa dni. Napiszę artykuł, a w poniedziałek usiądziemy na spokojnie i ustalimy, co i jak. Wiem, że będziesz chciała, żebym spędzała czasem wieczory z Kaśką, dogadamy się, ale po weekendzie, dobra?

– Lena, nie stresuj się, wszystko jest w porządku. Dotrzemy się. Mamy czas.

– Dzięki, kochana jesteś, że nie masz mi za złe i w ogóle, strasznie się cieszę, że was poznałam.

– Ja też, Lena, będzie dobrze. Dobranoc, widzę, że padasz z nóg.

– Czy mogę wziąć prysznic, czy obudzę Kaśkę, może to ją zaniepokoi?

– Kaśka nie jest ze szkła. Jak już śpi, to śpi, możesz oglądać telewizor, używać łazienki, robić sobie jedzenie, nawet miksować ciasto na naleśniki, jeśli sobie życzysz. Ona nie jest dzieckiem ani chorym.

– Wiem, wiem, ale inny dorosły też mógłby mieć mi za złe.

– Nawet jeśli, to się przyzwyczai. Dla nas twoja obecność to faktycznie jakaś odmiana, ale widzę, że ona jest z tego zadowolona, więc nie martw się na zapas. Będziemy reagować, jeśli powstanie problem.

– W takim razie faktycznie idę spać. Umyję się tylko.

– Może jesteś głodna, idę zrobić sobie herbatę, mogę ci zmontować jakąś kanapkę.

– Nie, dziękuję, byłam w sushi-barze na Żurawiej, najadłam się jak bąk.

– Fiuuuuu, nieźle zaczynasz. Wczoraj zjechałaś do Warszawy, a następnego dnia już jadasz w jednej z najlepszych miejscówek? Jestem pełna podziwu.

– E tam, w życiu bym na to nie wpadła. Znajomy dziennikarz mnie tam zabrał.

Helena uznała, że małe kłamstwo nie zaszkodzi. Nie chciała wspominać o Juliuszu. A tak dziennikarka ma znajomego dziennikarza i wszystko jasne.

– No dobra, nie trzymam cię dłużej, bo widzę, że ledwo stoisz na nogach.

– To fakt, muszę się zaraz położyć, jeśli chcę jutro być na stadionie na jedenastą. Upał mnie wykończył.

– Leć, leć, ja mam jeszcze trochę pracy.

Helena szybko wzięła prysznic, nakremowała twarz i spryskała nawilżającym balsamem ciało. Lekko rozsmarowała i przeskoczyła zawinięta w ręcznik z łazienki do pokoju. Zauważyła, że Adela zadbała o zamontowanie zasuwki w jej drzwiach. Wzruszyło ją to, ta dziewczyna myśli o wszystkim. Zamknęła drzwi i naga położyła się na łóżko.

Wróciła myślami do zdarzeń minionego dnia. Wydawało jej się, jakby wszystko trwało tydzień. Targi, wizyta we Wrzeniu, spotkanie Juliusza, kolacja, te ich ekscesy. Dotknęła ust. Rozmarzyła się. Przeciągnęła z uśmiechem. Obróciła się na brzuch i wyciągnęła z plecaka komórkę. O rany, ma dziesięć wiadomości. Poczuła ucisk w brzuchu, miała zadzwonić do rodziców, zapomniała.

Ale to nie od nich. Wszystkie były od Jula.

„Nadal rozpalony, myślę o Tobie".

„Zemścij się jeszcze raz, i to szybko".

„Albo ja się zemszczę za ten wieczór samotny, za ten niepokój w środku".

„Będę się mścił godzinami, tylko daj mi szansę".

„Moja Miła. Moja. Moja?".

„Pragnę. Zabrałaś mi powietrze, zabrałaś wodę".

„Nie wytrzymam do poniedziałku".

„Gdzie jesteś, Miła moja?".

„Boję się, że zniknęłaś na zawsze".

„Całkiem postradałem zmysły".

Wszystkie wiadomości ułożyły się w drabinkę na ekranie komórki, czytała je od góry do dołu chyba ze sto razy. Śmiała się w głos, przerzuciła się na plecy, podłożyła dodatkową poduszkę pod głowę i wybrała numer Jula.

Odebrał już po pierwszym sygnale.

– Lena, kochanie, czekałem.

– Jul, kochany. – Sama była zaskoczona tym, jak się do niego zwróciła.

Usłyszała, jak on wypuszcza powietrze z płuc, jakby mu ulżyło.

– Myślałem, że już się nie odezwiesz. Wysłałem milion wiadomości, a ty do mnie żadnej.

– Poszłam pogadać ze współlokatorką, a potem wzięłam prysznic. Jul, jeśli kiedykolwiek przestanę chcieć z tobą rozmawiać, powiem to wprost. Nie umieraj za każdym razem, bo mnie to boli, że mi nie wierzysz, że nie ufasz, że nie widzisz.

– Lisiczko, a co powinienem widzieć?

– Jak reaguję na twój dotyk, jak umieram, kiedy mnie całujesz – powiedziała gardłowym głosem.

– Dręczysz mnie. Już zaczynałem myśleć, że to był sen, upalny zwid.

– Twój upalny zwid właśnie leży całkiem nago na łóżku i paruje.

– Zaraz będę wyć jak pies pozostawiony sam w domu. Spakuj kilka rzeczy, narzuć coś na siebie i przyjedź leżeć nago i parować u mnie. Albo nie, ja zaraz przyjadę po ciebie.

– Nie wygłupiaj się, jestem senna, nie miałbyś ze mnie takiego pożytku, jaki byś chciał mieć.

– Nic mi się nie wydaje, też jestem zmęczony, ale nie tak, żeby nie chcieć ciebie tutaj obok. Będę cię tulił, a ty będziesz sobie spała.

– To by było miłe, ale nie dzisiaj. Jutro o ósmej pobudka.

– Przyjadę rano. Nie mów nie, bo i tak będę czekał przed domem. Zabiorę cię na śniadanie, a potem pojedziemy na targi. Już załatwiłem sobie przepustkę i mogę parkować na stadionie. Nie będziesz mi się tłuc po mieście tramwajami.

– Dobrze, skoro nalegasz, ale nie skarż się potem, że biegałam od stoiska do stoiska i nie poświęciłam ci wystarczająco dużo uwagi. Nie chcę, żebyś miał poczucie straconego czasu, kiedy jesteś ze mną, tylko o to chodzi.

– Będę punkt dziewiąta.

– Będę gotowa.

– Lena?

– Tak?

– Nic już. Wystarczająco się dzisiaj ośmieszyłem.

– Jul? Kładę rękę na twoim sercu. Czujesz?

– Czuję. Kocham cię.

Zakończył połączenie. Nie zdążyła nic powiedzieć. Leżała w ciemności i myślała o tym, co usłyszała. Na pewno źle go zrozumiała. Pewnie miał co innego na myśli. A jeśli nie? Dziwnie ją kręciło w żołądku. Gdyby nie to, że czuła się lekko i dobrze po tym jedzeniu, pomyślałaby, że to wina kolacji. Ale zaczęło się przed chwilą, więc może to te osławione motyle w brzuchu?

Komórkę trzymała przy sobie. Wpatrywała się w ekran. Jul, powiedz to jeszcze raz – zaklinała. Ale potem przyszła inna myśl, że on czeka na jej odzew.

Wystukała: „Myślę, że ja też". Ale po chwili skasowała. To takie kiczowate. Poza tym wcale nie wiedziała, co czuje. Pożądanie tak, ale miłość? Jak się czuje, że to miłość?

Nim odpowiedziała sobie na to pytanie, usnęła.

JULIUSZ

1.

O dziwo, Helena gładko dała się załadować do samochodu i dowieźć na Żurawią. Lubił tę susharnię, często tam zaglądał. Na nieszczęście również z Jolą, o czym wcześniej nie pomyślał. Liczył na dyskrecję obsługi.

Ucieszył się, że Lena lubiła japońskie jedzenie, bo nie miał lepszej miejscówki na kolację w zacisznej sali.

Zatrzymał samochód, ale ona nawet się nie poruszyła. Wysiadł, Lena nadal siedziała w wozie. Aha, dama. Nawet mu się to podobało. Podszedł od strony pasażera, otworzył drzwi. Drgnęła, jakby ją obudził z drzemki.

– Przepraszam, zamyśliłam się, zmęczył mnie upał.

Podał jej rękę, pomógł wysiąść z samochodu. Wydawała się nieobecna, senna. Nie puścił jej dłoni, gdy ruszyła ku drzwiom. Zorientowała się, że Juliusz nadal ją trzyma, więc wdzięcznie jak baletnica wykonała coś w rodzaju piruetu i zatrzymała się zwrócona ku niemu. Miał ochotę chwycić ją i ucałować, ale zamiast tego chwycił jej plecak. Tego tylko brakowało, żeby zrobił z siebie żałosnego głupka, który ciągle się do niej klei.

Weszli. Machnął ręką znajomemu kelnerowi, a ten wskazał im stolik. Taki jak chciał, nieco na uboczu, za załomem ścianki działowej.

Nawet nie spojrzał na menu, znał je doskonale. Wiedział, że Lena jest głodna, on też nie chciał tracić czasu na dyskusje o daniach. Miał ciekawsze tematy.

Zaproponował, że zamówi za Helenę. Trochę zaskoczył ją tym, że zwrócił się do niej „kochanie". Sam siebie też. Skinęła głową, godziła się na wszystko. Przynajmniej w kwestii jedzenia. Faktycznie musiała być nieźle wygłodzona.

Spontanicznie ujął jej dłoń i ucałował wnętrze. Była miękka, ciepła i sucha, wręcz aksamitna. Miała długie palce, wypielęgnowane paznokcie, zauważył to już tamtego wieczoru w Cavie.

Położył sobie jej dłoń na policzku. Poczuł błogość.

Znowu opowiedział jej o tym, jak wypytywał o nią, że starał się ją znaleźć. Nie uwierzyła chyba. Próbował ją przekonać, że bardzo mu zależy.

– Nie chcę więcej cię szukać, obiecaj. Proszę. Podaj mi swoje namiary, spotkajmy się jutro, pojutrze, zawsze, a najlepiej w ogóle się nie rozstawajmy.

– Wiesz, że to niemożliwe. Przecież my się w ogóle nie znamy, dlaczego tak pędzisz? Daj nam czas.

Jak to jej nie znam? – pomyślał. Oczywiście rozum mówił mu, że to prawda, ale serce krzyczało, że doskonale ją zna: wie, w jakim rytmie bije jej serce, przecież czuł, jak wyrywa się z piersi, kiedy ją całował. Zna smak jej ust. Wie, jak wyglądają jej oczy, kiedy do niej mówi czule. Zna jej tajemne miejsce na plecach. Gorąco robiło mu się na myśl, ile jeszcze takich punktów odkryje.

Kelnerka przyniosła pierwsze danie. Kazał od razu donieść resztę, nie chciał, żeby się tu ciągle kręciła. Zamierzał uwodzić Lenę i nie potrzebował widowni. Najpierw musiał ją jednak nakarmić.

Lena uśmiechała się do niego szeroko. Chyba czuła się z nim dobrze. Tak, chciał, żeby była szczęśliwa. Dziwne, ostatnimi czasy w ogóle się nie przejmował tym, czy jego partnerki są szczęśliwe. Dbał o swoje potrzeby, jego partnerki o swoje, i każdy był zadowolony. Oczywiście starał się w łóżku, ale już nie poza nim.

Powiedziała, że nie umie jeść pałeczkami, i zabrała się do jedzenia kolejnego sashimi maki rękami. Patrzył urzeczony, jak je.

– A może serwetkę sobie włożysz za dekolt? Chciałbym to jeszcze raz zobaczyć.

– Nie mam dekoltu na tyle dużego, żeby to było znowu tak podniecające.

Zachwyciło go, że jest taka bezpośrednia. Wyobraził sobie, że leży pod nim i świntuszy na całego, że mówi mu, co ma jej zrobić i jak. Czuł rosnące podniecenie.

Nachyliła się nad talerzem i jednym ruchem, zaraz po namoczeniu w sosie, wsunęła sobie kawałek maki do ust.

– Mhmmmm, niebo w gębie. Już za to, że mnie tu zabrałeś, należy ci się rok z mojego życia – powiedziała z zamkniętymi oczami i lekko podniesioną głową. Wyglądała, jakby wystawiała twarz do słońca.

– Tylko rok? Ja chcę dziesięć.

– Nie proś, bo jeszcze będzie ci dane i pożałujesz.

– Lena, nigdy.

– Powtarzam, nie znasz mnie.

– Chcę.

– Czego chcesz?

– Poznać cię jak nikt inny, chcę, żebyś nie mogła beze mnie żyć, chcę się z tobą kochać, mieć cię pod sobą, chcę zobaczyć w twoich oczach…

– Nigdy nie otwieram oczu podczas seksu.

– Ze mną otworzysz. Nie idź dzisiaj do domu, zostań ze mną, proszę.

Zaskakiwał sam siebie. Wcale nie chciał tego wszystkiego powiedzieć, a już szczególnie tego, że chce ją mieć pod sobą. A jednak. Miał obawy, że się ośmiesza, ale ona wydawała się zadowolona, niespokojnie kręciła się na krześle. Myślał: „Lisiczko, czy już jesteś podniecona?”. On był gotowy, chciał zobaczyć w jej oczach taką samą gotowość.

– Lena, Lisico bezlitosna, pragnę cię jak żadnej kobiety dawno nie. Nie pożałujesz, nie dam ci zasnąć długo w noc.

Niewiele myśląc, wstał i przesiadł się na jej stronę. Przysunął się, objął ją w pasie. Zobaczył mały dołek przy styku obojczyka i szyi. Tak go to miejsce rozczuliło, że po prostu musiał ją tam ucałować. Przy okazji przytulił się do niej, poczuł jej zapach. Reakcja Leny bardzo go zaskoczyła. Obawiał się protestów, a poczuł, jak spazmatycznie się pręży, usłyszał westchnienie. Była podniecona, co go też doprowadzało do szaleństwa. Czuł, wiedział, że dziewczyna nie chce, żeby przestał.

Zaproponował, żeby wzięli zamówione dania na wynos i pojechali do niego zjeść, a potem się kochać. Marzył o tym, że Lisica obejmuje go za szyję, a on podnosi ją do góry, sadza na stole i wchodzi w nią gwałtownie.

Prosiła, żeby jej nie dręczył swoimi prośbami, mówiła, że nie może, ale on czuł pod palcami całkiem co innego. Pocałował ją. Zatracała się w nim. Miał pewność, że był jej powietrzem. Chciał być jej niezbędny do życia. Przerwał, musiał na nią spojrzeć.

Ale ona natychmiast poderwała się z krzesła i odeszła.

Wstał, żeby sprawdzić, dokąd umknęła, ale uspokoił się, że poszła do toalety. Przesiadł się na swoje miejsce. Lisico, rudzielcu ognisty, mam nadzieję, że cię nie spłoszyłem – myślał, pojadając imbir.

Nagle ujrzał ją nad sobą. Odsunął się odruchowo, chciał wstać, ale nie zdążył, bo tym razem ona przejęła inicjatywę i usiadła mu bokiem na kolanach.

Ujęła jego twarz w swoje ręce i go pocałowała. Zaskoczyła go, zrazu nie zareagował, jak należy. Po chwili zorientował się, że to naprawdę pocałunek, więc rozchylił wargi i zassał jej język. Poczuł tak wielką falę podniecenia, że o mało nie doznał wytrysku jak małolat. A wszystko przez to, że siedziała tym krągłym tyłeczkiem wprost na jego wzwiedzionym członku i na dodatek kręciła się nieznacznie. To było nie do zniesienia, ale wiedział, co zrobić, żeby przerwać tę nierówną grę. Lisica myślała, że go przechytrzyła, że przejęła inicjatywę, ale on nie powiedział jeszcze ostatniego słowa. Nie przestając jej całować, objął ją w pasie i wyszukał na jej plecach to miejsce, które było tak wrażliwe. Przejechał ręką wzdłuż kręgosłupa na wysokości talii. Nie spodziewał się aż takiej reakcji. Przerwała i spazmatycznie zasysając powietrze, odchyliła się do tyłu. Przed jego oczami wyrosły dwie całkiem duże, ale zgrabne półkule piersi. Chwycił jedną z nich i nacisnął na sutek. Helena jęknęła przeciągle, odrzuciła rude włosy do tyłu, nabijając się na jego twardego członka. Całe powietrze, jakie miał w płucach, uszło na zewnątrz. Już miał eksplodować, kiedy ona nagle wstała. Przeszła na swoją stronę i usiadła.

Cała płonęła. Miał wrażenie, że ma do czynienia z jakąś boginią ognia. Była wręcz nierealna. Schował twarz w dłoniach. Siedział chwilę bez ruchu, próbował się uspokoić.

– Lena, na litość boską, co to było? Jeszcze kilka sekund i doznałbym spełnienia.

– Zemsta za to, co zrobiłeś wcześniej.

Przekomarzali się przez chwilę, aż nagle Lena oświadczyła, że zaraz po kolacji musi wracać do domu. Wczoraj przeprowadziła się do Warszawy, mieszka z dwiema dziewczynami i nic im nie powiedziała, że wróci późno. Obawiała się niezręcznej sytuacji. Jego myśli galopowały. Skoro ma współlokatorki, to jego wyobrażenia o upojnych nocach u niej w domu legły w gruzach. Oczywiście chciałby ją mieć u siebie, ale z doświadczenia wiedział, że kobiety wolą być u siebie, chcą się czuć paniami swojego losu, a nie gośćmi w czyjejś przestrzeni.

Rzucił, by wprowadziła się do niego. Helena odpowiedziała jakąś bzdurą o składaniu takich propozycji obcym kobietom. Jakim obcym? Nie umiał już wyobrazić sobie życia bez niej. Ona mu wypełniała całe pole widzenia, nie chciał tego tracić, nie chciał znowu czuć pustki.

Rozpaczliwie zaproponował, że wynajmie jej mieszkanie. Jakby podciął ją batem. Wycedziła, że nie będzie niczyją utrzymanką. Ależ się wygłupił. Teraz Helena pomyśli, że on chce ją kupić, że traktuje ją przedmiotowo. A to przecież nieprawda.

Lena szybko ochłonęła:

– Wiem, wiem, ale dobrze to sobie jasno powiedzieć. Jedzmy, cieszmy się tą chwilą. Przecież to nasz pierwszy wieczór. Jeśli tylko zechcemy, jeszcze wiele przed nami.

O, wszechświecie, za co mnie tak nagradzasz? Jaka ona jest piękna – myślał Jul. Oczy Leny nagle zrobiły się jaskrawozielone. Nałożyła sobie za dużo wasabi, co wywołało falę łez, a te wzmocniły kolor tęczówek. Na tle rudych włosów i piegów wyglądało to zjawiskowo.

Przestał jeść, patrzył jak urzeczony w jej oczy.

Miał nadzieję, że trochę sosu skapnie dziewczynie na bluzkę i będzie ją trzeba czyścić. Najlepiej, gdyby trzeba było zdjąć. To już jest nie do zniesienia.

Kiedy skończyli, zapłacił i poszli do samochodu. Wieczór nieuchronnie się już kończył. Juliusz nie mógł się z tym pogodzić. Objął ją w pasie, a kiedy dotarli na parking, Helena odwróciła się do niego i ucałowała go czule i krótko. Za krótko.

– Dziękuję, to był piękny wieczór.

– Lisico, to ja jestem twoim dłużnikiem. Nawet nie wiesz...

– Nie licytujmy się. Zawieź mnie do domu, proszę.

Zanim ruszył, wziął od niej numer telefonu. Był mile zaskoczony, że zna go na pamięć. Rzadko kto umiał podać swój numer od razu z głowy, większość zawsze szukała go u siebie w komórkach, tłumacząc, że przecież do siebie nie dzwonią, to i nie pamiętają. Głupie gadanie, do siebie nie dzwonią, ale innym dyktują przecież, i to często.

Od razu zadzwonił do Leny, komórka odezwała się w jej plecaku.

Zapewnił ją, że ten numer jest dla niej zawsze czynny. Prosił, żeby nie wahała się dzwonić. Miał nadzieję, że Lena będzie czuła potrzebę kontaktu, nie zniósłby jej milczenia albo, co gorsza, tego, że nie odbiera od niego telefonów.

Zaproponował spotkanie, ale wykręciła się brakiem czasu i obowiązkami na targach.

Akurat. Coś musiało pójść nie tak, nie pasował jej. Pocałowała go, może nawet ją i kręcił, ale widocznie nie było to wszystko wystarczająco emocjonujące. Pewnie Lena chce sobie dać spokój. A ten numer dała mu, ot tak, na odczepnego.

Miotał się wewnętrznie jak gówniarz. Co takiego ona miała w sobie, że mu tak zależy? Wcale nie szukał miłości, tych wszystkich zawirowań, komplikacji, jakie ze sobą niesie, zanim jako tako się umości między dwojgiem ludzi. A tu masz ci los, chyba się zadurzył.

Podjechali na Miłą. Swoją drogą, jakie to urocze, że Helena Miła mieszka teraz na Miłej. Znał tamte okolice, mieszkała tam kiedyś jego siostra. Spytał Lenę o numer mieszkania, sama wcześniej wskazała mu klatkę. Podała bez wahania, ale jednocześnie podkreśliła, że nie może jej nachodzić bez uprzedzenia z powodu dwóch współlokatorek, w tym jednej lekko upośledzonej. Mało prawdopodobne. Dziwny sposób, żeby się go pozbyć.

Rozpaczliwie zapytał, czy z nim zrywa, czy uznała, że jest dla niej za stary. Zaprzeczyła, rzuciła coś o rozkapryszonym nastolatku, tęsknocie i pracy przez cały weekend.

Pochyliła się ku niemu, pocałowali się, ale on miał już w tyle głowy tylko jedno – że ona go zostawia, że to już ostatnie spotkanie, jutro się czymś wykręci i to będzie koniec.

– Jul, co jest? Muchy w nosie?

– Pragnę cię, Lenuś, idź już. Boli.

Co jej miał powiedzieć? Że przejrzał jej grę? Że się od niej uzależnił w ciągu jednego wieczoru? Sam wiedział, że to żałosne.

Nie wiedział, jak dojechał do domu.

Ledwo wszedł, natychmiast wyciągnął komórkę. Nie mógł się powstrzymać, nie umiał sobie wytłumaczyć, że to śmieszne, że powinien zachować dystans. Wystukał wiadomość: „Nadal rozpalony, myślę o Tobie". Nie zastanawiał się, nacisnął „wyślij" i czekał.

Jedna minuta, dwie, wieczność.

Wysłał kolejną: „Zemścij się jeszcze raz, i to szybko”, ale pomyślał, że to głupio zabrzmiało, więc wystukał: „Albo ja się zemszczę, za ten wieczór samotny, za ten niepokój w środku”, i jeszcze: „Będę się mścił godzinami, tylko daj mi szansę”. Poszedł do kuchni, napił się zimnej wody, potem uznał, że może powinien ją sobie wylać na łeb, i tak zrobił. Nic nie pomogło. Chwycił aparat i napisał: „Moja Miła. Moja. Moja?”, za wcześnie wysłał, zrobił się strasznie niecierpliwy, więc dopisał jeszcze: „Pragnę. Zabrałaś mi powietrze, zabrałaś wodę”. Zorientował się, że ona nie chce go już w ten weekend widzieć, więc poczuł, że musi zaprotestować: „Nie wytrzymam do poniedziałku”.

Czekał, patrzył w ekran komórki. Wstał, wyszedł na balkon, gdyby palił, a rzucił naście lat temu, teraz by zapalił. Chciało mu się wyć, ale patrzył też na siebie z boku i myślał, że jest żałosnym chujkiem, że się tak płaszczy. Dziewczę sobie z niego zadrwiło, trochę się pokręciła na jego członasie, a on teraz sobie wyobraża nie wiadomo co, stary głupek.

Nawrzucał sobie porządnie. Czuł się spokojniejszy, wreszcie poszedł po rozum do głowy. Wszedł do pokoju, zobaczył mrugającą lampkę na komórce. Jest wiadomość! Niestety, tylko jakiś spam.

„Gdzie jesteś, Miła moja?” – nie umiał się powstrzymać.

Powoli wszystko, co się wydarzyło tego wieczoru, zaczynało się stawać sennym zwidem.

„Boję się, że zniknęłaś na zawsze” – wystukał, obiecując sobie, że to już na pewno ostatni raz. Nigdy więcej.

„Całkiem postradałem zmysły" – nie tylko tak pomyślał, ale i tak napisał. Wysłał. Rzucił komórkę na stół w jadalnym i wyszedł do sypialni.

To już koniec. Miał pewność, że ona już nigdy się do niego nie odezwie. Poczuł tak wielką pustkę, że nie miał pojęcia, jak sobie z tym poradzić.

Wrócił do jadalni, wziął aparat i postanowił wysłać ostatniego, najostatniejszego SMS-a, pożegnalnego. Telefon zadzwonił mu w rękach, prawie go upuścił. Na wyświetlaczu widniało: „Moja Miła".

Odebrał już po pierwszym dzwonku.

– Lena, kochanie, czekałem.

– Jul, kochany.

Boże, dziękuję, dziękuję, powiedziała „kochany"! Co za ulga.

– Myślałem, że już się nie odezwiesz. Wysłałem milion wiadomości, a ty do mnie żadnej.

– Poszłam pogadać ze współlokatorką, a potem wzięłam prysznic. Jul, jeśli kiedykolwiek przestanę chcieć z tobą rozmawiać, powiem to wprost. Nie umieraj za każdym razem, bo mnie to boli, że mi nie wierzysz, że nie ufasz, nie widzisz.

– Lisiczko, a co powinienem widzieć?

– Jak reaguję na twój dotyk, jak umieram, kiedy mnie całujesz – powiedziała gardłowym głosem.

– Dręczysz mnie. Już zaczynałem myśleć, że to był sen, upalny zwid.

– Twój upalny zwid właśnie leży całkiem nago na łóżku i paruje.

Podcięło mu nogi. Słyszał, jak się przeciąga. Przynajmniej tak mu się wydawało.

– Zaraz będę wyć jak pies pozostawiony sam w domu. Spakuj kilka rzeczy, narzuć coś na siebie i przyjedź leżeć nago i parować u mnie. Albo nie, ja zaraz przyjadę po ciebie.

– Nie wygłupiaj się, jestem senna, nie miałbyś ze mnie takiego pożytku, jak ci się wydaje.

– Nic mi się nie wydaje, też jestem zmęczony, ale nie tak, żeby nie chcieć ciebie tutaj obok, będę cię tulił, a ty będziesz sobie spała.

Właśnie to miał na myśli. To już nawet nie o seks chodziło, chciał ją mieć przy sobie, kołysać, aż uśnie, stać na straży jej snów.

– To byłoby miłe, ale nie dzisiaj. Jutro o ósmej pobudka.

Ponownie zaproponował, żeby się jednak jutro spotkali. Odmówiła, tłumacząc się obowiązkami na targach. Zapewnił ją, że nie da się tak łatwo zbyć, przyjedzie rano, zabierze na śniadanie, a potem zawiezie na targi i będzie jej towarzyszył. Musiał jeszcze znaleźć sposób na zdobycie przepustki na parking w podziemiach stadionu. Niby mogą ją wykupić tylko wystawcy, ale przecież w tym kraju wszystko da się załatwić. Zadzwoni do znajomej, której pomagał rano. Jego Lena musi tam jutro jechać jak królowa, na parking w podziemiach, windą na piętro. Chce ją rozpieszczać.

– Dobrze, skoro nalegasz, ale nie skarż się potem, że biegałam od stoiska do stoiska i nie poświęciłam ci wystarczająco dużo uwagi. Nie chcę, żebyś miał poczucie straconego czasu, kiedy jesteś ze mną.

– Będę punkt dziewiąta.

Już miał zakończyć rozmowę, ale Lena powiedziała coś o swojej ręce na jego sercu. Naprawdę poczuł ciepło jej dłoni, tej, którą niedawno trzymał przy swoim policzku. Wzruszył się i wyznał jej miłość. Tak go to zaskoczyło, że przerwał połączenie.

Przestraszył się swoich słów. Co powinien teraz zrobić? Oddzwonić? Wysłać SMS-a? Niech ona coś napisze, niech powie, że też.

Chciał tego, ale wiedział, że to dla niej za szybko. Obiecywał, że wszystko będzie się dziać w takim tempie, jakie ona narzuci, a teraz co wyprawiał? I gdzie się podział jego rozsądek? Jakie „kocham"? Przecież ledwo ją zna.

Położył się tak, jak stał, w ubraniu, nieumyty. Miał wrażenie, że jej zapach został mu na koszuli, na skórze. Zaczął wąchać ręce. Bzdura, nie może jej czuć. A jednak miał wrażenie, że unoszą się wokół niego perfumy Leny, że ona z nim jest. Przymknął oczy i położył rękę na sercu, tak jakby kładł ją na jej dłoni.

Stary, głupi i zakochany. Okropne połączenie.

ROZDZIAŁ V
24 MAJA 2014, SOBOTA

JULIUSZ

1.

Obudził się i natychmiast wpadł w panikę. Nie nastawił budzika, na pewno zaspał. Jeśli się spóźnił, to przepadło, ona mu tego nie zapomni. Zerwał się na równe nogi, potykając się, pobiegł do łazienki, zaraz zawrócił, żeby sprawdzić, która jest godzina. Po siódmej, ale ma szczęście. Spokojnie, niech pomyśli, co to on miał…

Musi się ogarnąć i zajechać jeszcze po kawę dla Lenki, umyślił sobie, że ją tak powita pod blokiem. Tylko, cholera, gdzie to śniadanie? O jedenastej muszą być już na stadionie.

O kurczę, przepustka!

Spokojnie, gdzie telefon? Serce mu zabiło, może Lena coś napisała? Nie, nic od niej, ale za to jest wiadomość od koleżanki. Przy wjeździe Jul ma zadzwonić pod podany numer i zejdzie do niego jej znajomy z przepustką. Chociaż to załatwione. Teraz myśl, chłopie, gdzie to śniadanie.

Wszedł pod prysznic, najpierw ciepły, potem zimny. To go skutecznie obudziło. Myślał o wczorajszym wieczorze. Wszystko, co mówił, jak się zachowywał, wydawało mu się nierealne. Doprawdy, nie do wiary, co mu się stało? Dzisiaj czuł, że odzyskuje rozum i jaką taką kontrolę nad emocjami.

Zaparzył sobie kawę. Dla Leny też może wziąć z domu, ma mały termos. Do tego zabrałby porcelanową filiżankę, napiłaby się jak królowa.

Jasne. W samochodzie od razu by się oblała i byłoby po niespodziance. Wściekłaby się, że musi wracać i się przebierać. Widać, jak odzyskał rozum. Weź się, chłopie, w garść – upomniał siebie. Całkiem zrezygnował z tego pomysłu.

Pijąc kawę, czytał, co też wczoraj wypisywał w SMS-ach. Najpierw się zawstydził, ale zaraz potem pomyślał, że nie ma czego, przecież żadna kobieta nie powinna mieć mężczyźnie za złe, że oszalał na jej punkcie.

A oszalał? Nie da się ukryć. Nawet jeśli myślał, że odzyskał równowagę, to jednak niezupełnie. Czuł niepokój, jaka będzie Lena, kiedy się za godzinę zobaczą. Co przyniósł jej ranek? Może opamiętanie? Może wyjdzie tylko po to, żeby spędzić z nim dzień i mu pokazać, że nie ma czego u niej szukać? A może spojrzy na niego chłodnym okiem i uzna, że jest za stary, że to nie ta liga? Tyle niepewności, tyle znaków zapytania. Jak ona to robiła, że okazywała mu swoje zainteresowanie, a jednocześnie pozostawiała go w stanie niepokoju o następny dzień?

Wymyślił. Zabierze ją na śniadanie do InterContinentalu na Emilii Plater. Pomyślał, że fajnie byłoby kiedyś wynająć tam apartament z łóżkiem wielkości lotniska, na którym będą się z Leną kochać, a potem jeść owoce i oglądać stare amerykańskie filmy w kablówce. Albo pójdą popływać w tym basenie na czterdziestym piątym piętrze z widokiem na Pałac Kultury. Albo jeszcze lepiej – siądą sobie w jacuzzi przy oszklonej ścianie z widokiem na Warszawę i Pałac. Siedzieliby tam spełnieni, on masowałby jej kark, a ona mruczałaby rozkosznie. Rozmarzył się. Podobał mu się ten plan, leżał w jego zasięgu; czuł potrzebę, by jej zaimponować, by ją dopieścić. Zadowolenie swojej kobiety jest tak samo atawistyczne jak polowanie; jeśli nie będzie się czuła doceniona, zauważona, pójdzie do innego samca. Poza tym o wartości mężczyzny świadczy jego kobieta – jeśli jest zadowolona, z gładkim, pozbawionym trosk czołem, to znaczy, że on się sprawdził.

Wyszukał numer do hotelu i spytał, czy mogą tam zjeść posiłek za niecałą godzinę. Uśmiechnął się do swojego odbicia w lustrze, kiedy recepcjonistka potwierdziła, że śniadania podają do jedenastej. Stówa od osoby, drogo, ale ona była warta każdych pieniędzy, nie zamierzał na niej oszczędzać. Zarezerwował stolik na dziewiątą trzydzieści. Wszystko ustalone, teraz tylko musi dojechać na czas po Helenę.

Pod blok zajechał za kwadrans dziewiąta. Wyłączył silnik, zostawiając radio. Po kilku minutach z głośników popłynęło *Umówiłem się z nią na dziewiątą…* – jak znalazł na tę okazję. Juliusza to bardzo rozbawiło, ostatecznie się rozluźnił. Uspokój się, staruszku, będzie dobrze – przemawiał do siebie w duchu.

Wreszcie ją zobaczył. I oniemiał. Szła ku niemu ubrana w kremową sukienkę na ramiączkach, stanik sukienki był usztywniony, a spod niego wystawała czarna koronka biustonosza. Reszta spływała swobodnie, kończyła się zaraz przed kolanem. Do tego sandały na wysokich obcasach. I oczywiście imponująco rude włosy i piegi, których kolor potęgowało słońce. Kiedy podszedł do Heleny, zalała go najpierw fala czułości, a potem pożądania – to tyle w kwestii kontroli emocji.

Zarzuciła mu ręce na szyję, przytuliła policzek do jego policzka. Pachniała zachwycająco: miała świeżo umyte włosy i ciało nawilżone balsamem, którego zapach mieszał się z zapachem perfum. Czuł je całą noc, przez sen też. Ciekawe, czego używa?

– Zarezerwowałem dla nas stolik w hotelu InterContinental, zjemy tam śniadanie, a potem pojedziemy na stadion. Wszystko zorganizowane. Pani pozwoli, że zaproszę do samochodu.

Ukłonił się dwornie, a ona dygnęła i wzięła go pod ramię.

– Jul, czy to nie przesada? Może jakieś małe, mniej zobowiązujące miejsce albo poczekasz, aż ja zrobię kanapki, i zjemy sobie gdzieś na ławce w parku?

Tak zarządziłby Zbyszek albo któryś z naszych znajomych – pomyślała.

– Lenka, no coś ty, jesteś warta wszystkich InterContinentali świata.

O tej porze w sobotę nie było jeszcze wielkiego ruchu, w mig dojechali do hotelu. Weszli objęci. Wszystkie te poranne przemyślenia Juliusza, jego postanowienia, że nabierze dystansu, nie będzie taki przylepny, wzięły w łeb.

„Co ja sobie myślałem? Że wyrzucę ją z głowy?”.

Portier wskazał im windę na prawo od wejścia i poinstruował, że śniadania podawane są na pierwszym piętrze. Ściany windy były przezroczyste, ani pocałować, ani czule objąć, poza tym droga do nieba zbyt krótka, by skorzystać z okazji.

Kelner wskazał stolik, ale Juliuszowi się nie spodobał – za blisko kuchni, a on chciał spokojnie porozmawiać. Kelner zaproponował więc inny, tym razem przy oknie, na lewo od wejścia, w miłym zakątku, idealnie usytuowany. Podano dzbanki z kawą i herbatą. Juliusz skonstatował, że oboje z Heleną ubrani są w jasne rzeczy, tyle że on jest lniany, a ona raczej jedwabna. Wyglądali niemal jak z Czechowa. Brakowało mu tylko białego kapelusza do kompletu. Bardzo go to rozbawiło, co nie uszło jej uwagi.

– Czyżbym miała jakąś plamę na czole, że się tak szczerzysz do siebie?

– Lenuś, doskonale wiesz, że jesteś idealnie umalowana. A poza tym ja się nie szczerzę, tylko uśmiecham.

– Dobrze, już dobrze, tylko się droczę. Nadal jesteś zdecydowany chodzić ze mną po stadionie czy tylko mnie wyrzucisz z samochodu i wrócisz po mnie przed zamknięciem?

– Tak, wyrzucę cię w biegu, wypadniesz rzutem komandoskim na bark i po kilkukrotnym przeturlaniu się po trawie staniesz na swoje piękne nogi obute w wysokie obcasy. Lenka, przecież ja cię będę musiał po dwóch godzinach nosić na rękach. Jak sobie wyobrażasz cały dzień w tych butach?

– Nie doceniłeś mnie, mój drogi. W torbie mam jeszcze baleriny i nie zawaham się ich użyć. Chciałam zrobić na tobie wrażenie, skoro już mnie zaprosiłeś na śniadanie, należy ci się.

– Kochanie, wrażeń od wczoraj, a i jeszcze wcześniej, mam aż nadto. A co to są baleriny?

– Płaskie, miękkie buty. Będę pewnie stała na własnych nogach, nie martw się. Nawet będę samodzielnie chodzić. Nie przemęczysz się, ale możesz wynudzić, i to mnie martwi.

– Mam listę książek długą jak rolka papieru toaletowego. Nie martw się, będę robił zakupy.

– O, to ja ci dam swoją wraz z portfelem, może i dla mnie coś kupisz?

– Dawaj.

– Żartowałam.

– Ale ja na poważnie, kupię, o co poprosisz.

– Jul, żartowałam.

– Ale ja nie.

– Jak ci minęła noc? – Lena zmieniła temat.

– Zaskoczę cię, myślałem, że obraz twój nie da mi zasnąć, a stało się inaczej. Odjechałem nie wiem kiedy. Śniłaś mi się za to.

– Ja też usnęłam.

– Powiedz, że ci się śniłem. Proszę.

– Nic mi się nie śniło. Ale zaraz po obudzeniu ucieszyłam się, że czeka mnie spotkanie z tobą.

– Widzisz, a nie chciałaś.

– Nie chciałam, żebyś mnie znielubił.

– To niemożliwe, przecież wiesz.

– Wszystko jest możliwe. Poganiasz w tym upale po stadionie i pod wieczór nie będzie czego zbierać po naszym wielkim uczuciu.

– Aha, czyli to próba ogniowa? I jak, zdałem?

– To się jeszcze zobaczy, panie ciekawski. Zamawiamy – odparła i zwróciła się do czekającego nieopodal kelnera.

W końcu sali znajdował się szwedzki stół z zestawem śniadaniowym, ale można też było zamówić jajecznicę lub omlety. Imponujący wybór.

Gdy tylko złożyli zamówienie, Jul podjął:

– Jaki plan na dziś? Masz zamiar być na targach do końca? Gdzie chcesz zjeść kolację? Dziś sobota, lepiej zarezerwuję stolik, żebyśmy nie wylądowali w jakiejś naleśnikarni.

– Lubię naleśniki, nie jestem zbyt skomplikowana. Nie musisz otaczać mnie luksusem non stop.

– Ale chcę.

– Jul, nie czuj się w obowiązku zabierać mnie na kolację codziennie. Mogę zjeść w domu, założę się, że jesteś zajęty i wieczorem będziesz zmęczony, i chętnie się ode mnie uwolnisz.

– Lenka, czyś ty się czegoś upaliła? Albo próbujesz mnie zniechęcić, bo przeszła ci zabawa w dziewczynę Jula, i kombinujesz. Najchętniej zabrałbym cię po pracy do siebie. Moglibyśmy coś upichcić, pijąc dobre wino albo co tam wolisz, a potem…

– I tu ci przerwę, bo znowu odwalimy taki cyrk jak wczoraj, a przypominam, że akurat ten stolik jest na widoku.

– Oj, dziewczyno, nie prowokuj.

– Juliuszu drogi, a co byś mi ugotował? Teoretycznie, bo nie wybieram się do ciebie dzisiaj.

– Dlaczego nie?

– Myślę, że trochę się zagalopowaliśmy. Przeskakujemy przez płot, zamiast spokojnie dojść do bramy, przekroczyć ją niespiesznie, przekonać się, czy nam obojgu to pasuje, nie narażać się na śmieszność. I od razu uprzedzę twoje pytanie, z tą śmiesznością mam siebie na myśli. Mężczyzna, jak to mężczyzna, będzie chciał zdobywać, ale ja dałam się ponieść jak jakaś wyposzczona więźniarka po odsiedzeniu długiego wyroku za napad z bronią w ręku. Nie podobam się sobie taka.

– Ale ja cię taką kocham, właśnie taką nieokiełznaną, nieobliczalną, nieprzewidywalną.

– Tylko że ja taka nie jestem. Przynajmniej nigdy nie byłam.

– A może zmiana miejsca wydobyła z ciebie prawdziwą naturę? Lenka, proszę, nie myśl o sobie, że jesteś lekkomyślna czy, co gorsza, zbyt łatwa do zdobycia. Nic z tych rzeczy. Patrz, jak się muszę starać, żebyś na mnie przychylnie spojrzała. To ja wyglądam na więźnia na głodzie.

– Ale czerwienię się na samą myśl o tym, co myśmy wczoraj wyprawiali. Nie potrafię o tym spokojnie myśleć, wstydzę się.

– Lisiczko, to było wspaniałe doświadczenie, lepsze niż cały seks świata, chociaż nawet nie doszło do spełnienia.

Sięgnął przez stół po jej dłoń i tak jak poprzedniego dnia pocałował jej wnętrze, przytulił do policzka. Nie przypominał sobie, żeby kiedykolwiek robił tak z inną kobietą, a przecież miał ich wiele. Ten gest był zarezerwowany tylko dla Heleny.

2.

Bez przeszkód zaparkowali samochód w podziemiach stadionu. Kiedy wyszli z auta, Lena zmieniła buty na płaskie. Spojrzała na Jula przepraszająco, ale niepotrzebnie, w balerinach wyglądała jak dziewczynka, co go bardzo rozczuliło. Były równie eleganckie, ale miały w sobie coś z tych czeskich, wsuwanych tenisówek, które swego czasu dumnie nosiły jego szkolne koleżanki. Poza tym od razu zrobiła się niższa, co z kolei kojarzyło mu się z utratą wyniosłości i większą przystępnością. Podszedł do Heleny, objął rękami twarz i delikatnie pocałował w usta. A potem jakby zmienił zdanie, pocałował jeszcze raz, już odważniej wsunął swój język na zwiady. Cudownie się temu poddała, aż mu dech zaparło.

– Całowanie ciebie to jak leżenie w trawie, w pełnym słońcu, po długiej zimie – rzekł, kiedy się od siebie odsunęli.

– Pan poeta?

– Przy pani wiersze same się piszą. – Nie mógł opanować uśmiechu na widok jej maślanych oczu. Uwielbiał patrzeć, jak reaguje na to, co robił. Nadal działał na kobiety, co niezmiernie poprawiło mu humor.

Sięgnął po torbę Leny, ujął jej dłoń i poprowadził do windy.

Na piętrze zaczął się młyn. Myślał, że już w piątek stadion wypełniały tłumy, ale zmienił zdanie. Wszędzie kłębili się ludzie, stali w kolejkach po autografy, robili zakupy, przemieszczali się od stoiska do stoiska z planami targów w rękach. Spojrzał na Lenę i pomyślał o całym dniu w tym upale i ścisku. Żal mu się jej zrobiło, ale ona wydawała się być zachwycona tym wszystkim.

– Jul, chcesz iść ze mną do Szczygła, bo on tam po prawej podpisuje, czy od razu lecisz kupować?

– Podejdę z tobą, muszę przemyśleć plan dnia. Jeszcze nie uzgodniliśmy, co robimy wieczorem. Poczekam z tobą, dopiero potem może na chwilę cię zostawię.

Ustawili się w bardzo długiej kolejce, Lena przepakowała rzeczy w torebce, wyjęła aparat, który zawiesiła na ramieniu, do tego reporterski notes i ołówek.

– Zabiorę ten tobół, będzie ci tylko przeszkadzał – zaproponował.

Kiedy odebrał od niej torebkę, po raz milionowy zdziwił się, ile kobiety potrafią zapakować w te swoje atrybuty kobiecości i jaki ciężar noszą.

– Chciałaś to dźwigać cały dzień?

– Uhmm. – Tyle tylko mogła powiedzieć z ołówkiem w zębach i notesem pod brodą.

Lena sprawnie ustawiała aparat, pstrykała próbne zdjęcia, niezadowolona znowu kręciła obiektywem, coś zmieniała w menu. Patrzył na nią z przyjemnością, wszystko robiła z pasją, nic byle jak, na odwal się, że jakoś to będzie.

– Daj mi ten ołówek i notes, zwariowana kobieto.

– Yyyym. – Pokręciła przecząco głową.

Po chwili zwinnie schowała notes pod pachę, ołówek wsadziła za dekolt i zadowolona z siebie spojrzała na Jula.

– Jestem gotowa do boju.

– No to powiedz mi wreszcie, dokąd chcesz pójść po targach – spytał, wpatrując się w ten ołówek zatknięty między jej piersiami. Zwariować można – pomyślał.

– Nie wiem, zdaję się na ciebie. Wszystko mi jedno, byle nie kuchnia tajska ani indyjska. Cokolwiek wymyślisz, będę zadowolona. Z naleśnikarni też.

– Poważnie? Nie masz żadnych innych wymagań?

– Mam. Namierz tu porządną kawę, bo ta wczorajsza to był koszmar baristy.

– Załatwione, będzie kawa jak marzenie. Na którą?

– Jul, co ty znowu kombinujesz?

– Nic, pytam, o której umawiamy się na kawę.

– Poczekaj, niech sprawdzę program. O czternastej powinnam mieć okienko między spotkaniami, czyli jakoś wtedy.

– Ile masz wody?

– Dwie butelki. Wystarczy, a jeśli nie, to sobie kupię. Nie musisz mnie niańczyć.

– Muszę. Zaraz dokupię pięć butelek i zostawię na stoisku Wydawnictwa Ekonomicznego. Mam tam znajomą. Pytaj o Ewelinę albo po prostu powiedz, że Juliusz zostawił wodę dla ciebie. Czekaj, czy ty w ogóle pamiętasz, jak ja się nazywam?

– Niewiadomski.

– Przecież przedstawiłem ci się tylko raz w Cavie, zapamiętałaś!

– Nie, wynajęłam wczoraj detektywa i on zdobył twoje nazwisko. Jak widzisz, spodziewałam się, że zapytasz.

Julowi ulżyło. Gdyby ich znajomość była dla niej nieważna, nie zaprzątałaby sobie głowy zapamiętywaniem nazwiska.

– W razie potrzeby dzwoń. Co jakiś czas cię odszukam i sprawdzę, czy mnie nie potrzebujesz.

– Od wpół do piątej jestem na spotkaniu z Markiem Dannerem, będę miała wyłączoną komórkę. A może wybierzesz się ze mną? Napisał o masakrze w Salwadorze, prowadzi Remigiusz Grzela.

– A wiesz, że chętnie. Ale i tak wcześniej do ciebie dołączę, przecież jestem tu, żeby ci pomóc, a nie porzucać na pastwę losu. No to gdzie twoja lista książek?

– Żartowałam.

– Ale ja nie.

Podszedł do niej i pocałował. Tym razem w czoło. Był od niej dużo wyższy, co zauważył dopiero wtedy, kiedy pozbyła się obcasów.

3.

Obkupił się w książki. Zaniósł je do samochodu i wyjechał do miasta po kawę; ta stadionowa faktycznie nie budziła zaufania. Kupił dwa wielkie kubki. Nie miał pojęcia, czy Lena słodzi, czy lubi dodatki, jakieś syropy, czy ma być mocna, czy nie, latte, a może po prostu z dodatkiem mleka. Czarna? Jakże wiele musiał jeszcze się o niej nauczyć. Emocje, emocje. Nie odbierała telefonu, więc zamówił cappuccino, chyba najbezpieczniejsze. Wziął cukier w saszetkach, po namyśle dołożył też słodzik; poprosił o syrop w małym kubeczku. Zapakowali mu to wszystko w torbę, inaczej by się nie zabrał.

Tak obładowany wjechał na piętro stadionu, postawił wszystko na pustym stoliku przy wejściu na targi i po raz kolejny sięgnął po telefon. Szybko pojął, że w tym rozgardiaszu nie da się usłyszeć dzwonka aparatu. Tym razem jednak się udało.

– Czekałam na ciebie. Właśnie usiadłam i miałam dzwonić.

– Gdzie jesteś?

– Na trybunach. Wejdź tu między stoiskami i na pewno mnie zobaczysz. Jestem mniej więcej w połowie, gdyby założyć, że pójdziesz w prawo.

– Ale jeśli w połowie, to nieważne, czy pójdę w lewo, czy prawo – stwierdził chyba tylko z przekory. Dotarło do niego, że już się stęsknił, i z niecierpliwością wyglądał momentu, kiedy będzie z Leną.

Niedobrze, chłopie.

– A może szybciej będzie, jak przejdziesz przez murawę? Wszędzie takie tłumy. Poza tym…

– Helena? Co się dzieje?

– Nic, chciałam powiedzieć, że poza tym nie mogę się ciebie doczekać.

– Chyba obiecanej kawy.

– Nie. Ciebie.

Nie trzeba mu było dwa razy powtarzać. Rwał do niej przez tę murawę tak, że cudem nie rozdeptywał ludzi i leżaków. Rozejrzał się nerwowo, nie mógł jej namierzyć. Dlaczego ona tak do niego? Czy coś się stało?

Zauważył wreszcie kremowo-rudą plamę na tle kolorowego tłumu. Siedziała z wyciągniętymi przed siebie nogami, podparta na rękach, wystawiała twarz do słońca – bez sensu, bo dach był zaciągnięty i wprawdzie niby było „plażowo", ale słońca nie było tu za grosz. Jedynie światło. I duchota. Chociaż tutaj akurat lżejsza.

Jaka Lena jest piękna – pomyślał po raz nie wiadomo który. Podszedł do niej cicho i zaraz tego pożałował. Po co tak się skrada? Jak ją teraz wyrwać z tego stanu, żeby się nie wystraszyła? Szkoda, że nie narobił hałasu już podczas wspinania się po schodach.

– Wiem, że tam stoisz i się na mnie gapisz – powiedziała Helena, uśmiechając się szeroko.

Zmarszczyła nos, otworzyła lekko oczy, raziło ją słońce. Położył torbę obok niej na krzesełku.

– Pani zamawiała dobrą kawę? Pani życzenie jest dla mnie rozkazem. Cappuccino, może być?

– Musi. Moja wina, bo nie powiedziałam ci, jaką lubię. Nie doceniłam cię, nie sądziłam, że gdzieś pojedziesz. Myślałam, że oblecisz kawiarnie na Narodowym i wybierzesz mniejsze zło – wyjaśniła na widok torby ze znakiem firmowym Costy.

– Dla ciebie tylko to, co najlepsze. A może chciałabyś zejść na dół? Tam są takie fajne leżaki, posiedzimy i poudajemy plażowiczów. I opowiesz mi wszystko o swoich preferencjach kawowych.

– A wiesz, że ja już wczoraj tam odpoczywałam? Dobry pomysł, jeszcze nie wyjmuj tej kawy, zejdźmy.

– Lenka, wczoraj to byłaś ty? Widziałem cię z góry, nawet zszedłem na dół, ale mi zniknęłaś z oczu.

– Naprawdę? Jul, Warszawa taka wielka, a my ciągle na siebie wpadaliśmy.

– Jesteś mi przeznaczona – oświadczył poważniej, niż chciał.

Faktycznie, spotykali się co chwila, odkąd tylko Lena pokazała się w stolicy. To musi być jakiś znak. Dziwne to.

I fascynujące, jak każdy początek romansu. Ileż to razy przechodził przez drogę pierwszych uniesień? Jedno jest pewne, nie wszystkie były takie. Zdarzyło mu się kilka razy być zakochanym – niepokój w brzuchu, ciągłe napięcie seksualne, utrata rozumu, apetytu, to wszystko było mu doskonale znane. Ale od dawna tego nie przeżywał, był zbyt pragmatyczny, racjonalizował uczucia, tak było łatwiej.

Aż tu ta Ruda Lisica stanęła na jego drodze i przepadł. Ma wszystkie objawy zakochania i nawet więcej – odczuwa namiętność, pożądanie, czułość, chęć zaopiekowania się, usunięcia przeszkód spod stóp, zaimponowania. Chciał widzieć podziw w jej oczach. Oczywiście nie mógł się doczekać, kiedy ją wreszcie posiądzie; nogi miękły mu na samą myśl. Kombinował, jak to zrobią, co jej pokaże, jak się popisze; był ciekaw, czym ona go zaskoczy. Zastanawiał się, czy jest doświadczona, czy może raczej taki seksualny prawdziwek, więcej czuje, niż wie jak. Im dłużej to trwało, mnożyły się pytania.

– Czy te leżaki ci pasują?

– Słucham? – Lena wyrwała go z zamyślenia i nie słyszał pytania.

– Tutaj dobrze?

Spojrzał w stronę pokazywanych przez Lenkę leżaków.

– Pewnie, że dobrze. Przysuńmy je, a to krzesło będzie nam służyło za stoliczek. Siadaj, kochanie, podam ci kawę.

– Jul, czemu tak spoważniałeś? Czy coś się stało?

– Nie, dlaczego?

– A tak jakoś dziwnie się zachowujesz.

– Wydaje ci się. Usiądź wygodnie, podano do stołu, a raczej na kolana. – Uśmiechnął się do niej łobuzersko.

– Juliuszu Cezarze, coś cię gnębi, widzę to.

– Oczywiście, że mnie gnębi. Cały czas kombinuję, jak cię skutecznie uwieść.

– Mój drogi, przypominam ci, że znamy się od wczoraj, a i tak wyrobiliśmy przynajmniej dwutygodniową, jeśli nie miesięczną, normę przyjętą dla pierwszego etapu rozwoju związku.

– Lenko, wszystko, co dotyczy ciebie, jest niewystarczające i dzieje się za wolno, mam ciągły niedosyt. Nie jestem w stanie nawet pomyśleć o tym, że odejdziesz wieczorem i będę musiał wrócić samotnie do siebie. Znowu będę się tłukł po ścianach, wypisywał do ciebie SMS-y, zasnę zrozpaczony. – Zrobił nawet stosowną do tego oświadczenia minę męczennika, ale chyba nie wywarło to na niej większego wrażenia.

– Przyda ci się. Założę się, że nie jesteś specjalnie wygłodzony. – Mrugnęła do niego filuternie.

Julowi włosy stanęły dęba. Przypomniał sobie, że od dawna jest umówiony z Jolą właśnie na dzisiejszy wieczór. Zaledwie kilka dni temu ze sobą rozmawiali, a sytuacja zmieniła się diametralnie. I co on jej teraz powie? Nie lubił sprawiać kobietom przykrości. Wolał, żeby związki wypalały się samoistnie i rozejście odbywało się na zasadzie potwierdzenia status quo, a nie rewolucji. Pierwszy raz od wielu lat przyjdzie mu zerwać z kobietą, z którą było mu dobrze. Ale nie było powrotu do tej relacji, nie przy Lenie.

Musi coś wymyślić, żeby odejść na bok i zadzwonić.

Ale na razie wypiją spokojnie kawę.

HELENA

1.

Obudziła się rano podekscytowana. Początkowo nie wiedziała dlaczego, ale już po chwili doszło do niej, że przecież spotyka się z Juliuszem. Spędzą razem cały dzień. Bardzo ją to cieszyło. Głupia była, że się tak upierała przy rozstaniu do poniedziałku. Dobrze, że nie uległ.

Leżała jeszcze chwilę, wspominając wczorajszy wieczór. Już nie pamięta, kiedy była tak adorowana. Jej koledzy mieli inny styl, a ze Zbyszkiem byli razem tyle lat, że nie zabiegał o nią już tak bardzo. Chyba zresztą nigdy nie robił tego w taki sposób jak Juliusz, ale to normalne, w końcu ich pierwsze uniesienia przypadły na czasy licealne. Nie było forteli, gry słów, gestów, bardziej liczyła się spontaniczność i właściwa młodości naturalność.

Bardzo podniecało ją, że Jul był dużo starszy niż Zbyszek i wszyscy dotychczasowi mężczyźni, z którymi czasami niegroźnie flirtowała. Ich zaloty były całkiem inne, Julowe natomiast stawiały ją na piedestale. Chyba nigdy wcześniej tak się nie czuła.

Łaknęła podziwu w męskim spojrzeniu, chciała wreszcie – kto wie, czy nie pierwszy raz w życiu – poczuć, że ktoś z jej powodu traci zmysły. Jul jej to dał.

Wyskoczyła z łóżka. Włączyła radio i zaczęła krzątać się po pokoju. Zastanawiała się, co powinna na siebie włożyć. Jak się pokazać Julowi? Czy zwyczajnie w dżinsach i topie, czy może seksownie, w sukience? Nie potrafiła zadecydować. W takich razach pomaga herbata, poszła więc do kuchni, gdzie już urzędowały Adela z Kaśką, szykowały się na grilla do Julity. Kaśka ucieszyła się na widok Leny.

– Hurra, będzie herbatka! – Klasnęła w ręce nad głową, po czym rozłożyła je szeroko i rzuciła się w objęcia Leny. Przez chwilę trwały przytulone, nagle Kaśka oderwała się od niej, znowu klasnęła w ręce i zakrzyknęła:

– Filiżanki przyjaźni!

Wyjęła je z szafki, ustawiła na spodeczkach i usiadła w oczekiwaniu na herbatę. Bacznie obserwowała, co robi Helena, zadawała dużo pytań, ale pomóc w przy gotowaniach nie chciała. Podniosła się dopiero wtedy, kiedy trzeba było przenieść na stół miseczki z melasą, cukrem i miodem.

Nie do wiary, minęły dopiero trzy dni, z czego przez większość czasu Leny z nimi nie było, a czuły się tak swobodnie ze sobą i Kaśka chyba zaakceptowała Lenę.

– Jesteś pewna, że nie dojedziesz do Julity na grilla? – zapytała z nadzieją Adela. – Kaśka chciała ci pokazać „swoje" miejsca. Ma tam jakieś ukryte w ziemi sekrety, nasza ciotka pokazała jej kiedyś, jak się je robi, i teraz ciągle z tym problem.

– Jestem pewna. Dzisiaj będzie młyn, wiele spotkań, imprezy towarzyszące, nie dam rady. Ale mam nadzieję, że będzie jeszcze okazja.

Kaśka siedziała zasępiona.

– Już mnie nie lubisz? Filiżanki przyjaźni nie działają?

– Kaśku, działają, oczywiście, że działają, ale ja muszę do pracy.

– Ludzie w soboty i niedziele nie pracują. Szkoła zamknięta, Julita nie pracuje – wymieniała Kaśka gardłowym głosem.

– Jak to, a Adela nie pracuje, nigdy?

– Pracuje, ale ona jest wolna i dlatego.

– Jak to wolna, czyli za wolno pracuję? – włączyła się Adela.

– Nie! Wolna, że nie chodzisz do pracy. Tak powiedziała Julita, że nie musisz.

– Kaśka, Kaśka, tyle razy ci powtarzałam, pracuję w domu.

– No właśnie mówię, wolna jesteś.

Adela zrezygnowała z tłumaczenia Kaśce, jaka jest specyfika jej pracy. Spojrzała bystro na Helenę.

– Czy ja dobrze węszę tu jakiegoś faceta? Coś ty za bardzo podekscytowana jesteś targami.

– Och, Adela, nie wiedziałam, że pod tymi dredami kryje się czarownica – odparła ze śmiechem Lena. – Faktycznie, poznałam kogoś i on pojedzie ze mną na targi, ale to będzie dzień pracy, uparł się mi pomóc. Nic więcej.

– Aaaa, no jak się uparł, to faktycznie nic na to nie mogłaś poradzić. – Adela udawała powagę.

– Ty nie mędrkuj, tylko pij herbatę, zimna już nie jest taka dobra. Lepiej powiedz mi, jak mam się ubrać.

– Jeśli chcesz, mogę ci pożyczyć mój niebieski dres, całkiem nowy, pięęęęknisty – powiedziała Kaśka, przeciągając głoski.

Lena i Adela spojrzały na siebie porozumiewawczo.

– Kaśko, Lena musi wyglądać jak księżniczka, dres się dziś nie przyda. Chodźcie, idziemy wybierać kreację. – Adela postanowiła wybawić Lenę. Bała się, że Kaśka uprze się przy swoim pomyśle, a potem będzie obnosić się z fochem przez cały dzień, jeśli propozycja nie zostanie przyjęta.

Kaśka zerwała się z krzesła. Swoim zwyczajem, jak zawsze, gdy była podekscytowana, wyrzuciła ręce w górę i krzyknęła: „Jest!", po czym, nadal z wyprostowanymi rękami, zrobiła energiczny skłon i wyprostowała się. Wyglądała, jakby się gimnastykowała. Lena trochę się przestraszyła, tym bardziej że Kaśka nagle chwyciła jej obie ręce i bujając nimi w lewo i w prawo, odśpiewała jakiś dziki hymn radości. Będzie trzeba się przyzwyczaić do Kaśkowych występów – pomyślała Lena. Nie mogła się nie śmiać. To, co zrazu było niepokojące, zaraz potem zawsze okazywało się zabawne lub rozczulające.

Z filiżankami w rękach zgodnie pomaszerowały do pokoju Leny. Adela zasiadła na pościelonym już łóżku, Kaśka poszła w jej ślady.

– Pokaż, co sobie przygotowałaś na dzisiaj, tylko pamiętaj, że znowu będzie upał. Poza tym to pierwsza randka, więc musisz dać czadu, żadnych dżinsów i bawełnianych bluzeczek, daruj sobie, jeśli miałaś coś takiego w planach. – Adela od razu przeszła do rzeczy.

– Hej, pierwsza była wczoraj, dzisiaj już go chyba niczym nie zaskoczę. – Lena w porę powstrzymała zwierzenia. Miała ochotę podzielić się obawami, że zrobiła z siebie idiotkę, ale za bardzo wstydziła się tego, co wczoraj wyprawiała.

Wyjęła z szafy kilka rzeczy, kremową sukienkę zostawiła na wieszaku, bo wydawała jej się za elegancka, ale Adela zwinnie skoczyła i wyciągnęła ją.

– *Well*, *well*, *well*, co my tu mamy? Idealna. Do tego czarna bielizna. Pokaż nogi, opalone? Bo jeśli nie, to trzeba by zorganizować spray do nóg, żebyś nie wyglądała jak zmiana turnusu w Łebie.

Lena wyciągnęła przed siebie najpierw jedną, potem drugą nogę. Przy okazji okazało się, że przydałoby się jeszcze je ogolić. Ręce jej opadły, nawet nie zaczęła makijażu, a tu czas uciekał.

Adela, zadowolona, przyglądała się długim nogom Leny.

– O, kochanieńka, z takimi nogami (na miłość boską, dlaczego ukrywasz je w spodniach?), no więc z takimi nogami to nic dziwnego, że w jeden dzień wyrwałaś faceta.

– No, długie może i są, ale piegowate. Wszędzie mam piegi, to się nie może podobać. Adela, czy ten spray tylko opala, czy też maskuje niedoskonałości? Może by mi te piegi zlikwidował?

– Lena, czyś ty oszalała, przecież to jest coś, co cię wyróżnia, z czego możesz być dumna, niezwykle seksowne i urokliwe. Skąd ci przyszło do głowy coś takiego tuszować?

– Nie przyszło, siedzi we łbie od dziecka. Zawsze byłam pośmiewiskiem. Wiele bym dała, żeby być myszowatą blondyną z nadwagą, a nie rudym piegusem z dziwnie ciemną oprawą oczu. Z nadwagą przynajmniej mogłabym walczyć, a z tym?

Wykonała rozpaczliwy gest oplatający sylwetkę, jakby chciała powiedzieć – wszystko do wymiany, nie ma o czym gadać.

– Aha, i dlatego, że jesteś tak okropna i nieatrakcyjna, jakiś biedak oczadział i teraz gna pewnie na złamanie karku, żeby cię zobaczyć? Powtarzam – jednego dnia ci trzeba było, żeby mi tu samce pod okno do kociaka – to o tobie – ruszyły.

– Nie samce, tylko jeden samiec, i nie jednego dnia, ale kilku. – Zastanowiła się chwilę i dodała: – Dobra, może i jednego, ale to nie było wczoraj.

Lena opowiedziała im historię spotkania z Julem. Wyjątkowo krótką historię, zdała sobie sprawę po raz kolejny. I bez szczegółów, oczywiście. O czym ja myślałam, wyczyniając wczoraj te figury? Całowałam się z obcym facetem, prowokowałam, cuda na kiju wyprawiałam. Oj, Lenka, Lenka – pomyślała filuternie – tobie tylko kije w głowie.

Adela była zdumiona.

– Naprawdę, tak to się odbyło? Nie czarujesz mnie? A więc to nie jest kolega dziennikarz, tylko mężczyzna poznany w restauracji? Szukał cię, wpadliście na siebie ponownie przypadkiem, Lena, cóż za historia!

– Żałosna, nie? Zachowuję się jak desperatka, a ja nawet nie planowałam żadnego związku ani nawet przygody. Ze Zbyszkiem rozstaliśmy się niedawno, chciałam odetchnąć, pomyśleć, co dalej. Jeśli nie taki facet jak Zbyszek, to jaki? Ale ledwo nos za swój grajdołek wystawiłam, zaraz napatoczył się Jul. Nie potrafię mu się oprzeć.

– Co w nim takiego wyjątkowego? – spytała Adela, usadzając się wygodnie w oczekiwaniu na dłuższe zwierzenia. Kaśka poszła pakować swoje skarby, za bardzo była zaaferowana wyjazdem, żeby siedzieć z nimi.

– Ciekawe pytanie. Przede wszystkim to prawdziwy facet, nie jakiś onanista napletkowy. – Lena przykryła usta dłonią. Ale jej się wyrwało, cholera. To w ogóle nie w jej stylu, co się z nią dzieje?

Adela śmiała się tak, że aż łzy poleciały jej z oczu.

– Skąd ty wzięłaś to porównanie? Celne, kupuję. A po czym wnosisz, że pojadę Koterskim?

– Nie pytaj, bo sama nie wiem. Po prostu pojawia się Jul i wszystko jest takie wprost, zdecydowane, zaznaczone mocną kreską, ale ma tło wrażliwe, puchate. Mówi, co myśli. A na koniec najlepsze – jest diablo przystojny. I pachnie zabójczo. I strasznie mnie bierze. Do tej pory miałam tylko jednego faceta, i to jest dla mnie nowość. Poza tym ze Zbyszkiem nie byliśmy za bardzo zgrani pod tym względem, bo on dbał głównie o własne zadowolenie i sądził, że skoro jemu jest dobrze, to kobiecie też. A może po prostu już był mną znudzony, już się nie starał? Tak bywa ze związkami, które zaczynają się w liceum. Zanim ludzie dorosną, zdiagnozują swoje potrzeby, już są jak stare małżeństwo i trzeba trzęsienia ziemi, żeby coś się zmieniło.

– A dlaczego od niego odeszłaś? Zdradzał?

– Nie wiem, nigdy go o nic takiego nie podejrzewałam, myślę, że nie. Kocha mnie, ja na pewno byłam zakochana i pewnie w jakimś sensie nadal jestem, ale to chyba bardziej przyzwyczajenie do tej miłości, a nie jakieś uniesienia. Nic się nie działo, nie chciał ślubu, a mnie przestało już wystarczać życie z dnia na dzień. Mam trzydzieści pięć lat, ani widoku na dzieci, ani poczucia bezpieczeństwa. Przestałam być dla niego ważna. Ot, element umeblowania – wygodna sofa, wygodne krzesło do komputera, wygodna kobieta.

– Nie przesadzasz trochę? Rozmawialiście o tym?

– Próbowałam, ale zbywał mnie śmiechem. Nagle, z dnia na dzień, otworzyłam oczy i wszystko zaczęło mnie drażnić. Przeszkadzał mi jego tumiwisizm i filozofia „jednego dnia" – nie róbmy planów, bo po co? Jakoś to będzie, wyżej tyłka nie podskoczysz, nie opieraj się fali, bo cię zmiecie... Taki wkurzający współczesny konformizm. To, co kiedyś mnie w nim ujmowało – chłopięcość, spontaniczność, niefrasobliwość – po latach, kiedy nic się nie zmieniło, oprócz licznika w metryce, zaczęło drażnić. Wcześniej nie przeszkadzało mi, że tyle wolnego czasu spędza na graniu. Tłumaczył, że to rozwija logiczne myślenie, umiejętność przewidywania, uczy strategii. Może i tak jest, nie próbowałam i pewnie dlatego nie mam nigdy żadnej strategii. Wymyśliłam, że zmienię swoje życie, i rzuciłam się na głęboką wodę. Nie wiem, czy słusznie postąpiłam. A na dodatek na horyzoncie pojawił się Jul. Może powinnam dać sobie więcej czasu, ale nie potrafię oprzeć się tej przygodzie. Nie wiem, czy to się w coś przerodzi, nie myślę o tym. Ot, co ma być, to będzie.

– A chciałabyś, żeby z tego coś było?

– Chciałabym zaznać wolności, ale kiedy go widzę, natychmiast się poddaję. Nie czuję się przy tym bezwolna, rajcuje mnie, że jestem dla niego aż tak atrakcyjna, daje mi to poczucie sprawczości, władzy nad nim. Chyba pierwszy raz w życiu zaczynam pojmować, w czym przejawia się moc kobiety. Dotychczas moje kompleksy brały górę. I nadal tak jest. Momentami dziwię się, co on we mnie widzi, jak więc mogę planować, co z tego będzie.

– Lena, ja chyba zwariuję. Gdybym to ja powiedziała, ale ty? Przecież jesteś aż za piękna, a seksapil to z ciebie wręcz kapie. Kiedy cię pierwszy raz zobaczyłam, lekko się najeżyłam, bo myślałam, że jesteś jakimś babonem nie do ogarnięcia, że mi tu zaczniesz tipsy i białe kozaki po domu rozrzucać, ale po kilku minutach rozmowy wiedziałam, że nic bardziej mylnego.

– Wyczułam, że mnie nie chcesz za lokatorkę – przyznała szczerze Lena. Chciała, żeby wszystko było dopowiedziane.

Adela machnęła ręką, jakby odganiała od nich te przykre odczucia.

– Przecież mówię, że zaraz mi przeszło. Łatwo cię przejrzeć i od razu widać, że jesteś nietuzinkowa, a przede wszystkim dobra. – Adela żałowała poprzedniego wyznania, teraz czuła się w obowiązku z niego tłumaczyć.

– No dobra, dosyć tych wspominek, powiedz mi – kremowa czy może jednak bardziej na sportowo? – Lena uciekła od tematu; co było, to było.

– Kobieto, bez wahania idź w te jasne klimaty. – Adela chwyciła naręcze ciuchów i schowała sprawnie do szafy. Na placu boju została tylko wybrana kiecka.

Herbata się skończyła, czas też się kurczył, należało się szykować. Kaśka niecierpliwie pohukiwała przy torbie piknikowej, a Lena, spojrzawszy na zegarek, zagęściła ruchy. Z przepraszającą miną zgarnęła kosmetyki i pognała do łazienki.

Wysuszyła włosy głową do dołu. Kiedy odrzuciła je z powrotem na plecy, spojrzała w lustro – efekt był bardziej niż zadowalający. Uśmiechnęła się do swojego odbicia, czuła się dziś wyjątkowo dobrze w swojej skórze.

Poczuła mrowienie na karku, kiedy pomyślała o Julu. Przypomniała sobie, jak kładzie rękę u nasady szyi, kiedy ją całuje. Dlaczego właściwie upiera się, żeby go tak trzymać na dystans? Oboje są dorośli. Kiedy jej dotykał, niemal natychmiast rodziła się myśl, że chciałaby czuć jego rękę na swojej piersi, a potem wszędzie. Bała się wtedy, że dostaje rumieńców i pojawia się zaczerwienienie nad wargą, spinała się, żeby ukryć podniecenie, a wychodziło na to, że jest chłodna, zdystansowana.

Wysmarowała się balsamem, własny dotyk, zawsze tak kojący, budził teraz tylko większe pragnienie jego rąk, jego oddechu, jego obecności w niej. Zesztywniały jej sutki, zawirowało w głowie, musiała kilka razy nią potrząsnąć, żeby wrócić do rzeczywistości. Spojrzała w lustro, oczywiście piegi się uwidoczniły. Nic na to nie poradzi. Po raz nie wiadomo który zapragnęła być blondynką, a nie dziewczyną tak znaczną, tak ognistą w wyrazie. Zaraz przypomniały jej się docinki w szkole. Zabolało, straciła pewność siebie.

Wróciła do pokoju, włączyła radio w komórce. Zagrało *Pod Papugami* i od razu jej humor wrócił. Pobujała się chwilę w rytm muzyki, po czym zabrała się do makijażu.

Obiecywała sobie, że zajrzy do Inglota tu niedaleko, do Arkadii, tam taki sympatyczny chłopak proponował makijaż i dobranie dla niej cieni. Teraz by jej się to wszystko przydało. Nie miała wtedy czasu, kupiła tylko kilka i żel do kresek, to było jeszcze przed przeprowadzką, przed spotkaniem w Cavie. Tak niedawno, a wydaje się teraz wieki całe. Uśmiechnęła się na wspomnienie pierwszego spotkania z Juliuszem. Znowu poczuła napięcie.

Lenka, weź się w garść, nigdy się nie wybierzesz, jak się będziesz tak podniecać głupotami.

Jak powinna dziś dla niego wyglądać? Delikatnie, jak zjawa? Akurat, rude zjawy nie występują w przyrodzie. Nimfa zatem. Ruda wodna. Kurka wodna raczej.

A może zalotnie, mocniejsze kreski? Nie wie, czy umie. Dobra, byle zacząć, bo w tym tempie nie będzie gotowa do wieczora. Nałożyła na powieki kremowo-piaskowy cień ze złotymi drobinkami. Do tego kreski i mocno wytuszowane rzęsy. Usta jasne, naturalne. Na nic innego się nie odważy, jeszcze nie.

Musi wybrać się wkrótce na zakupy, przydałoby się trochę bielizny i nowe kosmetyki. Może poszuka też nowych zapachów perfum?

Fluid trochę stonował piegi na jej twarzy. Spojrzała w lustro, o dziwo, zadowolona z siebie, co nie zdarzało się często. Kilka głębokich oddechów. Poprawiła stanik, dźwigający pełne piersi, też przekleństwo. Chociaż nie zawsze, musiała to przyznać. Zarumieniła się na samą myśl o tym, czego może oczekiwać po jego dłoniach. Dziewczyno, przestań się nakręcać! – upomniała się kolejny raz.

Sandały na wysokich obcasach czyniły ją bardziej strzelistą. Sukienka kończyła się tuż przed kolanami, stanik opinał sztywno pełne piersi, poniżej materiał luźno układał się wokół talii. Pewniej się czuła taka nieopięta, nie była przyzwyczajona do tego rodzaju ciuchów, w Koszalinie biegała głównie w dżinsach i podkoszulku. Zbyszek lubił sportowe dziewczyny, żadnego zadęcia – powtarzał. Kupiła tę kieckę za namową Mileny, a teraz w duchu błogosławiła przyjaciółkę, bo nie miała nic eleganckiego poza białym garniturem i wczorajszymi szarościami.

Czuła potrzebę zmiany, stolica na nią tak działała, ale i nowa praca wymagała innej garderoby, musiała co nieco dokupić. Lista potrzeb robiła się niepokojąco długa. A to przecież nie były drobiazgi, pewnie sporo to będzie kosztować. W duchu pogratulowała sobie decyzji o dołączeniu do Adeli, dzięki temu będzie mogła się odbić finansowo. Nie dałaby rady urządzić się w nowym życiu, gdyby musiała zacząć od samodzielnego wynajmowania mieszkania. Miała jeszcze zaskórniaki od ojca. Czy to dobry powód, by ich użyć, czy raczej trzymać na czarną godzinę? Nie lubiła tego powiedzenia, bo to było jak przywoływanie złego, ale matka z ojcem wpoili w nią ten lęk, że trzeba być przygotowanym na złe czasy. Podświadomie się tego bała.

Wysmarowała nogi nabłyszczającym balsamem, sprawdziła, czy lakier na paznokciach nie odprysnął. Elegancka czerwień, bardzo lubiła. Jeszcze perfumy. Weszła w rozpyloną mgłę i od razu poczuła się jak na dachu świata. Główna nuta perfum połączyła się idealnie z lekko orientalną nutą balsamu. Oglądała kiedyś film dokumentalny o pięknych, posągowych czarnoskórych kobietach, dla których aplikowanie zapachów, ich dobieranie w zależności od okoliczności, to cała sztuka przekazywana z pokolenia na pokolenie. Same robią pachnidła dla siebie, chociaż są bogate, ale chodzi im o niepowtarzalność i idealne zgranie z ich własną naturą. „Nasączanie" skóry zapachami zaczynało się już w kąpieli, potem podczas masażu zapach z kadzideł przenikał do ich skóry – bardzo skomplikowany proces. Chciałaby to umieć. Chciałaby tak dla niego pachnieć.

Na razie te zabiegi musiały wystarczyć. Czas wychodzić, wybiła dziewiąta. Bardzo się denerwowała. Wczoraj wiele się wydarzyło. Jul przez noc pewnie ochłonął, poszedł po rozum do głowy, może uznał, że do niczego mu taka nieokrzesana prowincjuszka. Zabierze ją tylko na śniadanie, wyjaśni, że go poniosło, przeprosi, zawiezie na stadion i więcej go nie zobaczy. Zadrżała jej broda. Naprawdę tak to się skończy? Zaskoczyło ją to wzruszenie, ta niezgoda. Nie chodziło tylko o odrzucenie, ale o już zrodzoną tęsknotę za nim. Za mężczyzną, który nawet jeszcze nie jest jej. Może nigdy nie będzie?

Odgoniła od siebie te myśli. Przecież musi jeszcze przepakować się do beżowej torby, nie może do tej kiecki założyć ciemnego plecaka. Tylko jak ona teraz będzie wyglądać z aparatem i notesem w tym stroju? Za późno na przebieranie, czas, czas…

2.

Wyszła prosto w słoneczną plamę podwórka. Jul już czekał. Na jej widok wyszedł z samochodu i zrobił kilka kroków w jej kierunku. Chciała być chłodna, przygotować się na jego ewentualny odwrót, ale kiedy go zobaczyła, też jasno ubranego, z otwartą postawą ciała, zapomniała o swoim postanowieniu i weszła prosto w jego ramiona, przytuliła się do niego mocniej, niż zamierzała. Zaciągnęła się jego zapachem, wreszcie czule przytknęła swój policzek do jego policzka. Ten gest znaczył więcej niż pocałunek.

Zobaczyła w jego oczach ulgę i radość – czyli on też obawiał się tego, co przyniesie poranek. Nie miała czasu nad tym rozmyślać, bo zaraz zaproponował śniadanie w jakimś hotelu. Oponowała, nie była do tego przyzwyczajona. Zbyszek raczej zabrałby ją na jakiegoś banalnego hot doga. Jul nie chciał nawet słyszeć o zmianie lokalu. Lubiła to jego zdecydowanie, chociaż w życiu by się przed nim do tego nie przyznała. Dość miała chłopaków, którzy ciągle mieli wątpliwości, nie wiedzieli, kim są i dokąd zmierzają. Traktowali ją jak kumpla i matkę jednocześnie. Więc teraz da się prowadzić za rękę, porywać z kawiarni, karmić, dotykać, całować, wszystko nagle i nieoczekiwanie, spontanicznie, zdecydowanie. Rozmarzyła się.

Wysiedli przed okazałym hotelem w centrum, jeszcze raz próbowała protestować, ale uciszył ją jednym gestem.

Weszli objęci do lobby, windą wjechali na górę, zajęli stolik. Piękne jasne pomieszczenie, nowocześnie urządzone, słonecznie, a oni tacy nierzeczywiście szczęśliwi, cali beżowi, tacy czyści. Lena czuła się jak bohaterka jakiegoś filmu. Jul siedział naprzeciwko szeroko uśmiechnięty, jak zwykle w takich razach Lenie włączył się obawiaczek.

– Czyżbym miała jakąś plamę na czole, że się tak szczerzysz?

– Lenuś, doskonale wiesz, że jesteś idealnie umalowana. A poza tym ja się nie szczerzę, tylko uśmiecham.

Akurat, idealnie. Na pewno coś z nią nie tak, a on jest zbyt dobrze wychowany, żeby jej to powiedzieć. Nie może iść do toalety, przecież dopiero wyszła z domu, jak by to wyglądało. Postanowiła obrócić sytuację w żart – to zawsze działało, szczególnie na jej poczucie niepewności.

Uzgadniali przez chwilę plan dnia, trochę się z nim droczyła, ale dobrze się czuła w jego towarzystwie.

Bała się, że przegadają cały ranek i nie zdąży po autograf do Mariusza Szczygła. Wszystkie imprezy nakładały się na siebie, musiała się nieźle nagimnastykować, żeby to ogarnąć, a obecność Jula dawała wprawdzie wsparcie, ale też i mocno dekoncentrowała. Ale jakże miło dekoncentrowała.

Jul próbował ustalić, dokąd pójdą na kolację. Przestraszyła się, że po całym dniu będzie miał jej dosyć, że w ogóle znudzi mu się za szybko, jeśli będą tak ze sobą przez cały czas, ale nie chciał słyszeć o wcześniejszym zakończeniu wieczoru. Nawet się zaniepokoił, że to ona ma go już dość.

A więc miała rację: on też cały czas bał się dokładnie tego samego, co ona – że nowy dzień przyniósł opamiętanie i ona go już nie chce.

Na deklaracje, że jest inaczej, i na zwierzenia, że się zamartwiała o to samo, jeszcze nie nadszedł czas. Do tego drugiego pewnie nigdy się nie przyzna.

Nie nadszedł też jeszcze czas na wizytę u Jula w domu. Wymyślił, że ją do siebie zabierze i coś dla niej upichci, ale wybiła mu to z głowy. Widać było, że jest zawiedziony. Próbowała mu wyjaśnić, że wszystko za szybko się dzieje, że to tempo ją trochę onieśmiela, chociaż to ona w pewnym sensie je narzuciła swoim zachowaniem.

I po co ta szczerość? Znowu się wygłupiła. Lenka, weź się w garść, napomniała siebie.

– Ale ja cię taką kocham, właśnie nieokiełznaną, nieobliczalną, nieprzewidywalną.

– Tylko że ja taka nie jestem. Przynajmniej nigdy nie byłam.

Nie była? Jaka właściwie była? Trudno to określić, skoro żyje w takich samych warunkach, w tym samym otoczeniu i towarzystwie od liceum. To jakby się nigdy nie dorosło.

Chyba czytał w jej myślach, bo stwierdził, że to pewnie Warszawa tak na nią działa. Tak, to musiało być właśnie to – nowe miejsce, nowe życie. Przecież ona nie poznawała samej siebie.

– Ale czerwienię się na samą myśl o tym, co myśmy wczoraj wyprawiali. Nie potrafię o tym spokojnie myśleć, wstydzę się – przyznała szczerze.

– Lisiczko, to było wspaniałe doświadczenie, lepsze niż cały seks świata, chociaż nawet nie doszło do spełnienia.

Sięgnął przez stół i znanym już gestem pocałował wnętrze jej dłoni. To było takie czułe, a jednocześnie bardzo podniecające; zaskoczona zauważyła, że to miejsce ma bardzo wrażliwe na dotyk. Przytulał jej dłoń do swojego policzka, jakby chciał podkreślić swoje oddanie, a może tylko tak jej się wydawało? Tyle pytań, na które nie znała odpowiedzi.

3.

Zaskoczył ją. Zdobył jakoś przepustkę i wjechali na parking na stadionie. W porównaniu z wczorajszą wyprawą w upale przez rozgrzaną patelnię, w którą zamieniła się aleja do bram stadionu – istny luksus. Zmieniła buty. Bez sandałów na obcasach nagle zrobiła się dużo niższa i poczuła, jakby straciła na znaczeniu. Stała teraz przed nim jakaś bezbronna, spojrzała do góry w jego oczy, ale zanim zdążyła coś dojrzeć, podszedł, ujął w dłonie jej twarz i pocałował krótko, potem drugi raz, tylko już odważniej, namiętnie.

– Całowanie ciebie to jak leżenie w trawie, w pełnym słońcu, po długiej zimie – rzekł, kiedy ich usta nieznacznie się rozłączyły. On ją zawsze rozbrajał, to wszystko takie świeże, jeszcze się nie uodporniła.

– Pan poeta.

– Przy pani wiersze same się piszą – odrzekł i ujął jej dłoń.

W drugą chwycił torbę i poprowadził Lenę do wind. Pomyślała o tym, jak to miło nie musieć być dla nikogo przewodnikiem, nie wspierać, nie popędzać, nie motywować, tylko dać się wieść za rękę mężczyźnie i o nic się nie martwić.

Jak tylko wyszli z windy, najpierw poczuli żar, a potem ujrzeli tłumy. Lena była zaskoczona. W Pałacu Kultury zawsze panował ścisk, bo to nie było miejsce stworzone do takich imprez. Ale tutaj? Wydawało się, że niełatwo będzie zapchać taką przestrzeń, a tymczasem wszędzie tłok, trudno się poruszać. Mówią, że ludzie nie czytają – pomyślała zdumiona.

Wyjęła aparat, przeklęła w duchu wybór kiecki, lepiej jednak by było w spodniach i bawełnianym topie. Ale czy on wtedy tak by na nią patrzył? Włożyła ołówek w zęby, notes pod brodę i zaczęła ustawiać aparat. Szczygieł już zaczął podpisywanie, ale kolejka była długa, miała czas.

– Zabiorę ci ten tobół, będzie ci tylko przeszkadzał. – Jul niby proponował, ale już usuwał jej torebkę spod nóg.

– Uhmm – tyle tylko mogła powiedzieć z ołówkiem w zębach.

Skończyła, nie pozwoliła Julowi odebrać sobie notesu, sprawnie przesunęła go pod pachę, ołówek wsunęła między piersi – zawsze tak robiła, ale teraz zdała sobie sprawę, że to mogło być prowokujące. I było. Wpatrywał się w jej biust zafascynowany, jakby widział ołówek pierwszy raz na oczy.

Ustalali przez chwilę, dokąd się wybiorą na kolację. Zorientowała się, że stara się mu wszystko ułatwiać, nie mieć wymagań. To błąd, bo nie ceni się tego, co łatwo przychodzi. Zamiast bać się, że Juliusz pomyśli, że jest roszczeniową kobietą bluszczem, powinna wreszcie zrozumieć, że tylko najlepsi mężczyźni są godni jej uwagi, bo jest tego warta. Trudne, kiedy miewa się niskie mniemanie o sobie.

Zmieniła więc front.

– Mam jedną prośbę. Jeśli będziesz miał czas, namierz tu porządną kawę, bo ta, którą wypiłam wczoraj, to był koszmar baristy.

Ciekawa była jego reakcji; czy pytał tylko kurtuazyjnie, czy faktycznie chce jej nieba przychylić? Nikt o nią nigdy nie dbał, kiedyś sama musiałaby kupić, jeszcze innym przynieść. A kawą na targach faktycznie była bardzo zawiedziona i bardzo nie chciała powtórzyć tego dzisiaj.

– Załatwione, kawa jak marzenie – odparł.

Pocałował ją w czoło. Był dużo wyższy, miała ochotę przytulić policzek do jego piersi, tak odruchowo, ale w porę się powstrzymała. Przecież znają się zaledwie drugi dzień, nie licząc spotkania w Cavie. Ciągle musi się upominać, to jakieś szaleństwo, tym bardziej że ochotę ma na więcej, dużo więcej.

Nie miała żadnego doświadczenia w randkowaniu ani rozeznania w niuansach damsko-męskich. Tyle pytań – kiedy już można dać się ponieść namiętności, nie ukrywać żaru, który przewala się przez nią za każdym razem, kiedy on jest w pobliżu? Jak długo trzeba czekać na „ten pierwszy raz"? Są wolni, dorośli, ale i tak można z siebie zrobić idiotkę w każdym wieku. O ile już jej z siebie nie zrobiła, nawet jeśli on wydaje się tego nie widzieć. Może to jest głupie, ale ciągle ma w głowie słowa matki: „Przestanie cię szanować, moja panno". Dawno to było, jeszcze w liceum, ale siedzi w niej ta pensjonarska natura, jakby nigdy nie dorosła. Czyżby przez to, że pozostawała w tym samym, jakby wciąż licealnym, związku?

Umówili się na czternastą. Spytał, czy ma dość wody. Jak miło, że pomyślał, ona oczywiście zaczęła zapewniać, że nie potrzebuje tej troski, że sama sobie da radę, ale co tu dużo gadać, znowu ją ujął. Topiła się jak masło w promieniach tej troskliwości. Czyżby znalazł do niej klucz? Czy Zbyszek by o nią zadbał? W pierwszym odruchu pomyślała, że nie, ale przypomniała sobie, jak sprawnie ją spakował, przewiózł, przeniósł kartony, ustawił w odpowiednim szyku do rozpakowania. Naprawdę sprawił się wtedy, czyli umie, tylko ona wcześniej za mało wymagała. Czy tu popełnia ten sam błąd?

Pozwoliła Julowi zorganizować wodę do picia dla niej. Ustalili, co będą robili na targach po kawie. Przekomarzali się w sprawie książek. Okazało się, że lubią podobną literaturę. Jul znowu wrócił do sprawy zakupu kilku tytułów dla niej, a ona, niepomna postanowień, które niedawno poczyniła, oczywiście próbowała go od tego odwieść. Oj, Lenka, Lenka, musisz się jeszcze dużo nauczyć – pomyślała.

4.

Dopiero połowa dnia, a ona już była zmordowana. Wszędzie tłumy, upał, raz cieszyła się, że jest w tej przewiewnej, skąpej sukience, a raz utyskiwała na swoją głupotę, bo jednak elegancko, ale niewygodnie. Poza tym mole książkowe to jednak luzacy: dżinsy i podkoszulka, bawełniana sukienka to tutejszy standard. Trochę się wygłupiła tym strojem. A na dodatek zwracała na siebie uwagę, a na to nie była gotowa. Nadal hołubiła w sobie kompleksy rudzielca z podstawówki, chęć posiadania czapki niewidki. Trudno jej uwierzyć, że budzi podziw, zawsze węszyła w czyimś spojrzeniu drwinę.

Musiała jednak przyznać, że dziś nie mogło być pomyłki – panowie patrzyli na nią z nieukrywanym zachwytem. Po jakimś czasie nabrała pewności siebie, wyprostowała się, nawet zaczęła czerpać z tego trochę przyjemności. Kto wie, może mimo piegów i rudych włosów może się komuś podobać? Wciąż walczyły w niej dwie natury – dziewczyny, która wiecznie zabiegała o akceptację rówieśników, przekonanej o swojej nieatrakcyjności, i kobiety świadomej swojego seksapilu, czującej się dobrze w swojej skórze. Jednego dnia brała górę ta pierwsza, następnego ta druga.

Usiadła na trybunach, zsunęła baleriny, wyciągnęła przed siebie nogi. Znowu miała poczucie, że jest gdzieś nad morzem. Leżaki w zasięgu wzroku i rażące słońce nad głową potęgowały to wrażenie. Wyjęła komórkę. Jak tylko pomyślała, że zadzwoni do Jula, natychmiast jej skóra zaczęła się kurczyć, jakby robiła się o rozmiar za mała w stosunku do jej ciała. Do tego silne doznania w dole brzucha – niepokój, przeczucie przyszłych orgazmów, ale też przepowiednia czułości – taka mieszanka wybuchowa. Zatęskniła. „Jul, gdzie jesteś?".

W tym momencie komórka zawibrowała w jej dłoniach. Gdyby nie trzymała aparatu, nie usłyszałaby dzwonka. Przeciągnęła palcem w poprzek ekranu, tak jakby chciała podkreślić wyświetlające się imię – Jul.

– Czekam na ciebie. Właśnie usiadłam i miałam dzwonić.

Wyjaśniła mu, gdzie jest. Próbowała jak najprecyzyjniej określić miejsce, ale to nie było takie łatwe.

– A może szybciej będzie, jak przejdziesz przez murawę? Poza tym…

Zamilkła, bo czy mogła mu powiedzieć, jak bardzo chce znowu poczuć jego zapach, dotknąć jego skóry, przytulić się do policzka i zobaczyć zachwyt w jego oczach? Mogła? Chciała być centrum jego wszechświata, potrzebowała jego atencji, łaknęła jego wzroku zawieszonego na jej piersiach, chciała widzieć w kropelkach potu na jego czole, że na niego działa.

– Helena? Co się dzieje?

– Nic, chciałam powiedzieć, że poza tym nie mogę się ciebie doczekać.

– Chyba obiecanej kawy.

– Nie. Ciebie.

Usłyszała tylko, że Jul za sekundę będzie. Pewnie się wygłupiła, może chciał ukryć irytację. Właściwie dziwne, że zainteresował się kimś takim jak ona. Z drugiej strony on tak patrzy, że od razu jej słabo.

Podniosła przymknięte oczy do słońca, wyobraziła sobie jego twarz nad nią, że ma go w sobie, prawie natychmiast poczuła podniecenie. Zwariować można. Ale jakie miłe to było wariactwo.

Siedziała tak z zamkniętymi oczami, aż poczuła w powietrzu jego wodę kolońską. Podszedł cicho, myślał, że nie zauważyła, ale ten zapach go zdradził. Chciała coś tam jeszcze zagrać, powyginać się przed nim kusząco, bo przy nim zawsze wstępował w nią diabeł, ale nie wytrzymała, uśmiechnęła się szeroko i powiedziała, nadal nie otwierając oczu:

– Wiem, że tam stoisz i się na mnie gapisz.

W ostatniej chwili powstrzymała się, żeby nie zerwać się i do niego nie przytulić. Ciągle tylko by to robiła. Bała się, że go tym zniechęci, bo ileż można znosić wiszącą u szyi dziewczynę.

Jul nie kupił kawy na stadionie, tak jak się spodziewała, ale pojechał do miasta po lepszą. O wszystkim pomyślał, i o syropie, o słodziku, gdyby nie chciała cukru, nawet wziął trochę cynamonu. Zmartwił się, że nie wiedział, jaką kawę woli Lena. Wzruszyło ją to.

– Dla ciebie tylko to, co najlepsze. A może chciałabyś zejść na dół, tam są takie fajne leżaki, posiedzimy i poudajemy plażowiczów. I opowiesz mi wszystko o swoich preferencjach kawowych – powiedział, pomagając jej wstać z ławki.

Przystała na to. Kiedy powiedziała, że odpoczywała tam też wczoraj, Jul ze zdziwienia aż przystanął. Okazało się, że i on tu wtedy był, widział ją z korony stadionu, ale zanim zszedł na dół, ona już zniknęła. Wydawało się niemożliwe, żeby w tak dużym mieście co chwilę się spotykali, a jednak.

– Jesteś mi przeznaczona – powiedział i nagle zrobiło się poważnie.

Spojrzała na niego. Żartował? Chyba nie. Wczoraj jeszcze by się obruszyła na te słowa, ale teraz, zaledwie kilkanaście godzin później, chciała, żeby to była prawda. Ale musiała liczyć się z tym, że to raczej sprawny podryw, gra, żeby ją doprowadzić wreszcie do jego drzwi. Przecież nie byli dziećmi, każde z nich doskonale wiedziało, do czego to zmierza. Wszystko było tylko kwestią czasu.

Znaleźli fajny zakątek, usadzili się i Jul podał Helenie kawę. Wszystkie te głupie obawy, że ona go irytuje, nie obchodzi, rozwiały się. Znowu czuła się wyjątkowa, jedyna, najważniejsza. Patrzył na nią tak czule, dotykał palcami, niby przypadkiem, zaraz potem całkiem rozmyślnie.

Dla niej, kobiety, która nie miała za sobą dziesiątków miłostek i podchodów, to wszystko było takie ekscytujące. Nie wiedziała, jak to jest, kiedy dotyk jeszcze nie spowszedniał, kiedy mężczyzna dopiero zapowiada swoim zachowaniem przyszłe uniesienia.

Spojrzała na niego, wydawał się nieobecny. Wyraziła zaniepokojenie, czy coś się stało, ale oddalił jej obawy.

Zaczął ją przekonywać, że chciałby, żeby ich relacja przyspieszyła, że on bez niej nie jest już ten sam, że wciąż o niej myśli, że pragnie, że nie wyobraża sobie rozstania wieczorem.

– Przyda ci się. Założę się, że byłeś ciągle w tej materii zajęty i nie jesteś specjalnie wygłodzony. – Zamrugała do niego filuternie.

Chyba przesadziła, bo wyraz jego twarzy nagle się zmienił. Jul zgubił wątek, wydał jej się nieobecny. No to pozamiatane – pomyślała – wystarczyło jedno niefortunne zdanie i odstraszyłam faceta.

Nagle zaczęło jej zależeć. Poczuła się tą zależnością spętana. Już nie wiedziała, jak się zachowywać, co mówić.

Spanikowała, ale Jul nagle się ocknął, przeprosił, przyznał, że zapomniał o ważnym spotkaniu ze znajomym, który ma dla niego robotę. Będzie musiał zaraz do niego zadzwonić, ale na razie wypiją kawę. Odetchnęła. Wyrok oddalony.

JULIUSZ

1.

– No, nareszcie. Julek, dzwoniłam kilka razy, gdzie ty się podziewasz? – Jolka nie wydawała się zniecierpliwiona, raczej z ulgą odebrała połączenie.

– Wpadłem na targi książki, miałem spotkanie, głośno tu, nie słyszałem dzwonka – tłumaczył się jak sztubak, ale co ona winna, że się zadurzył w Lenie? Gdyby nie to, już by sztywniał na myśl o seksie z Jolką.

– Zmiana planów, mam dla ciebie niespodziankę imieninową. Spotkamy się w Hiltonie na Grzybowskiej, wynajęłam apartament. – Nie potrafiła ukryć ekscytacji, był niemal pewny, że podskakuje z radości, kiedy to mówi.

– Odbiło ci? – Zareagował gwałtowniej, niż zamierzał, ale pomyślał, że może Jolka oczekuje, że on za to zapłaci. Doprawdy zerwać z nią mógł gdziekolwiek, a seks zadowalał go tak samo w domu.

– Julek, to nie tak. Nie organizowałam tego specjalnie. Moja siostra pracuje w Hiltonie, przyjęła rezerwację i nie wzięła zaliczki, a ludzie się wycofali i jest w czarnej dupie. Boi się, że będzie miała kłopoty. Rodzina się zrzuciła, ona nam zrobiła jakąś ofertę specjalną i mam pokój, przecież nie będzie stał pusty. Powiedziałam, że zaprosiłam koleżankę Helenę z okazji jej imienin. Faktycznie, mam jedną taką, w czwartek byłam u niej na imprezie. Baśka dzisiaj już skończyła zmianę, nie zobaczy cię. – Jola tłumaczyła się gorliwie, wiedziała, że go rozzłościła.

– Dobra, przepraszam. Zaskoczyłaś mnie. To o której się umawiamy? Przed ósmą nie bardzo mogę, mam jeszcze jedno spotkanie. – Nie lubił kręcić. Kiedy chciał się rozstać, robił to bez ogródek, ale teraz czuł się winny, bo związek z Jolką na pewno nie wypaliłby się tak szybko, gdyby nie Lena.

– Kartę do drzwi już mam, przyjadę tu o siódmej, a ty dołącz, jak już będziesz wolny. Tylko daj mi znać, co chcesz zjeść, zamówię coś, zanim zamkną kuchnię. A i może jakieś wino ze sobą przywieź?

Juliusz zamarł. Nie miał pojęcia, co powiedzieć. Przecież będzie na kolacji z Leną, ale gdyby się z nią nie umówił, zjadłby z Jolką, jak zawsze. Nie może jej teraz powiedzieć, że nic nie zje, bo wzbudziłby podejrzenia. Już podczas ich ostatniej nocy jakoś dziwnie na niego patrzyła. Przez telefon nie załatwia się takich spraw, poza tym ona na to nie zasłużyła. No nic, trzeba będzie grać; zje mniej z Leną, potem dzióbnie coś z Jolą, jakoś to będzie.

– Zamów jakieś zimne mięsa i sałatkę. Wino białe czy czerwone? I wyślij mi SMS-a z numerem pokoju.

– Jak zimny bufet, to białe. Julek, nie mogę się doczekać. Tak dawno nigdzie razem nie byliśmy. Mam dla ciebie niespodziankę – obniżyła głos do gardłowego szeptu – oszalejesz, kiedy zdejmiesz ze mnie kieckę.

– Powiedz – strzelił, zanim pomyślał. O rany, nie chce wiedzieć, nie chce widzieć, ani oczami wyobraźni, ani na oczy wieczorem, przecież on chce tylko Leny.

– Nic ci nie powiem, jak zobaczysz, nie przestaniesz mnie ujeżdżać przez godzinę, a potem następną. – Nie potrafiła już ukryć podniecenia, a i on, ku swojej rozpaczy, był gotowy.

2.

– Lisico okrutna – podszedł do niej od tyłu i szepnął jej do ucha – kiedy mi ulegniesz? Nie chcę już czekać, tracę rozum.

Czuł, jak ona tężeje, a zaraz potem mięknie mu w rękach. A więc to tak, opór maleje, też to czujesz, rudzielcu zachwycający. Pomyślał o jej piegach – na piersiach, na brzuchu, nogach, o, bogowie, chciał poczuć, jaki smak ma jej cipka. Słony, jak u Afrodyty z morskiej piany? O, tak, a towarzyszą jej Wdzięki, Uśmiechy i Igraszki – bóstwa prowadzące ją przez życie. Moja bogini inna niż wszystkie, słona, słodka, gorzka, pikantna.

– Chcę cię. – Nakręcał się coraz bardziej, czuł, że ona też.

Ta jej czerwona, wąska pręga nad wargą, już wiedział, skąd się bierze, już go Lena nie oszuka. Pierwszego wieczoru, jeszcze w Cavie, widział ją u niej. Już wtedy na niego tak działała. A teraz usta jej nabrzmiały jak wargi sromowe zaraz przed orgazmem, nie raz to czuł pod palcami, nie raz pod językiem. Gdyby nie te tłumy dokoła, gdyby byli gdzieś sami, ukląkłby przed nią i nie pozwolił się odtrącić. Patrzyła tymi zielonymi ślepiami miękko, ale reszta płonęła jak pochodnia w noc świętego Bartłomieja. Pogrom. On z tego żywy nie wyjdzie, ale jedno jest pewne – zabierze ją ze sobą.

Chciał zobaczyć w jej oczach żar, chciał ją sobie podporządkować. Nie spuszczając z niej wzroku, niepostrzeżenie dotknął jej pleców i przejechał palcami wzdłuż krzyża, szybko trafił, uczył się jej migiem. Dostał swoją nagrodę, zamknęła oczy, westchnęła przeciągle, czekał tylko na to, aż się mimowolnie wypręży, bardzo go to podniecało. Myślał, że już jest zniewolona. Ale to nie ona była branką, to on był jeńcem: wzięła go żywego, bez pardonu. Otworzyła nagle oczy, wbiła w niego te dwa rozżarzone szmaragdy i przyszpiliła jak motyla w kolekcji. I już wiedział, że na zawsze będzie u niej w gablocie, będzie czekać, aż po niego sięgnie, błagać o więcej, prosić o każde tchnienie na jego skórze, o każdy dotyk, pocałunek, o wrót otwarcie.

– Przyjmij mnie w siebie wreszcie, to nie do zniesienia – wyszeptał, wybłagał w jej włosy. Nie chciał tego powiedzieć, to takie... żałosne.

– Jul, przecież nie tu, nie teraz. Ale ja też chcę, też nie mogę już czekać. Dziś wieczorem?

Mówiła z trudem, właściwie domyślał się tylko, co mu wyszeptała. Była taka mała w tych balerinach. Stali objęci pośrodku tłumu, jakby byli odcięci bańką powietrza, czas biegł inaczej w środku, inaczej na zewnątrz. Ludzie wokół to były tylko rozmazane kształty, całkiem nieważne dźwięki i pobladłe kolory, tylko ona taka jaskrawa, rudo-zielona na kremowym tle.

Powiedziała: dziś wieczorem? Jezu, dlaczego dziś? Przecież dziś nie chciała! Przecież tam czeka Jolka. Ale prosił, głupi złamas, skomlał i dostał. Klęska urodzaju, kurwa jego mać.

Nie wiedział, co powiedzieć, więc milczał. Pocałował ją delikatnie, podała mu usta, taka już jego, kolce położyła po sobie, przestała się bronić. Gdybyż tylko byli gdzieś sami, gdyby mógł ją zabrać do domu, do hotelu, do samochodu, dokądkolwiek, gdzie mogliby zamknąć za sobą drzwi.

– Lenuś, zaraz masz spotkanie z tym reportażystą. Potem chyba już pojedziemy coś zjeść, dobrze?

Ocknęła się, odsunęła, spojrzała uważnie na niego. Nie powiedziała nic. Bez słowa zebrała z leżaka swoje rzeczy, dopiła kawę, dziwnie wolno to wszystko robiła.

Spieprzyłeś to, stary. Kolce znowu nastroszone, wyglądała, jakby się pogubiła w sytuacji. Kochanie, to ja jestem taki poplątany, to nie twoja wina – chciał jej to powiedzieć, ale przecież nie mógł.

Wjechali na piętro. Spotkanie już się zaczynało. Zdążyli zająć miejsca w drugim rzędzie, Lena przedstawiła się, ustaliła z prowadzącym, kiedy będzie mogła zrobić kilka zdjęć, i już ruszali z pytaniami. Dłużyło mu się, świetnie rozumiał angielski, ale inni z założenia nie, więc był tłumacz. Świetny chłopak, ale Julowi wydawało się, że wszystko słyszy po dwa razy. Sytuacja z Leną wyprowadziła go z równowagi, ledwo dał radę dosiedzieć do końca.

Lena co jakiś czas patrzyła na niego czujnie. Na wszystkie sposoby dawał jej odczuć, że nic się nie zmieniło, ale widział, że ona jest coraz bardziej smutna, jej blask przygasł, siedziała jak na torturach. Dotknął jej ręki, ale nie zareagowała. Miał nawet wrażenie, że specjalnie ją cofnęła, ale to może przez te zdjęcia? Pstryknęła ich kilka, ale jakoś bez przekonania.

Po spotkaniu sięgnął po jej torbę, ale odebrała mu ją stanowczo. Bez słowa spakowała aparat, notes, wyjęła okulary przeciwsłoneczne. Chciał spojrzeć w jej oczy, bo miał wrażenie, że ma dziwne czerwone obwódki wokół rzęs, ale założyła okulary i już ją stracił, nic już nie wyczyta z jej oczu.

– Jedźmy już, mam rezerwację w fajnej knajpce niedaleko stąd, zjemy pyszną pastę albo co tam będziesz chciała.

– Nie jestem głodna. Zabierz mnie, proszę, do domu. Mam mnóstwo pracy i jestem skonana. – Nie patrzyła mu w oczy.

Oho, jest gorzej, niż myślał. Próbował jakoś się do niej przebić, ale bezskutecznie.

Rozzłościło go to. On jej się do stóp ściele, a ona fochy stroi. I nic nie pomaga, próbował ją ułagodzić, objąć, ale mu się wymknęła. Za stary jest na takie gierki. Nie to nie, jeszcze do niego zatęskni.

3.

Wsiedli do samochodu. Wraz z silnikiem włączyło się radio, z głośników popłynął charakterystyczny głos lidera Simply Red: *Watching love drifting away, and I feel like I'm someone else, the hurting is rough, long are the days, and you have hurt me enough**... noż kurwa, jak znalazł. Nie mogło być coś o miłości? Jakoś by ją ułagodził, ale oczywiście nie – musi być o poranieniu, o odchodzącym uczuciu. Czy ona zna angielski? Tak mało o niej wiedział, chociaż ciągle wydawało mu się, że wszystko.

Zerknął na nią. Cholera, zrozumiała słowa piosenki. Czy to łza? Tego mu jeszcze brakuje. Ryczy? Nie, to tylko jego wyobraźnia. Czuje się winny. Bez przesady, chyba nie sądziła, że jest człowiekiem bez przeszłości. Powinien jej powiedzieć? Do chuja pana, co powiedzieć? Że sypiał z inną panienką od dwóch lat? Przecież w księdzu się nie zakochała.

Zaraz, a skąd pewność, że zakochana? Może jej chodzi o to samo, o co jemu i Jolce? Czysty układ – *friends with benefits*. Może po prostu ma ochotę trochę się z nim pokitłasić w pościeli? Teraz te laski takie wyzwolone. E, nie, z niej

* Z piosenki *Fake* grupy Simply Red.

przecież taka dumna Lady Godiva z płonącym wzrokiem. Gdyby nie jego wahanie, kiedy zaproponowała wieczór, siedziałaby za kilka godzin na nim z włosami spływającymi na piersi, mleczna i ruda, ze sterczącymi sutkami. Przecież już dotykał i wie, jakie są; ruszałaby się niespiesznie w przód i w tył, anglezując na nim jak rasowa amazonka. Poczuł wzwód. To trzeba jakoś odwrócić, naprawić.

– Lenuś, co jest?

Siedziała z głową zwróconą w prawo, nie widział jej oczu zza okularów. Sięgnął po jej rękę. Nie cofnęła jej, ale czuł, że zamiera, sztywnieje, choć niestety, nie tak jak wcześniej. Nie drżała już, nie lgnęła do niego, a jej oczy nie paliły, nie nagliły.

– Lisiczko, jedźmy gdzieś, zjemy, porozmawiamy. Co ci jest?

– Nic, Jul, zmęczenie wzięło górę. Odstaw mnie do domu, nie będę ci zabierać więcej czasu – powiedziała drewnianym, bezbarwnym głosem.

Wiedział, że dał dupy, ale nie przyznawał się do tego nawet przed sobą. A poza tym babskie dąsy doprowadzały go do szału! Zawsze.

Podjechał pod blok. Wyszła sama i bez słowa otworzyła tylne drzwi, by sięgnąć po buty i resztę swoich rzeczy. Ostatecznie go to przekonało, że jest na niego zła. Przedtem czekała, aż otworzy jej drzwi, bardzo mu to imponowało, było takie niedzisiejsze.

– Kupiłem ci kilka książek, poczekaj, wyjmę je z bagażnika.

– Dasz mi je innym razem, nie mam już rąk, nie dotargam ich na górę – mówiąc to, zakręciła się przy nim, objęła krótko. Musnęła nawet ustami jego lekko zarośnięty już o tej porze policzek, co napełniło go nadzieją, sekundową radością, że jej przeszło. Ale nic się nie zmieniło, tylko pożegnała się z nim, udając serdeczność.

Zanim zdążył zareagować, odeszła szybko, a po chwili zniknęła w czeluściach klatki schodowej.

Co go podkusiło, żeby wtedy pomyśleć o wieczorze z Jolką? Kobiety takie sprawy czują na kilometr, a już inną na pewno.

No nic, dzisiaj już nic nie wskóra. Da jej trochę ochłonąć, zadzwoni może później, może jutro, wszystko zależy od tego, co się będzie działo w Hiltonie. Na samą myśl o tym, co Jolka ma pod sukienką, przyspieszył ruchy. Zdąży się jeszcze odświeżyć, odpocząć, bo czuł, że trzeba mu będzie dużo sił tej nocy.

4.

Pierwszy raz był w Hiltonie. Nawet mu się podobało, brązowo-kremowa kolorystyka sprzyjała odpoczynkowi. Gdzieniegdzie rude plamy w dekorze były impulsem kolorystycznym do aktywnych działań. Oj, tak, będzie aktywny jak cholera, już był nabuzowany. Wszystko się na to złożyło, ten niesamowity moment z Leną pośrodku stadionu pełnego ludzi, wcześniej telefon Jolki i ten niespodziewany obrót spraw z wizją nocy w hotelu. A przecież planował tylko spotkanie w restauracji. Chciał wytłumaczyć wszystko Jolce, uspokoić, że to nie jej wina, że tak czasem się dzieje.

Lena tkwiła niczym drzazga w jego głowie. Źle się zadziało, ale miał nadzieję to wkrótce odkręcić. A jeśli się nie da? Pomyśli o tym jutro.

Zaśmiał się w duchu. Patrzcie państwo, jaka z niego Scarlett O'Hara. A jeśli ona obraziła się na zawsze? Czy w takim razie jest sens kończyć związek z Jolą?

Jeszcze raz spojrzał na SMS-a z numerem pokoju, wjechał windą na piętro, nikt go nie zauważył, nikt go nie niepokoił. Czuł się jak bohater starego romansu na schadzce z mężatką w hotelu w sąsiednim mieście.

Idąc mrocznym korytarzem, zastanawiał się, co on właściwie wyprawia. Przecież najbardziej na świecie chciał, aby teraz po drugiej stronie drzwi stała Lena.

Jeszcze w domu modlił się o jakiś sygnał od niej właśnie. Zmęczył go dzień na targach, a nade wszystko emocje związane z Lisicą. Wziął prysznic i, zawinięty jedynie w ręcznik, położył się na chwilę i zmorzył go upał.

Drzemał. Wydawało mu się, że ona jest obok. Nie, że śni o tym, tylko że ma ją gdzieś niedaleko. On śpi, a ona się krząta albo siedzi z nogami podwiniętymi pod siebie i czyta, albo półleżąc na balkonie, wyjada truskawki z wielkiej szklanej misy, tej, która zwykle stoi na lodówce. Otworzył oczy z poczuciem błogiego szczęścia z powodu obecności Leny.

I zaraz wróciła świadomość, że ona jest nie z nim, nie w jego domu, i nawet nie wie, czy ma jakiekolwiek szanse, by ten sen się ziścił. Zadzwonił do niej, ale włączyła się poczta głosowa. Słuchał nagranego komunikatu, że po sygnale i tak dalej, gorączkowo zastanawiając się, co powiedzieć. Usłyszał przeciągły pisk i głosem bardziej zduszonym, zgnębionym, niż chciał, wyrecytował do bezdusznego automatu: „Lenuś, oddzwoń. Pogadajmy. Kochanie. Heleno Miła, na litość boską, nie zostawiaj mnie tak bez słowa!" – to ostatnie generalskim tonem, żartobliwie, bo nie wiedział, co dalej powiedzieć, nienawidził tych nagrywarek, a poza tym czuł się idiotycznie, bo uderzył w ton proszącego winowajcy. Faktycznie czuł, że to on zawalił, więc zaczynał się korzyć. Do cholery jasnej, z jakiego powodu? Co ją tak ubodło? Konkretnie, dlaczego taka zmiana frontu? Zaczął szukać w głowie tego momentu, chwili, która wszystko odmieniła.

Telefon. Powinien się już ubierać, ale jeszcze sięgnął po iPhone'a i przejrzał wczorajsze wiadomości. Wszystko wróciło, aż się spocił, tak bardzo chciał, żeby znowu był dzisiejszy ranek, żeby wszystko było jeszcze przed nimi. Przypomniał sobie jej oczy i słowa – „Ja też chcę, też nie mogę już czekać. Dziś wieczorem?" – już wiedział, gdzie zawalił. Nie zareagował od razu, a przecież gdyby nie telefon do Jolki, wziąłby Lenę na ręce i gnał do domu. Nie dałby jej już o niczym decydować. Jakie wieczorem? Teraz, zaraz! Głośno wypuścił powietrze przez usta. No to, stary, się popisałeś. Nic dziwnego, że cię pogoniła. Kobiety mają siódmy zmysł, wyczuła, od razu się zorientowała. Jakiś plan, panie mądraliński, jebako domorosły? Takiś, kurwa, mądry, a tu oleju we łbie nie staje, za to co innego jak najbardziej.

Znalazł wreszcie właściwy pokój, daleko od windy. Zapukał energicznie, dosyć już miał tych wspominek, rozważań, już był w *make wild sex mode*, spięty, gotowy, ciekawy, jaką niespodziankę zgotowała mu Jolka.

Otworzyła mu, za jej plecami zauważył stolik nakryty dla dwojga. Pokój czekoladowo-kremowy, jedna ściana oszklona, z widokiem na Warszawę.

Bez słowa zrobił dwa kroki, przekraczając próg, objął Jolkę wpół i pocałował głęboko i zachłannie. Poczuł, jak jego spragnione Heleny ciało reaguje na ten bodziec. Chrzanić to wszystko, liczy się tu i teraz, liczy się, że zaraz będzie jazda, brakowało mu tego, chciał usłyszeć jęk, chciał wydobyć z tej kobiety krzyk. I sam chciał poczuć rwanie z podbrzusza, wypływającą falę, jak wiele razy przedtem, jak – miał nadzieję – jeszcze wiele razy potem.

Niecierpliwie, nadal bez słowa, popychał Jolkę w stronę obszernego łoża, które wyglądało jak kostki ciemnej czekolady pociągnięte warstwą białej. Zadarł kobiecie sukienkę i wsunął rękę między jej nogi. Nie poczuł oporu materiału, zaskoczony pchnął ją plecami na łóżko i zjechał głową w dół, zobaczyć, co to za siurpryza.

Jolka miała na sobie czarne pończochy, krwistobordowy pas do nich i figi z rozciętym kroczem. Zaraz, nie figi, to było body! Cienkie, przezroczyste na brzuchu jak siatka. Niecierpliwie, prawie gwałtownie, zdzierał z niej kieckę. Chciała coś powiedzieć, ale położył swoje usta na jej wargach i wyszeptał, zanim znowu wsunął w nią język: „Ciiiiiiii”.

Leżała przed nim z podciągniętymi nogami. Bardzo go ta wyuzdana poza podniecała. Oddychała szybko. Kiedy zassał jej sutek, wciągnęła powietrze, jakby wynurzyła się właśnie spod wody, zajęczała przeciągle. Stanik, stanowiący integralną część body, też nie był jednolity, miał ozdobne wycięcia wokół brodawek, obszyte miękką koronką w tym samym kolorze, co pas. Na czarnym tle body sutki wyglądały jak dwa cukierki zapraszające, żeby je ssać bez końca. Jolka miała zachwycające piersi.

W ogóle jej ciało było bardzo smakowite, chociaż już dawno przekroczyła czterdziestkę. Dbała o nie i ono jej się odpłacało.

Bez uprzedzenia zsunął się nagle między jej nogi. Pachniała piżmowo, bardzo to lubił. Zaczął pieścić ją językiem. Uśmiechnął się w duchu, kiedy poczuł, jak Jolka zaczyna się wić, delikatnie, bo przecież tylko udawała, że niby się wyrywa, ale tak naprawdę podstawia bardziej. Lubił te samicze zachowania u niej. Przerwał, kiedy poczuł, że jest gotowa szczytować. Jeszcze nie teraz, moja droga.

Podniósł się i zaczął rozpinać koszulę. Nastawił się, kiedy sięgnęła rękami za pasek, wciągnął brzuch, gdy rozpinała mu spodnie, niecierpliwie czekał, aż zajmie się jego twardzielem. Była napalona, pchnęła go na plecy. Zerwała z niego spodnie, buty, po czym odwróciła się i wypinając do niego półnagi tyłeczek, zaczęła zsuwać mu skarpety.

Podjęła jego grę. W ogóle się nie odzywała, chociaż czasem lubiła poświntuszyć. Wiedziała, że podnieca go widok jej tyłka. Kiedy uznała, że już wystarczy tego oglądania, odwróciła się i uklękła nad nim. Widział jej usta pracujące jak doskonale naoliwiony tłok, jednocześnie wypinała krągły tyłek i poruszała nim. Nie był młodzikiem, nie bał się przedwczesnego wytrysku, ale zobaczył oczami wyobraźni rudy łeb, pomyślał o miedzianym owłosieniu na cipce Leny (o jeny, jaką miał nadzieję, że nie jest ogolona i że włosy tam ma właśnie rude) i poczuł, że zaraz się spuści w usta Jolki. To nie byłoby powodem do chluby. Wyrwał się spod niej. Podciągnął kochankę pod siebie i ułożył w pozycji misjonarskiej. Podniecała go taka trochę wyuzdana, trochę niewinna. Rozsunął biodrami jej uda i natarł na nią mocno. Lubiła właśnie tak, musiała czuć, jak uderza w nią lędźwiami. Był aż nadto gotowy, wzwiedziony do granic możliwości, jego kule twarde, gotowe do wybuchu. Znowu zobaczył przed oczami piegi, podniósł się na rękach, zadarł głowę, nie chciał, żeby Jolka widziała na jego twarzy obraz innej kobiety, ale nie umiał tej rudej mary zatrzymać, nie chciał, marzył właśnie o tym, żeby to ta druga wiła się teraz pod nim.

Był gotowy, ale nie chciał kończyć przed Jolką. Pochylił się nad jej sterczącymi w fiszbinach piersiami, zaciągnął się jej sutkiem, poczuł smak nadchodzącej rozkoszy kochanki, lubił wiedzieć, że kobieta zaraz dzięki niemu oszaleje. Dziwił się facetom, którzy o to nie dbali, przecież to potęgowało orgazm: to, że kobieta jest skutecznie ujeżdżona, że poci się z rozkoszy, a z jej gardła wydobywa się jęk. On sam wolał słyszeć krzyk – zwierzęcy, niepohamowany. Do tego oczy zamglone obłędem. Dlatego prosił, żeby kobiety patrzyły na niego w trakcie orgazmu, żeby nie zamykały oczu.

Szarpnęło nim, kiedy ona zaczynała już cichnąć. Jęknął przeciągle i dobijał do niej ostro, żeby poczuć kolejne spazmy, wwiercał się w jej biodra, jakby to miało dodać mu rozkoszy, wycisnąć z niego tę ostatnią kroplę przyjemności.

Opadł na nią miękko, próbował unormować oddech. Czuł, że Jolka pod nim też wiotczeje, staje się bezbronna, tkliwa. Przeturlał się na bok. Przyciągnął ją do siebie, odpoczywali chwilę.

Ona podniosła się pierwsza, odpłynęła bezgłośnie bosymi stopami po dywanie do łazienki. Wróciła z ręcznikiem dla Jula, zarzuciła mu go na biodra i odwróciła się w stronę zastawionego stołu.

Juliusz doprowadził się do porządku. Zgłodniał. W dżinsach i rozpiętej koszuli, też bosy, usiadł przy stole i nałożył sobie trochę sałatki i dwa soczyste plastry szynki. Świeże pieczywo, ciekawe, czy sami je tu pieką? Przypomniał sobie o winie, butelka leżała przy drzwiach, musiał ją tam zostawić, kiedy przygarnął do siebie Jolkę. Otworzył i nalał dwa kieliszki.

Stała do niego bokiem, oparta o szybę, ubrana w biały szlafrok hotelowy, zadowolona jak kotka po wylizaniu miseczki ze śmietanką. Patrzyła to na niego, to na Warszawę, nad którą zapadał mrok. Opowiadała coś o tym pokoju, który spadł im jak z nieba, o koleżance, która miała imieniny. Helena to, Helena tamto... Zaraz, jakie imieniny, Heleny?

Spytał, potwierdziła. Przypadały w czwartek, ale bawiły się na mieście w piątek.

Przeprosił ją na chwilę, schował się w łazience. Boże, jego Lena właśnie miała imieniny. A nawet jeśli nie obchodzi ich w tym terminie, to przecież on nie musi tego wiedzieć. Miał punkt zaczepienia. Kupi jej prezent, kwiaty, pojedzie z rana pod blok, dowie się, gdzie mieszka ta kobieta z upośledzoną siostrą, znał przecież numer klatki... Ale przecież jutro niedziela, nie otwierają sklepów na tyle wcześnie, żeby zdążył być pod blokiem przed jej wyjściem na targi. Dziś już za późno. Zaczął gorączkowo myśleć, co kupić, dokąd jechać, czy nie ma znajomego właściciela sklepu.

„Myśl, chłopie, kombinuj, jest szansa. Wsadzisz stopę między drzwi a framugę, nie dasz się tak łatwo drugi raz odsunąć". Musiał zadzwonić do paru osób, od siedzenia na dupie jeszcze koła nie wymyślono.

Wparował do pokoju rozgorączkowany, jakby zapomniał, że nie jest sam. Zorientował się za późno. Jolka czytała w nim jak w otwartej księdze, gdzie wielkimi literami wypisano: MAM INNĄ.

Kiedy stał naprzeciwko Jolki, ona uważnie mu się przyglądała.

– Julek, czy to był pożegnalny seks?

– Skąd ten pomysł, moja panno? – Zaskoczyła go, ale starał się tego po sobie nie pokazać.

– Znamy się nie od dziś. Wiem, że coś jest inaczej, już poprzednim razem było. Co jest? Odrobina szczerości, tyle mi się chyba należy?

– Jolcia, poznałem kogoś. Ta kobieta... nawet nie wiem, czy mnie zechce, nic między nami nie było, ale...

Co jej miał powiedzieć, żeby bardziej nie zranić?

Bez słowa odwróciła się tyłem, patrzyła przez okno, wielkie, nagle nieprzyjazne. Wyglądała, jakby miała się z niego rzucić. Podszedł, objął ją, szarpnęła się, raz, drugi, ale przytrzymał jak rozhisteryzowane dziecko i chwilę tak stali. Poczuł, że się uspokoiła. Jeszcze chwila, odwróci się i odejdzie. Zamyka jeden rozdział, a nawet nie wie, czy ma szansę na drugi. Nie chciał takiego pożegnania z Jolą. Znowu coś schrzanił. Taki był dotychczas uważny, a tu błąd za błędem. Nie tak, nie tak, Juliuszu – upomniał się w duchu – przynajmniej spróbuj naprawić ten pierwszy. Drugiego już się nie da.

5.

– Posłuchaj, stary, to jest sprawa życia i śmierci, przecież wiesz, że nie prosiłbym cię o to, gdyby to nie było ważne. Pamiętam, że kiedyś spotykałeś się z właścicielką salonu jubilerskiego w Klifie. Czy nadal jesteście razem?

Słuchał przez chwilę opowieści o trudnych losach kolesia, którego mało znał, ale któremu kiedyś na gwałt zrobił jakieś niezbędne opracowanie. Teraz niech się skurczybyk odwdzięczy. W duchu pochwalił się, że nie ma zwyczaju kasować żadnych numerów telefonów, nigdy nie wiadomo, co się przyda.

– A możesz do niej zadzwonić? Tylko wiesz, czas nagli, bo w sklepie ktoś jeszcze może być, ale z każdą minutą prawdopodobieństwo maleje – przerwał mu opowieść o tym, jak ona chciała, on nie chciał, a ona naciskała, potem on chciał, a ona nie chciała…

– Wiem, zdaję sobie sprawę, że już zamknięte, ale Klif jeszcze nie, może ktoś kasę robi w sklepie albo coś. Powiedz, że na pewno będzie zakup, i to nie jakieś tanie gówno, tylko porządny drobiazg. Muszę to mieć na jutro, zrozum, inaczej ekstralaska pójdzie się jebać z kimś innym.

Nie lubił takich wulgaryzmów, ale pamiętał, że tamten i owszem. Miał rację, bo usłyszał lubieżny rechot i już go miał. Nic innego by do niego nie przemówiło, a dobre jebanko jak najbardziej.

Kolega rozłączył się z poleceniem, że ma czekać na telefon. Jul usiadł na ławce na placu Grzybowskim, gdzie w międzyczasie dotarł. Wokół pełno młodych ludzi, jakaś para stała „nad wodą", całowali się. Zawiesił się na chwilę, pomyślał o Lenie. Jak ona poddawała mu ten drobny pyszczek do pocałunków, tak ufnie, przymykając oczy, niemal słyszał, jak mruczy. Taka kocia była. A gdy się podnieciła, zmieniała się w samicę geparda. Prosił wszechświat – niech ona jeszcze kiedyś położy na nim swoje pazury, niech go nawet rozryje do krwi, ale niech się odezwie.

Sięgnął po telefon. Nic. Wybrał jej numer, czekał, poczta głosowa. Znowu komunikat i ten sygnał, jak linia ciągła na odczycie pracy serca – asystolia ich uczucia.

Zerwał się z ławki – ty gamoniu, zamiast tu siedzieć, łap taksówkę i gnaj do Klifa. Jeśli ta kobieta zgodzi się go wpuścić do sklepu, już tam będzie, a jeśli nie, to po prostu wróci taksówką do domu.

Po dziesięciu minutach taksówka podjechała po niego, a znajomy wciąż nie dzwonił. Co robić, cholera? Już miał złożyć broń, kiedy poczuł wibracje komórki. Odebrał, słuchał chwilę, po chwili uśmiechnięty rozparł się wygodnie na tylnym siedzeniu – załatwione.

Wracam do gry, moja Miła.

HELENA

1.

Siedziała na spotkaniu z Dannerem, ale nie rozumiała nic z tego, co mówiono. Setny raz analizowała, co powiedziała źle, dlaczego go zniechęciła, jak to się mogło stać? Przecież chciał. Stali tam, w tłumie, a jakby na bezludnej wyspie. Patrzył na nią tak, że nie mogła się mylić. Nie mogła!

Widać wszystko jest możliwe. Jak tylko powiedziała, że dziś wieczorem, że bardzo, że też już nie chce dłużej czekać, nagle mu się odechciało. Przestał nalegać, jakby ktoś wyłączył w nim opcję „pożądam". Matka miała rację: gdy tylko kobieta się na coś godzi, a robi to za wcześnie, szacunek szlag trafia.

Nie wiedziała, co ma dalej robić. Najchętniej wyszłaby ze stadionu, ale jej rzeczy leżały w samochodzie, poza tym nie bardzo mogła uwierzyć w to, co się dzieje. Nie chciała robić scen, ale straciła grunt pod nogami. I nie, to nie była jej wyobraźnia. Niestety, to się działo naprawdę.

Modliła się w duchu, żeby spotkanie już się skończyło, żeby wrócić do domu i móc się wypłakać – z rozpaczy, ze złości. Jak mogła być tak głupia? Po co jej to wszystko? Ledwo wyszła z jednego związku, a już dała się omamić innym portkom. Zamiast poczekać, ochłonąć, rozejrzeć się, dać sobie trochę czasu, nie – dała się wywlec z tej knajpki, tam w centrum, potem te ekscesy w restauracji. Od razu poczuła, że się czerwieni.

Jul wziął ją za rękę. Po co to robisz? – myślała. – Teraz ci głupio, że tak się pomyliłeś, że masz do czynienia z głupią, napaloną siksą? Nie miała odwagi na niego spojrzeć, nie chciała widzieć pogardy w jego oczach.

Przechodziła gładko od smutku, okropnego poczucia straty, chociaż przecież on jeszcze nie był jej, do złości – bo to o nią mają zabiegać mężczyźni, to ją trzeba zdobywać, a jeśli nie chcą, to ich strata.

Jezu, co ona gada, jacy mężczyźni, jak zabiegają? Przecież ona siedziała do tej pory w małym mieście na krańcu Polski, z tym samym facetem od liceum, czego tu się spodziewać? Zardzewiała lalka, nawet włosy jak korozja, bez charyzmy. Czego oczekiwała, że Jul się nią zachwyci? Zejdź na ziemię, kochana, takie rzeczy się nie zdarzają, a już na pewno nie tobie.

Miała wrażenie, że kurczy się w sobie, chciała zniknąć. Dotrwała jakoś do końca spotkania, po czym bez zwłoki udała się do podziemi, gdzie stał samochód. Jul wydawał się zaskoczony, coś mówił, ale nie słuchała go. To przecież same grzecznościowe uwagi, co tu jest do dodania? Jazda samochodem to już był masochizm w czystej postaci. Bała się, że Jul zauważy, że puszczają jej nerwy. Dobrze, że miała ciemne okulary. Pomyślała o wspólnym poranku, o tym, jak na nią patrzył, jak ją całował tam, na płycie boiska, jak zatrzymał się wtedy świat. Nie udało jej się powstrzymać łez, ale pozwoliła sobie tylko na kilka. Wiedziała, że jeśli nie weźmie się w garść, jeśli nie zbierze się w sobie, zrobi z siebie idiotkę.

Pod blokiem pozbierała swoje rzeczy i pożegnała się szybko. Jeszcze tylko ostatni raz przytuli swój policzek do jego policzka, obejmie go. O Boże, jak on pachnie! Pora iść. Żeby tylko prosto się trzymać, żeby się nie potknąć. Jezu, nic nie widzi, za dużo łez.

Nawet się nie obejrzała, nie da mu tej satysfakcji. Nie to nie, łaski bez. I tak był dla niej za stary.

Zamknęła za sobą drzwi. Osunęła się na schody prowadzące na parter. Nie zważała na swoje rzeczy, które ułożyły się u jej stóp jak trofea. Płakała, już mogła. Miała do siebie żal, że na to pozwoliła, że zawierzyła, że nie oceniła właściwie sytuacji. Warszawa nie jest dla takich głupich kóz. Chyba odważyła się na życie, którego nie udźwignie.

Nie była w stanie się podnieść. Jak, do cholery, pokonać drogę na górę? Tłumaczyła sobie, że musi, że krok za krokiem – natychmiast przestań się mazgaić – schodek za schodkiem – kretynko, nie rób z siebie pośmiewiska, zaraz ktoś wejdzie i będzie wstyd.

Trzymała twarz w dłoniach, łzy spływały jej po przedramionach, kapały z łokci, zupełnie nie potrafiła się pozbierać.

Nagle zamarła, dosłownie w pół szlochu. Poczuła przesuwającą się po włosach dłoń. Podniosła twarz gwałtownie, to Jul, wrócił, wszystko jej wytłumaczy…

Ale przed nią stała drobna, niewysoka kobieta. Miała dobrotliwą twarz, śmiesznie szeroki koniec nosa, jak u Małej Mi z Muminków, a włosy mlecznobiałe, zawinięte w koczek. Ubrana była w grafitową spódnicę i białą bluzkę z milionem malutkich, pionowych szczypanek.

Pękło mi serce, jestem w niebie (albo w piekle) i ta kobieta przyszła mnie przywitać – pomyślała Lena.

– Dziecko, co ci się stało? Czy ktoś cię skrzywdził? – przemówiła łagodnym tonem kobieta.

Lena całkiem rozpadła się na kawałki. Znowu zaczęła płakać. Dobroć obcej kobiety, ciepło jej dłoni, którą teraz trzymała na jej ramieniu – tego wszystkiego było za wiele. Nie zauważyła nawet, jak kobieta zgarnia jej rzeczy, zabiera je do mieszkania, którego drzwi stały otworem zaraz za plecami Leny, po czym wraca, delikatnie zachęca dziewczynę, by wstała, i prowadzi ją jak dziecko tam, gdzie przed chwilą zniknęły jej rzeczy.

Helena oprzytomniała, dopiero kiedy nieznajoma sadzała ją w przepastnym, zielonkawym fotelu. Rozejrzała się załzawionymi oczami po lekko mrocznym, z powodu mnogości roślin doniczkowych, pokoju. Okno było otwarte na oścież, firanka powiewała leniwie, jakby chciała powiedzieć: „Spokoooojnie, Leno, już dobrze, jesteś w dobrych rękach, już cicho, otrzyj łzy".

Kobieta poruszała się po pokoju drobnymi krokami. Ustawiła na stoliku między fotelami dwie filiżanki, cukiernicę i popielniczkę, po czym wzięła do ręki czajniczek na herbatę od kompletu z filiżankami i wyszła bez słowa.

Lena oparła głowę o zagłówek. Całkiem już spokojna, wsłuchiwała się w odgłosy osiedla. Sobota, ludzie wracali z zakupami. Słyszała, jak jakaś matka obiecuje dziecku kino (zjesz ładnie obiadek i pojedziemy na film), dwóch mężczyzn spierało się o przyczynę usterki w samochodzie (mówię ci, że to rozrząd, na bank), ktoś popędzał partnerkę (już jesteśmy spóźnieni, z tobą to tak zawsze).

Przymknęła oczy. Była wdzięczna tej kobiecie, że nie zostawiła jej na schodach. Przecież mogła pomyśleć, że to nie jej sprawa, że trzeba Lenie dać się uporać ze swoimi problemami w samotności.

Gospodyni weszła do pokoju, nie – jak spodziewała się Lena – z czajniczkiem w ręku, ale z talerzem, na którym złociły się świeżo usmażone pierogi.

– Jak znam życie, kochaneczko, nic nie jadłaś od wielu godzin. Mam nadzieję, że lubisz ruskie. A jak sobie podjesz, to świat od razu okaże się znośniejszy, wiem, co mówię. – Na znak, że naprawdę wie, energicznie kiwała głową, aż jej koczek podskakiwał.

Nie słuchała tłumaczeń Leny, że to przecież nie wypada, że nie może jej tak spadać na głowę i do tego objadać. Machnęła tylko ręką i oddaliła się po czajniczek, bo – jak powiedziała – na frasunek nie ma nic lepszego od dobrej, aromatycznej herbaty.

– Ja też uwielbiam dobrą herbatę – rzekła Lena, podążając za starszą panią. Stwierdziła, że nie może jej pozwolić, żeby tak biegała w tę i z powrotem jak służąca.

Weszła do małej, ale przytulnej kuchni, gdzie wszystko miało swoje, bardzo przemyślane, miejsce. Stare słoiczki, różne piękne pojemniki, do których gospodyni na pewno przesypywała produkty sprzedawane teraz w nowoczesnych, nie zawsze gustownych opakowaniach. Lena musiała przyznać, że taki klimat bardzo jej odpowiadał. Pomyślała, że też musi zacząć zbierać piękne pudełka, puszki i kupować porcelanowe naczynia, żeby na starość mieć wokół siebie tylko takie przedmioty, które niosą przyjemność – dla oczu, dla wspomnień, dla ducha. Ale jak to robić, skoro ona ciągle nie ma swojego miejsca na ziemi? A przecież wcale nie jest taka młoda, już powinna mieć swoją kuchnię. Znowu się zasępiła.

Nie uszło to uwagi staruszki. Naparła na nią delikatnie, pokazując kierunek ewakuacji z kuchni. Nie dała jej nieść czajniczka.

– Pierogi ci stygną, kochaneczko, szoruj do pokoju jeść, ja sobie spokojnie doczłapię.

Kiedy Lena jadła, ona nalała herbaty do filiżanek, po czym sięgnęła do pięknej srebrnej papierośnicy. Papierosa osadziła w lufce, nie – jak można by się spodziewać – starej, srebrnej, ale trochę męskiej w stylu, nie za długiej, czarno-brązowej. Staruszka złapała wzrok Leny i uśmiechnęła się przepraszająco.

– Ładna lufka, prawda? Wrzosiec. Kupiłam niedawno przez Internet. Nie martw się, nie będę palić, kiedy jesz, ale potem, jeśli pozwolisz, popykałabym sobie, bo lubię. W moim wieku niewiele już się ma przyjemności, nie palę dużo, ale przy filiżance kawy czy herbaty, w dobrym towarzystwie, lubię.

– Ależ proszę, mnie to nie przeszkadza, nawet teraz, proszę się nie krępować.

– O nie, w naszym domu nigdy nie palono podczas jedzenia. To jest czynność zarezerwowana na deser, z tym mi się kojarzy.

– Przepraszam, że zapytam, czy pani powiedziała, że kupiła ją przez Internet?

– Tak, podoba ci się? Jeśli chcesz, znajdę link i podeślę ci mailem.

Lena osłupiała. Miała przed sobą kobietę na oko osiemdziesięcioletnią, wprawdzie sprawną fizycznie i o żywym umyśle, ale nie spodziewała się, że starsza pani kupuje na aukcjach internetowych i że używa poczty elektronicznej. Czym ją jeszcze zaskoczy?

– Nie dziw się tak, kochaneczko, mam wnuka, który ma cierpliwość do starej kobiety, wszystko mi pokazał. Najpierw Skype'a, bo on często wyjeżdża, wykłada za granicą. Potem inne wynalazki, po kolei, krok po kroku, nauczyłam się tego i owego. Mam takiego zgrabnego laptopa w drugim pokoju, biureczko i tam wszystko robię, nawet bankowe sprawy załatwiam, bo to takie proste i nie wymaga chodzenia do oddziału. Mam szybkie łącze, mogę sobie nawet koncertów z Wiednia słuchać online.

Lena o mało nie udławiła się pierogiem, kiedy usłyszała z jej ust słowo „online".

– No to teraz opowiedz mi, co cię tak poruszyło, że się na tych schodach rozsypałaś w drobny mak – rzekła gospodyni, zabierając pusty talerz.

Gdyby wypadało, Lena wylizałaby talerz. Te pierogi były pyszne.

– Czego pani dodaje do farszu? Był taki wyśmienity, a ciasto idealne, nie za twarde, nie za miękkie. Nigdy nie jadłam tak dobrych ruskich.

– E tam, normalne pierogi, głodna po prostu byłaś. Babka mnie nauczyła, moja mama też tak robiła, ja za nimi, nic takiego – mąka, jajo, woda, gotowane ziemniaki, smażona cebula i twaróg. Diabeł chyba tkwi w tym, że twaróg nie może być chudy, no i odpowiedni stosunek sera do ziemniaków. Dużo pieprzu i tyle. Pokażę ci kiedyś, bo ja nie mam przepisów, z głowy gotuję. Ale ty mi oczu nie mydl. Opowiedz, lżej ci się zrobi na sercu, bo to chyba sercowa sprawa, mam rację?

– Tak. Sama nie wiem, co tu jest do opowiedzenia. To takie skomplikowane.

– Wszystkie sprawy tego typu są takie, moja droga. Nie zawsze byłam stara, nie zawsze sama, a uczuciowe komplikacje, niezależnie od czasów, są zawsze takie same, trudno uwierzyć jak bardzo.

– Oj, chyba nie ma pani dla mnie tyle czasu, żeby wysłuchać mojej historii.

– A widzisz, żebym się gdzieś spieszyła?

Lena zaśmiała się serdecznie. Posłodziła lekko herbatę, wzięła spodeczek z filiżanką do ręki, oparła się wygodnie i popłynęła opowieść o Zbyszku, przeprowadzce, o Julu (bez detali), o tym, jaka jest naiwna, w gorącej wodzie kąpana, jak jej teraz z tym źle, smutno i w ogóle, jaka jest pogubiona w sytuacji i w życiu.

Pani Michalina, bo już się sobie przedstawiły i obie zdążyły zachwycić swoimi imionami, takimi niecodziennymi przecież, słuchała uważnie, potakiwała, podgadywała, ale nie przeszkadzała, dała Helenie się wygadać. Kiedy dziewczyna skończyła, siedziały chwilę w milczeniu.

– Widziałam was w czwartek, kiedy nosiliście kartony. Nie sądziłam, że wprowadzasz się do Adeli, myślałam, że mieszkanie na ostatnim piętrze zostało sprzedane i zamieszkasz tam z tym przystojnym młodzieńcem. A tu taka historia.

– To był właśnie Zbyszek. Wypakował mnie i odjechał, nie kontaktujemy się. Podjęłam decyzję, powinnam być fair, nie trzymać go na „stand by", niech ułoży sobie życie.

Lena zorientowała się, że miesza w wypowiedź angielskie słowa, zawstydziła się tego, przeprosiła.

– Dziecko, mój wnuk ciągle to robi, przebywa od czasu do czasu w Stanach, wykłada tam na uczelni, jest ekonomistą. Przyzwyczaiłam się.

– Juliusz, ten drugi mężczyzna, też jest ekonomistą. – Ledwie to powiedziała, wszystko do niej wróciło, znowu poczuła łzy napływające do oczu.

Kobieta od razu to zauważyła. Podreptała do kuchni, a za chwilę wróciła z dwoma talerzykami, na których pyszniły się ukrojone hojną ręką kawałki sernika.

– Czekałam, aż ci się pierogi uleżą, ale widzę, że potrzebny na już. Też przepis mojej babki, i też dobry na frasunek.

– Pani Michalino, u pani nawet nie można się przyzwoicie rozkleić. Widzę, że muszę przestać przejawiać przy pani oznaki słabości, bo mnie pani utuczy na amen.

– Jesteś, dziecko, akurat taka, jak trzeba. Nie grozi ci to, a już na pewno nie po jednym serniku. Jak znam życie, jutro pognasz do siłowni to wszystko spalić.

– Zaskoczę panią, nie chodzę do siłowni, nie biegam, nie ćwiczę, dlatego jestem taka niedoskonała.

– Co też ty mówisz, dziewczyno, jesteś taka apetyczna. Zresztą, co ja cię będę przekonywać, mnie i tak nie uwierzysz. Ale, ale, ja chyba widziałam tego twojego Juliusza. Czy nie on czekał na ciebie dzisiaj rano? Taki postawny mężczyzna, szpakowaty. Wybacz, kochaneczko, tę uwagę, ale za młody to on nie był. Wracałam akurat z kościoła i zwrócił moją uwagę, bo ja tu pięćdziesiąt lat mieszkam i znam wszystkich, a jego jeszcze nie widziałam.

– Pani Michalino, w tym rzecz, że on taki inny, dojrzały, dlatego nie spodziewałam się od niego takiego obrotu spraw. Zaskoczyło mnie, że najpierw jeden komunikat, a potem zupełnie inny, radykalna zmiana.

– Wybacz, że to mówię, ale jesteś pewna, że dobrze go zrozumiałaś? Bo trzeba ci wiedzieć, że większość nieporozumień bierze się z braku komunikacji. Nieważne bowiem jest, co powiedziała osoba A do osoby B, ale co osoba B zrozumiała z tego, co powiedziała osoba A. Intencje mogą być inne, a odbiór inny. Stąd moje pytanie.

– Jestem pewna, ale żeby to wytłumaczyć, musiałabym się do czegoś przyznać, a trochę mi wstyd.

– Jeśli boisz się, że mnie czymś zgorszysz, to przypominam ci, że mam ponad osiemdziesiąt lat i będzie ci trudno. Jeśli to ci rozjaśni sprawę i pomoże, to wal śmiało.

Lena roześmiała się głośno, język starszej pani był nader młodzieżowy jak na jej wiek. Powiedziała jej o tym.

– A bo widzisz, kochaneczko, przez wiele lat udzielałam się w takiej piwnicy, którą prowadzili młodzi psycholodzy dla trudnej młodzieży. Uczyłam dziewczyny szycia, a właściwie przerabiania ciuchów na takie, żeby były po ich myśli. Jestem krawcową na emeryturze, kiedyś to był zawód, nie to, co teraz. Przychodziły do mnie żony generałów, partyjnych działaczy, szyłam na bale, na rauty. Warszawskie elegantki nie mogły niczego kupić w sklepach, brało się z „Burdy" wykroje i wyczarowywałam im kreacje.

– I to te dziewczyny nauczyły panią tak się wyrażać?

– Jak się siedzi przy stole i dłubie igłą w materiale, patrzy się na ręce, a nie w oczy rozmówcy, to się dużo rozmawia o życiu, o tym, co kogoś boli, bo wtedy łatwiej. One mi się zwierzały, czasem coś poradziłam, czasem tylko chodziło o to, żeby ktoś wysłuchał. A ja słuchać umiem, przecież klientki latami przyjmowałam, przesiadywały u mnie, opowiadały o swoich problemach, między sobą dyskutowały, weszło mi w krew.

– Dobrze, więc wytłumaczę, o co chodzi. Otóż od początku było między nami bardzo mocne przyciąganie, jak by to powiedzieć... – Lena zagryzła wargę.

– Fascynacja seksualna, czy tak? – Pani Michalina pomogła jej wybrnąć.

Lena spojrzała na nią z wdzięcznością.

– Tak, właśnie. Jul namawiał, prosił, nęcił, żebym się zgodziła zostać u niego na noc, nawet chciał, żebym się do niego od razu wprowadziła, taki szalony pomysł.

– Raczej desperacja, mężczyźni tak mają, bo wiesz, kochaneczko, o miłości to oni myślą w dalszej kolejności.

– No, nie bardzo mi się to podobało, ale z drugiej strony nie pozostawałam obojętna na jego... – Tu się znowu zacięła.

– Działania w tej kwestii. – I znowu starsza pani przyszła jej w sukurs.

– Tak. A to pocałunek, a to niby przypadkowy dotyk, a to całkiem nieprzypadkowy. I tak od jednego do drugiego, dzisiaj mu powiedziałam, że wieczorem do niego przyjdę. – Zaczerwieniła się przy tym, sama teraz widziała, jaka absurdalnie głupia to sytuacja.

– Rozumiem, czyli w uniesieniu przyznałaś, że też masz ochotę.

– Jakby pani przy tym była. – Lena była zaskoczona, jak szybko pani Michalina złapała, o co chodzi.

– I on zareagował nie tak, jak byś chciała.

– Zupełnie dla mnie niezrozumiale, najpierw nalegał, prosił, przyjdź, zostań, ugotuję coś dla ciebie, a potem, kiedy przyznałam, że chcę, że to już dziś wieczorem, nagle zamilkł. Zaczął omijać temat, właściwie w ogóle nie zareagował, a ja spodziewałam się, że mnie na ręce porwie, tak bardzo tego chciał. Wiem, głupia jestem, bardzo się tego teraz wstydzę.

– Nie jesteś głupia, nigdy tak o sobie nie myśl, a już na pewno nie mów tego na głos. Złe myśli żyją dopóty, dopóki je karmisz, jeszcze sobie coś wmówisz. Pamiętaj, że między dwojgiem ludzi, szczególnie na początku relacji, są głównie emocje. Postąpiłaś tak, jak wtedy czułaś, to nie ma nic wspólnego z logiką, mądrością czy głupotą. A poza tym widzę, że tu chemia aż buzuje, moja droga, ludziom odejmuje rozum w takich przypadkach. A ty go i tak dużo zachowałaś.

– Jest pani dla mnie bardzo łaskawa, ale ja tego tak nie widzę. Przyjechałam z małego miasta i tak też, jak prowincjuszka, się zachowuję. Uwierzyłam, poszłam jak w dym, jak cielęcina jakaś. Pewnie na oczy przejrzał, coś musiałam takiego zrobić, powiedzieć, że nagle zrozumiał. A ja nie wiem, bo jako głupiutka kobieta wiedzieć przecież nie mogę.

– Natychmiast przestań tak myśleć o sobie, to nie przystoi mieć tak niską samoocenę. Pamiętaj, że jesteś dla siebie najważniejsza. Tak jak sama myślisz o sobie, tak myślą o tobie inni.

– Zapamiętam i spróbuję zastosować.

– Koniecznie, nic ci, kochaneczko, nie przyjdzie z deprecjonowania samej siebie. Lepiej pomyśl, co zrobisz, kiedy się odezwie, bo na pewno będzie próbował się z tobą kontaktować.

– Nie sądzę. Pewnie mu ulżyło, że się mnie pozbył.

– Moja droga, widać, że nie masz za sobą wielu doświadczeń, bo inaczej wiedziałabyś, że mężczyźni zafascynowani kobietą nie odpuszczają tak szybko. Poza tym sama mówiłaś, że odeszłaś z godnością, zmieniłaś nagle zdanie, pewnie teraz poczuł, że znowu musi cię gonić. Nęcąca perspektywa dla prawdziwego mężczyzny.

A jeśli tak nie jest, znaczy mała strata, na nic ci się zda erzac mężczyzny.

– Nie wiem, czy z godnością, mam nadzieję, że tak to wyglądało.

W ich rozmowę wdarł się przeraźliwy dzwonek do drzwi, Lena aż podskoczyła, mało nie strąciła filiżanki ze stolika.

– Och, powinnam była cię uprzedzić, że mam taki głośny gong. Słuch już nie ten, a kiedy siedzę w drugim pokoju, tym bardziej nie słyszę. Arek to wymyślił, mój wnuk. Jak znam życie, to on, będziesz miała okazję go poznać.

Pani Michalina pospieszyła do drzwi, po kilku minutach wróciła z mężczyzną na oko czterdziestoletnim, bardzo przystojnym. Załamana czy nie, Lena od razu to zauważyła. Cóż z tego, skoro po wcześniejszych zajściach straciła animusz. Była zła, że nie wyszła wcześniej, nie miała ochoty na nowe znajomości, tym bardziej z mężczyznami.

– Pozwól, Heleno, że przedstawię ci mojego wnuka.

– Arek Zajdler – powiedział ciepłym, niskim głosem mężczyzna.

Lena, nadal siedząc, podała mu rękę, a on skłonił się do niej, ale jej nie ucałował, tylko jakby zbliżył do niej czoło. Wyglądało to jak hołd sułtana tureckiego.

– Czy my się już nie spotkaliśmy? – Arek spojrzał badawczo na Lenę. – Jestem przekonany, że już panią gdzieś widziałem.

– Nie sądzę, na pewno bym zapamiętała. – Lena za późno ugryzła się w język. Co się ze mną dzieje, wcale nie mam ochoty, a wygląda na to, że flirtuję. Poza tym co to za banał – czy my się nie znamy, nie sądzę, na pewno bym zapamiętała... Zaraz zwymiotuję.

W tym momencie Lena zdała sobie sprawę, że babcia Arka zgarnęła ją ze schodów po napadzie niepohamowanego płaczu, więc Lena ma pewnie oczy jak panda. Na pani Michalinie pewnie to wrażenia nie zrobiło, nawet wyglądało naturalnie, bo wiedziała, że ma w domu zapłakaną sierotę. Ale ten przystojniak widzi ją pierwszy raz, a ona robi za dziewczynkę z zapałkami, małą księżniczkę i brzydkie kaczątko razem wzięte. Nawet wcześniej nie pomyślała, żeby iść do łazienki i doprowadzić się do porządku, a teraz świeci czarnymi od tuszu oczami i plamami z rozmazanego fluidu. Pięknie, po prostu cudnie.

Lena zerwała się, zaczęła przepraszać. Zasiedziała się, to nie przystoi, pani Michalina ma gościa, a ona zabiera jej czas.

Starsza pani nie miała zamiaru wypuszczać dziewczyny, przecież tak rzadko teraz ma gości. Lena to dla niej przyjemna odmiana, ma nadzieję, że częściej do niej zajrzy na herbatkę, a teraz niech siada i się nie wygłupia.

Lena klapnęła ponownie na fotel, spojrzała przepraszająco na Arka. Nie wiedziała, jak ma wyjść, żeby nie urazić uroczej sąsiadki, bardzo ją polubiła.

Mężczyzna przyglądał jej się uważnie.

Na pewno dziwi się, co ja tu robię, do tego w takim stanie – myślała Lena.

– Arku, to moja sąsiadka, wprowadziła się do Adelki i Kaśki, niedawno przyjechała do Warszawy, nie sądzę, żebyś miał okazję, przecież i ty zjechałeś ze Stanów dopiero w połowie maja.

Lena spojrzała na nią z wdzięcznością. Jakże ona sprytnie urwała ten niezręczny wątek.

– Zachowałam dla ciebie pierogi ruskie i sernik, my już z Heleną jadłyśmy. Porozmawiajcie sobie tutaj, dzieci, a ja pójdę do kuchni podgrzać – to rzekłszy, pani Michalina oddaliła się, drobiąc kroczki.

Arek usiadł w fotelu babci. Helena zaniepokoiła się, że może powinna pomóc, ale zatrzymał ją gestem ręki. Stwierdził, że babcia zdecydowanie woli sama.

– Nie raz próbowałem jej pomóc, pozwala mi tylko na pozmywanie naczyń, i to też nie zawsze, czasem nie ufa, że zrobię to dobrze.

– Twoja babcia jest niesamowita. Opowiadała mi o zakupach na aukcjach, używa poczty elektronicznej, bankuje online, a do tego jest taka mądra życiowo i chętnie się tą mądrością dzieli. To teraz nieczęste.

– U młodszych, bo są zaganiani, ale starsi ludzie mają dużo uwagi i czasu dla innych, tylko nie każdy lubi ich słuchać. Ty zechciałaś, to i zyskałaś w niej przyjazną duszę, od razu się zorientowałem. Poza tym kiedy mnie tu wprowadzała, mówiła o tobie tak, jakby cię chciała ze mną wyswatać, a ślub najlepiej za tydzień. Wbrew pozorom nieczęsto jej się to zdarza. Właściwie wcale.

– Na długo przyjechałeś do Polski? – Zrazu nie zorientowała się, że zwróciła się do niego po imieniu i że on wcześniej też mówił jej na ty. Dopiero po chwili dotarło do niej, że niechcący skróciła dystans. Za szybko, robi ten sam błąd, co z Julem.

– Na całe lato, mamy przerwę na uczelni. Wracam pod koniec sierpnia, na moje zajęcia zapisali się już studenci, będę pewnie miał też pierwszorocznych, więc podpisali ze mną umowę na kolejny rok. W Stanach nie ma gwarancji pracy, jeśli nie ma chętnych na zajęcia, nie ma roboty, studenci rządzą. A ty, co robisz, jeśli to nie jest zbyt prywatne pytanie?

– Za tydzień zaczynam pracę w firmie zajmującej się dystrybucją prasy zagranicznej, jestem dziennikarką, ale zmieniam orientację na marketing.

– Rozumiem, że jesteś krewną sióstr Paszkowskich.

Lena nie chciała mówić mu, że wynajmuje tam tylko pokój, bo nie wiedziała, czy Adela sobie tego życzy, więc przemilczała. Pozwoliła mu myśleć, że należy do rodziny. Zresztą do pokoju weszła pani Michalina z pełną tacą i oboje rzucili się jej do pomocy.

Mimo że Lena była objedzona do niemożliwości, aż przełknęła ślinę na widok pierogów. Nie uszło tu uwagi Arka.

– Chętnie się podzielę, babcia jak zwykle nałożyła tych pierogów za dużo.

– Jeśli idzie o ruskie twojej babci, to nie ma czegoś takiego jak „za dużo".

– To co, biec po talerz dla ciebie?

– Nie, przecież ja już zjadłam taką samą porcję. I sernik też. Ja tylko wyglądam na taką sierotkę Marysię, w rzeczywistości jestem Smokiem Wawelskim, który właśnie pożarł kolejną porcję owiec dostarczonych przez wieśniaków. Tak się w każdym razie czuję.

Pani Michalina zostawiła młodych sobie, a sama udała się w drogę powrotną do kuchni po kolejny czajniczek. Jej wnuk natychmiast to wykorzystał.

– Wcale nie wyglądasz na sierotkę Marysię, raczej na Oślą Skórkę. – Obniżył głos, wbił w nią wzrok.

Lena zaśmiała się niepewnie. Czy to miał być komplement, czy raczej niepochlebne porównanie?

– Wiem, jestem umorusana na twarzy. Nie spodziewałam się gości.

Odparła trochę przewrotnie, miała nadzieję, że facet zna się na żartach.

– Wyglądasz pięknie, wcale nie jesteś umorusana, a nawet gdyby, nadal byłabyś zjawiskowa.

Lenę zatkało. Patrzyła okrągłymi oczami na Arka, ale on nie spuścił wzroku, nie stropił się.

– To co, chcesz pieroga? Tego najmniejszego, żeby ci nie było żal, kiedy będę jadł.

Mówiąc to, wyciągnął do niej widelec ze złocistym ruskim. Helena odruchowo nachyliła się i chwyciła ustami pieroga, jednocześnie kładąc swoją dłoń na jego dłoni dzierżącej sztuciec. Ją samą zaskoczył ten gest. Arek natomiast wydawał się zachwycony.

– Kacie, czyń swoją powinność, czuję, że tracę głowę.

Spojrzał jeszcze raz w oczy Leny, po czym zabrał się do pierogów. Wyglądał jak mały chłopiec, który wykrył, co dostanie pod choinkę.

2.

Lena podziękowała za gościnę, uściskała panią Michalinę serdecznie, na koniec obiecała, że będzie się odzywać, zaglądać, nawet bez zapowiedzi.

Pani Michalina zaproponowała, żeby wymieniły się numerami komórek. W razie czego Lena zawsze może się do niej zwrócić w dręczących ją sprawach, byle tylko już tak nie rozpaczała na schodach sama – to dodała szeptem, bo już się zorientowała, że Lena nie chce, żeby Arek wiedział, co się stało. Zresztą w duchu przyznała jej rację, to nie na męski rozum.

Lena była wzruszona troską starszej pani, poczuła z nią więź, jakby to była jej własna babcia, chociaż swoją straciła dosyć wcześnie i nie bardzo pamięta. Zapewniła, że jest do jej dyspozycji, ilekroć z kolei ona będzie w jakiejkolwiek potrzebie.

***

Arek przysłuchiwał się pożegnaniu kobiet, z coraz większym zainteresowaniem przyglądał się Lenie. Ciągle odkrywał u niej cechy, czy to wyglądu, czy charakteru, które bardzo mu odpowiadały. Wcale nie chciał, żeby odchodziła. Zależało mu na tym, żeby ją mieć przy sobie, w zasięgu wzroku, żeby mówić i robić rzeczy, które ona będzie podziwiać, a jednocześnie miał prawdziwą przyjemność z obserwowania, jak się rusza, jak śmiesznie marszczy nos, kiedy jest zawstydzona albo zakłopotana, jak niewinnie i jakby z zaskoczeniem reaguje na jego awanse, niczym nieświadoma swojej atrakcyjności. Tak nie zachowują się piękne kobiety, a przecież Lena była nadzwyczajnie urodziwa. Te jej rude włosy, piegi, mleczna skóra, ciemne oczy, usta lekko wydęte, jak u małego dziecka. Była przy tym taka naturalna. Zachwycił się i nie chciał jej stracić z oczu. Gorączkowo myślał, jak znowu znaleźć się w jej orbicie.

Łapczywie przyglądał się jej sylwetce, tym ustom, które zdają się prosić o pocałunek, wypiętemu okrągłemu tyłeczkowi, który mimo luźnego kroju dołu sukienki i tak potrafił znaleźć sposób, żeby się zaznaczyć i zaprosić oczy, aby na nim spoczęły. A jej biust? Toż to dowód na istnienie Boga. Opięty stanik niewiele pozostawiał wyobraźni. Pełny, sterczący, ręce się same wyciągają. Poczuł napięcie w dole brzucha.

W ostatnich latach miał wiele kobiet. W Stanach dziewczyny są wyzwolone, ale w Polsce też nigdy nie miał problemu, żeby z klubu czy przyjęcia wyjść z upatrzoną laską; w Stanach pilnował tylko jednej zasady – żadnych studentek. Reszta już go nie obchodziła, kolor skóry, stan cywilny. Jeśli tylko chciała, a on też był zainteresowany, radośnie wykorzystywał okazje. Od czasu do czasu wchodził w trwalszy układ, ale generalnie nie bawił się w związki, żeby nie komplikować sobie życia.

Ale o niej myślał inaczej. Przez chwilę nawet wyobrażał sobie, jak robią wspólne zakupy, a potem jedzą razem obiad przy stole w jadalni, rozmawiając o tym, jak minął dzień. Lena była kobietą na życie, nie spotykał takich za wiele.

***

– Miałem zamiar zaprosić babcię na jutro do Muzeum Żydów Polskich na rekonesans. Muzeum jeszcze nie jest otwarte, ale już można tam zajrzeć. Bardzo jestem ciekaw, jak się urządzili. To niedaleko, przyjemny spacer, szczególnie że zapowiadają piękną pogodę. Potem zapraszam do Klifa na kawę i tort bezowy, raz się żyje. Wybierz się z nami, nie odmawiaj, proszę.

– Arku, przykro mi, jutro muszę jechać rano na targi. Piszę korespondencję i robię serię wywiadów dla mojej, już wkrótce nieodwołalnie, byłej gazety. Do drugiej jestem nieosiągalna.

– A gdybym cię odebrał ze stadionu o tej porze i przywiózł tu, do domu, a potem wyruszylibyśmy razem do muzeum? W Klifie możemy też zjeść obiad, mają tam sushi. Nie daj się prosić.

Pani Michalina energicznie poparła wnuka. Lena nie wiedziała, jak się wymigać. Zgodziła się, chociaż miała wątpliwości. Wiedziała, że zaraz po powrocie do domu (dziwnie nazywać wynajęty pokój domem) cała sytuacja z Julem wróci do niej, już narastał ciężar w jej piersi. W tym mieszkaniu, w nowym otoczeniu, zapomniała o sprawie, ale w chwili wyjścia na klatkę, gdzie jeszcze kilka godzin temu wypłakiwała oczy, czuła, że smutek już się czai. Ból w sercu wcale nie ustał, jedynie dał się przytłumić, jak po przyjęciu skutecznych środków przeciwbólowych.

Sushi – zaledwie dwa dni temu jadła je z Julem. Karmił ją, całował, ona siedziała mu na kolanach, byli tak blisko, że bliżej nie można. A właściwie można. Mieli teraz leżeć nadzy, spełnieni, splątani, połączeni i co? Nico. Nawet nie zadzwonił.

Łzy napłynęły jej do oczu. Zaczęła zbierać swoje rzeczy. Pani Michalina zaoponowała:

– O nie, moja droga, nie będziesz tego targać sama, Arek ci pomoże.

Wskazała wnukowi torbę i jakieś drobiazgi, które zgarnęła na klatce spod nóg dziewczyny. Lena podeszła, zaczęła to wszystko zbierać wraz z nim. Stuknęli się lekko głowami. Przypomniała sobie epizod z koszem pełnym słodyczy we Wrzeniu Świata, gdy Jul pozbierał to, co strąciła. „To za wiele, nie dam rady, trzeba stąd uciekać, bo zrobię z siebie pośmiewisko" – myślała gorączkowo.

Pożegnała się, Arek podążył za nią. Weszli na pierwsze piętro, potem drugie. Zatrzymali się przy drzwiach. Lena obróciła się do niego, sięgnęła po torbę, już nieobecna, już była daleko.

– Jeśli pozwolisz, spiszę z komórki babci twój telefon, jutro zadzwonię około południa, żeby sprawdzić, jak układają się sprawy na targach i o której mam być. Zgoda?

– Tak, oczywiście. Zadzwoń. Dziękuję za odprowadzenie. Miło było cię poznać.

Nie patrzyła już na niego. Szczerze mówiąc, nie bardzo już zauważała jego obecność i nie martwiła się o jutro. Teraz najważniejsze było dotrzeć do siebie i przeżyć noc. Noc bez niego. Wszystko już bez niego.

ROZDZIAŁ VI
25 MAJA 2014, NIEDZIELA

HELENA

1.

Jakże inny był ten ranek od wczorajszego. W ogóle nie chciało jej się wstawać ani szykować, ani wychodzić z domu. Upał. Poczucie straty. Teraz dopiero zaczęła odczuwać samotność, alienację w tym wielkim mieście, bezsensowność przeprowadzki. Nie mogła się wycofać, a droga naprzód wydawała się zbyt trudna, mroczna. Nie wiedziała, co jest za zakrętem. Tym bardziej frustrujące, że była w wieku, kiedy powinno się już stać mocno na nogach i nie mieć takich dylematów.

Sięgnęła po telefon. Myślała, żeby zadzwonić do mamy, ale przecież nie może jej tego wszystkiego opowiedzieć, nie zrozumie. Ojciec zaraz zacznie robić jej wyrzuty, że zostawiła takiego porządnego chłopaka i poszła na poniewierkę, a Żydzi tylko czyhają na jej cnotę (czyżby ojciec nie wiedział, że raczej wątpliwą?). Rodzeństwa nie miała, w takich chwilach to przykre, chociaż z drugiej strony wcale nie jest pewne, że siostra czy brat byliby jej bliscy.

Która godzina? Czy wypada już zadzwonić do Mileny? Przyjaciółka na pewno spojrzy na sprawy z innej perspektywy i coś jej doradzi. Zresztą sama rozmowa już na pewno pomoże.

Zdziwiona skonstatowała, że telefon jest rozładowany. Jak mogła zapomnieć o tym, żeby go podłączyć?

Wyjęła ładowarkę z torebki. Dlaczego ją wczoraj zabrała? Czyżby podświadomie spodziewała się, że może zostać u Jula na noc?

Jul. Wróciła do łóżka, zwinęła się w kłębek. Zacisnęła oczy, ręce przyciągnęła wraz z kołdrą do siebie. Nie chce pamiętać ani jego wzroku, ani pocałunków, ani zapachu, oczu, głosu, niczego. Tego wszystkiego już nie doświadczy, jego już nie ma.

Otworzyła oczy. Przez chwilę patrzyła nieruchomo w okno, po czym zdecydowanie odrzuciła kołdrę, zerwała się na równe nogi i ni to do siebie, ni to do Jula powiedziała: Chrzanię to!

Nie na darmo miała rudy temperament. Co by tu? Herbata! Najpierw filiżanka tej mieszanki, którą dostała od Mileny, a potem się zobaczy.

Czekała, aż przestygnie zagotowana wcześniej woda, zielonej herbaty nie zalewa się wrzątkiem. Odrzuciła myśl o czarnej, bo w upał wydaje się gęsta jak smoła i jednak odwadnia, zamiast uzupełniać braki wody w organizmie. Wybieranie gatunku herbaty, rytuał jej zaparzania, potem powolne delektowanie się smakiem i aromatem zawsze działały na Lenę uspokajająco.

Kiedy stała nad czajniczkiem, zamyślona kręcąc koszyczkiem z liśćmi zanurzonym w wodzie, przyszła jej na myśl wizyta u sąsiadki z dołu, spotkanie z jej wnukiem i obietnica wspólnego wyjścia. Nie wiedziała, czy ma na to ochotę. Arek wyraźnie był zainteresowany, ale jej na razie obrzydły randki i flirty. Pewnie jeszcze trochę będzie ją ściskać w dołku na myśl o porażce z Julem, ale minie, jak wszystko. Nawet najdłuższa żmija kiedyś mija, czy jakoś tak – Lec ma zawsze rację.

Nie chciało jej się jechać na targi. Nie dość, że tłumy i gorąco, to jeszcze wróci do niej to, co się działo wczoraj. A nie będzie już pocałunków na parkingu, nie będzie pysznej kawy ani Jula w pobliżu. Dzięki jego atencji nie czuła się obca, miała poczucie sensowności swojego istnienia w tym miejscu. Tak nie może być, ona musi mocno stać na nogach, wtedy ani Jul, ani nikt inny w żaden sposób jej nie złamie.

Płakać przez faceta – jakie to żałosne. A jednocześnie takie staroświeckie: czuła się jak heroina z dawnych powieści, czekająca na list, a kiedy ten wreszcie nadchodzi, odrzucająca zalotnika. Potem rozpacza, nie je, dostaje zapalenia płuc i umiera.

Chyba jej odbiło z tego upału.

Zabrała czajniczek i filiżankę do pokoju. Dziewczyny jeszcze spały, nie chciała ich pobudzić. Już w drodze zdecydowała, że nie pojedzie na stadion, nie ma ochoty i już. Ma dość materiału na relację z targów, bez niedzieli też uda się coś dobrego z tego uszyć. Miała za to napoleoński plan spędzić dzień w Arkadii, tam przynajmniej jest klimatyzacja. Należy jej się trochę luksusu. Naruszy nieco żelazny wkład rodziców na nowe życie. Kupi sobie jakiś ciuch, trochę kosmetyków, może jakieś buty. A jak będzie ten fajny chłopak, to zrobi sobie u niego makijaż. Nowe życie, nowa Lena, nowe otwarcie.

Jul, dlaczego ty tak?

2.

Do Arkadii przeszła piechotą ze słuchawkami w uszach. Włączyła na empetrójce Beatę Kozidrak, wybór nie mógł być inny – *Taka Warszawa. Czasem budzi mnie, ginę w niej jak cień, w końcu to całkiem duże miasto*. Lena śpiewała w duchu wraz z nią.

Raz musiała spytać o drogę, nie była pewna, czy idzie w dobrym kierunku. Warszawa ją przerażała, ale Muranów był nieduży i przyjazny. Albo się po prostu pociesza. Doskwierała jej trochę wielkość stolicy. W Koszalinie miała wrażenie, że kiedy stoi na jednym końcu, jest w stanie sięgnąć umysłem do przeciwległego krańca. Po prostu znała miasto, ale też i ogarniała rozumem jego rozmiar. A tu człowiek stoi i nie ma pojęcia, ani gdzie jest, ani oczami nie widzi celu, tylko przytłaczającą plątaninę ulic. Zdawała sobie sprawę, że to kwestia czasu i poczuje się jak u siebie, ale na razie przypominało to trochę pływanie w morzu. Już straciłaś z oczu brzeg, a punktu docelowego jeszcze nie widzisz i nawet nie wiesz, czy poruszasz się we właściwym kierunku. Na szczęście aplikacja w komórce pokazała jej, że do centrum handlowego można dojść spacerem, więc poszła. Kobieta, kiedy ma w planie przyjemności i zakupy, jest nieustraszona.

Przebiegła przez ulicę. Ciągle miała wrażenie, że na tych długich przejściach nie zdąży na zielonym. Głupie obawy, przecież jej nie przejadą.

Aleja prowadząca do drzwi Arkadii ma w sobie coś z wybiegu dla modelek. Gdy idziesz w tamtą stronę (o ile nie zmierzasz tam do pracy), już ci się oczy świecą na myśl o zakupach, lunchu czy kawie i plotkach z przyjaciółkami. Bezwiednie się prostujesz, zadzierasz brodę wyżej, krok się wydłuża, staje się sprężysty, brzuch wciągnięty (Boże, po co jadłam wczoraj tego pączka? A co, jeśli trzydzieści sześć będzie dla mnie za małe? – Lenie wydaje się, że słyszy czyjś żal za grzechy).

Inaczej rzecz się ma z mężczyznami. Ci przeważnie zrezygnowani, z reklamówkami w rękach, czasem w dziwnych czapkach – które nawet nie pasują, a przecież by mogły – prowadzą przed sobą dumnie wypięte brzuchy, tacy zadowoleni, jakby to była kochanka za milion dolców. Nie można wszystkiego zwalić na biedę. To nie brak pieniędzy, to brak iskry w duszy, żeby zadbać o siebie, zrobić coś lepiej. Już nie mówiąc o tym, że tak poprawiająca wygląd aktywność fizyczna wcale nie musi być kosztowna.

Na tym tle jeden gustownie ubrany mężczyzna, zadbany i pachnący, od razu zwrócił jej uwagę. Ona zmierzała od strony przejścia od południa, on od wschodu, spotkali się przy drzwiach obrotowych. Wskazał gestem pierwszeństwo, po czym stanął zaraz za nią. Czuła na karku jego wzrok. Odrzuciła włosy do tyłu, bezwiednie, ale rozbawiło ją, że tak się wdzięczy, nigdy wcześniej tego nie robiła. W ogóle jej na nim nie zależało, a mimo to miała nadzieję, że mężczyzna widzi jej starania, chociaż równie dobrze mógł zaraz po wejściu do centrum skręcić w lewo i stracić ją z oczu. Nie oczekiwała od niego flirtu, po prostu nie mogła się powstrzymać. Okropieństwo jakieś, nie poznawała samej siebie.

Gdyby nie to, że wczoraj spędziła cały dzień wśród książek, utknęłaby pewnie w Empiku, już przy samym wejściu. Gdyby ją było stać, zatraciłaby się pewnie w Swarovskim. Jej nastrój wymagał terapii zakupowej. Ale plan na dziś był inny – kierunek Inglot – nowa Lena czeka. A potem może jakiś ciuszek, ale najpierw zdecyduje, jakie kolory ją od teraz kręcą.

Zapomniała, gdzie podział się ten sklep z kosmetykami. Była pewna, że przed kawiarnią, ale przeszła cały pasaż i nie znalazła. Śniło jej się? Nie, no przecież robiła tu już zakupy. Spytała kilka osób pracujących na stoiskach-wyspach, ale nikt nie wiedział, o czym mówi. Robili wielkie oczy, jakby pytała o to, gdzie obdzierają ze skóry krokodyle na torebki.

Straciła animusz. Oj, Lena, łatwo cię zbić z tropu. Postanowiła usiąść i napić się kawy. Może zje ten pysznie wyglądający sernik z truskawkami? Ale tak siedzieć i gapić się przed siebie? Wróci po prasę. W Empiku chwyciła „Twój Styl", przy kasie zauważyła koncertową płytę Bottiego w specjalnej ofercie, dorzuciła jeszcze i ją.

Już miała zamówić kawę, kiedy po przeciwległej stronie zauważyła sklep Inglota. Więc jednak jej się nie wydawało, chociaż pamięć podsuwała jej zupełnie inną lokalizację. Świadkiem w sądzie byłaby doprawdy beznadziejnym.

Zapyta, czy pozwolą jej tam pić kawę podczas makijażu, i zamówi na wynos. Niech no tylko zorientuje się, czy w ogóle będzie malowana.

Weszła do sklepu, był niewielki, ale przemyślnie urządzony. Testery produktów aż się prosiły, żeby próbować i mazać. Nawet jeśli weszło się tam tylko z ciekawości, jak ona kilka tygodni temu, kiedy przyjechała na rozmowę o pracę, nie sposób było wyjść z pustymi rękami.

Po sklepie kręciły się dwie dziewczyny. Lena była zawiedziona, bo upatrzyła sobie poprzednim razem chłopaka, i to jego właśnie chciała poprosić o zrobienie makijażu. Przypominał jej ukochanego fryzjera, do którego chodziła podczas rocznego pobytu w Londynie. Właściwie było ich dwóch – John i Edward, poślubieni sobie geje – ale ją strzygł zawsze Edward. Kiedy przychodziła, zaczynało się od radosnego powitania, potem wjeżdżała kawa z mlekiem w pięknej filiżance w róże. Edward za każdym razem zachwycał się jej włosami, co chwilę dołączał do niego John. Podnosili je do góry, żeby zaraz puścić je swobodnie i obserwować, jak spadają i jak się naturalnie układają. Dyskutowali między sobą, jak tym razem powinny być ostrzyżone. *Never, darling remember my words, NEVER dye your hair, you've got absolutely unique colour; and your eyes! John, did you see her eyes?*[*] I zaczynało się przekrzykiwanie i komentowanie – oczy, włosy, cera, włosy, oczy – wychodziła nie tylko ostrzyżona, ale i psychicznie postawiona na nogi. Wyściskana, wygłaskana,

[*] Nigdy, kochanie, zapamiętaj moje słowa, nigdy nie farbuj swoich włosów, masz absolutnie unikatowy kolor. I te twoje oczy. John, czy ty widziałeś jej oczy?

dopieszczona słowami, napojona pyszną kawą – jakże ona za nimi tęskniła. Trochę jej mina zrzedła, bo zdała sobie sprawę, że będzie musiała w Warszawie znaleźć fryzjera, a to zawsze było źródłem stresu. Jak już trafiła na takiego, z którym się dogadywała, to lojalnie latami do niego chodziła, ale była wymagająca i poszukiwania trwały czasem bardzo długo i kosztowały sporo nerwów. Ileż to razy wracała do domu z płaczem?

Przechadzała się między cieniami, pudrami, lakierami do paznokci i nie wiedziała, od czego zacząć. Mogła skorzystać z pomocy dziewczyn, ale większe zaufanie miała do mężczyzn. Oni nie mieli kobiecych preferencji, nie próbowali ich przemycić do stylizacji innej kobiety, po prostu zawsze zaczynali od czystego tła, od zera, i budowali za każdym razem coś innego, w zależności od tego, z jakim materiałem mieli do czynienia. Tak sobie kiedyś wymyśliła i trudno jej było przekonać samą siebie do innej teorii.

Już miała wyjść, kiedy chłopak wyszedł z zaplecza. O dziwo, poznał ją. Podszedł i – całkiem jak kiedyś Edward – radośnie ją przywitał. Prawie na jednym wdechu z „cóż za niespodzianka, jakże się cieszę, że znowu panią widzę" obdarzył ją komplementem.

Lenę onieśmielali wizażyści w sklepach kosmetycznych. Zawsze wydawali się tacy idealni, jeśli chodzi o ich własny makijaż. Nie to, że czuła się przy nich nie dość biegła w tej sztuce, to jeszcze ich zachowanie potęgowało onieśmielenie, bo mówili szybko, pewnie i fachowo, a ona gubiła się w tych wszystkich radach. Umiała się malować, ale te wszystkie nowe techniki – konturowanie na mokro, na sucho; to wodoodporne, tamto oddychające, coś innego myślące za ciebie, mineralne, HD, rozświetlające; nawet korektory miały kilka kolorów i różne konsystencje – wydawały się przerastać możliwości pojmowania przeciętnego człowieka.

Emil, bo tak miał na imię ten młodzieniec, był, co prawda, lepiej umalowany od niej, ale akurat to jej nie przeszkadzało, bo przy tym miał też niezbędną w tym zawodzie aksamitność w obyciu i – jak to geje – serdeczność oraz zachwycającą dramatyczność gestów.

Lena czuła się jak na przedstawieniu zatytułowanym „Kobieta kupująca kosmetyki". Bardzo chciała zmienić swoje *emploi*. Nowe oblicze miało ją zaimpregnować na wszelkie niepowodzenia, których się tu spodziewała, bo nie miała złudzeń, że będzie lekko. Nawet jeśli wydawało jej się w te pierwsze dni z Julem, że złapała wiatr w żagle, bo Warszawa miała w sobie cug, świeżą energię, to jednak potrafiła też wciągnąć w wir i nieźle poturbować. Przekonała się o tym nader szybko. Nie była światową dziewczyną, chociaż lubiła tak o sobie myśleć. Rok w Londynie nie daje tyle doświadczenia, żeby móc dorównać takiemu mężczyźnie jak Jul, żeby czuł, że powinien się z nią liczyć. I ona szybko musiała się z tym pogodzić, bo jakie ma inne wyjście? Odejść z godnością – tylko to mogła zrobić. Ale teraz ma inne zadania. Dla własnego dobra musi znaleźć na siebie taki sposób, taką maskę, żeby już nikt nigdy jej nie zranił, a przynajmniej zawahał się i dwa razy zastanowił, zanim spróbuje. Nie mogła sobie obiecać, że nabierze pewności siebie, ale mogła się uzbroić i po to tu przyszła.

Nie wie, jak to się stało, że przeszli z Emilem na ty. Ale to dobrze, bo dystans nie sprzyja rozmowie o niedoskonałościach cery. Musiała mu zaufać, choć było to trudne; do tej pory, jak ze zdziwieniem skonstatowała, nigdy nie pozwoliła się dotykać obcemu mężczyźnie. Kobiecie zresztą też nie. Nawet nie bardzo lubiła masaży i nie jeździła do spa; do kosmetyczki chodziła raz w roku.

Emil wziął magnetyczną tackę i poprowadził ją do stołu z cieniami. Były posegregowane kolorystycznie, niebieskości, zielone, oranże, żółcienie, czerwone, wszystkie brązy, jasne aż do czarnych szarości, matowe, metaliczne i z drobinkami blikującymi na srebrno, złoto albo delikatny róż i czerwień. Na pierwszy rzut oka wydawało się to nie do ogarnięcia, ale on to wszystko zaraz uprościł do kilku grup kolorystycznych. Ustalili, jak dużą paletę chce skomponować; zdecydowała się na największą, nie musiała całej zapełniać od razu.

Zaczęli od kolorów na dzień – nie za mocne fiolety, do tego chłodne, lekko różowe, rozświetlające cienie. Potem przeszli do czekoladowych brązów, delikatnych matowych moreli, złocistych brzoskwiniowych i, dla wykończenia, ciepłego beżu. Najbardziej zachwycił ją ten z kwarcowymi połyskami złota.

Umazała się jak dziecko, miała wszystkie opuszki palców pokryte cieniami. Emil pokazywał jej odcienie, mażąc palcem po swoich przedramionach. Wyglądali jak Indianie wybierający się na wojnę. E tam, na jaką wojnę, na to było zbyt radośnie – raczej na wesele.

Gama odcieni była imponująca, nawet ciemne kolory na wieczorne wyjścia, czarne, szarości, ciemny zimny fiolet, występowały w różnych odmianach i teksturach. Bieli było kilka: wchodzące w beże, gołębie, z drobinkami złota, różu; ciągle po coś wyciągała ręce. Emil spokojnie czekał, aż położy to, co jej się podoba, na tackę, a potem tłumaczył, że tak, owszem, ten brąz piękny, ale dla niej lepszy będzie ten – i dokładał obok niby to samo, ale o ton ciemniejsze czy chłodniejsze. I oczywiście trafiał w dziesiątkę.

Kiedy już skompletowali paletę, Emil posadził Lenę na wysokim stołku i zaczął makijaż. Na początek krem i baza, potem dobrał kolor fluidu. Dotyk pędzla był jak masaż, Lena poczuła, jak ostatecznie się odpręża i wreszcie zaczyna widzieć przyszłość w jasnych kolorach.

– Spróbuj ukryć moje piegi, co?

– Fluid je złagodzi, ale nie przejmuj się tak nimi, to jest twój atut. Piegowate dziewczyny są teraz w modzie.

– Naprawdę? To chyba od niedawna. W szkole nieźle za to obrywałam, ciągle mnie ktoś wyśmiewał, że mam je wszędzie, na rękach, na nogach, na wuefie wstydziłam się rozebrać.

Dlaczego ona mu to wszystko mówiła?

– No to czas wziąć odwet na nich wszystkich. Nie wybierasz się przypadkiem na jakiś zjazd klasowy? Teraz już na pewno nie będą się śmiać.

– Przecież nadal je mam, im bardziej staram się ukryć, tym bardziej je widać.

– Masz, ale jesteś zjawiskowo piękna i koleżanki będą sobie domalowywać piegi, żeby ci dorównać.

Jezu, jaka ja muszę być żałosna, że on aż tak stara się mnie na duchu podnosić. Mówi tak, bo chce być miły. Wizażyści chyba już tak mają, chcą dopieścić klientkę, żeby wyszła zadowolona.

– Widzę po tobie, o czym myślisz. Nic z tych rzeczy, nie mówię tego z zawodowej grzeczności, rzadko mi się zdarzają tak ciekawe twarze do malowania. Masz piękne kości policzkowe, urocze piegi, ciemną oprawę oczu w kształcie migdałów. Kobiety robią sobie operacje plastyczne, żeby to osiągnąć. Do tego gęste brwi, bardzo przyzwoite rzęsy. No i, moja droga, co nie do pogardzenia, duże piękne usta. Mało ci?

Lenę zamurowało. Czy on mówi o mnie? Zwróciła głowę w stronę lustra, przyjrzała się sobie. Kości policzkowe, też coś, wystawały jak u starej Indianki. Usta jak usta. Nie widziała w nich nic wyjątkowego. Zgodzi się, jeśli chodzi o oczy, to akurat uważała za swój jedyny atut, gdyż nie były rude. I całe szczęście.

– Dobra, koniec tego podziwiania siebie w lustrze, wracamy do pracy.

– Emil, tylko mnie na Ewę Minge nie zrób, ja cię proszę.

Parsknęli śmiechem. Ostatnie zdjęcia tej kreatorki mody były, delikatnie mówiąc, karykaturalne.

Nieładnie śmiać się z czyjegoś przypadku, Lena, popraw się – pomyślała. Z niej się kiedyś wyśmiewano, a teraz ona robi to samo. Syndrom wojskowej fali, chyba.

– A jakie kolory mi dzisiaj nałożysz?

– Zaufaj mi, będzie niespodzianka. Nic, czego byś nie chciała, używam próbek tych cieni, które wybraliśmy dla ciebie. Powiedz mi tylko, czy wybierasz się gdzieś dziś wieczorem, czy chcesz tylko dzienny make-up?

Lena nie wiedziała, co odpowiedzieć. Właśnie przypomniała sobie, że jest umówiona z panią Michaliną i jej wnukiem. Mają dzwonić, zaraz, która to godzina?

Przeprosiła i sięgnęła po torebkę. Grzebała w niej chwilę, ale nie mogła znaleźć telefonu. Wstała i wyrzuciła wszystko na ladę. Nie ma, czyżby gdzieś zostawiła? Gorączkowo przypominała sobie, gdzie była, kiedy go ostatnio używała. Ach, wszystko jasne, stuknęła się w czoło.

– Ty mi tu roboty nie psuj, dziewczyno, jeszcze nie jesteś zafiksowana, fluid mi zetrzesz. Kontynuujemy?

– Tak, przepraszam. Przestraszyłam się, że zgubiłam telefon. Jestem umówiona, o czym przypomniałeś mi pytaniem o wieczór, ale nie znam szczegółów. Mieliśmy się zdzwonić po południu, ale zapomniałam telefonu, ładowałam go i został przy łóżku.

– Zadzwoń ode mnie, zaraz ci podam moją komórkę.

– Nie pamiętam numeru. – Lena nie wchodziła w szczegóły. Po co się przyznawać, że wcale nie zna numeru, a znajomość jest z wczoraj.

Która to w ogóle godzina? Przyjechała do Arkadii dosyć wcześnie, bo nie mogła spać, ale w tej krainie kolorów i mazideł czas biegnie jakoś inaczej.

Okazało się, że dochodzi południe. A tu makijaż rozgrzebany, nie mówiąc o tym, że miała sobie kupić jakiś ciuch. I to tyle w kwestii umiejętności planowania i zarządzania czasem.

– Śpieszysz się – ni to stwierdził, ni zapytał Emil.

– Nie bardzo, nie wiem, na którą jestem umówiona, ale na pewno mam czas.

Lena lekko spanikowała z powodu braku telefonu. Poczuła się niepewnie, jakby ją coś ważnego omijało, ale z drugiej strony ludzie żyli kiedyś bez komórek i niczego im nie brakowało, a już na pewno nie omijały ich masowo życiowe szanse. Co ma być, to będzie. Jul już się nie odezwie, skoro wczoraj nie dał znaku życia, a Arek? No cóż, tę sprawę zostawi własnemu biegowi. Już się za jednym facetem uganiała i skończyło się, jak się skończyło.

– No to jak, bardziej wieczorowo czy tylko na dzień, bo nie wiem, jak mocne oczy zrobić?

– Nie planuję nocnego wypadu, ale możliwe, że do wieczora będę poza domem. Wybieram się na lekki obiad i coś słodkiego.

– Nie ułatwiasz mi, kobieto! – Emil załamał nad nią ręce. – Dobra, czyli dzienny z lekkim akcentem wieczorowym. Poradzimy.

Po skończonej robocie Lena spojrzała w lustro i nie mogła się poznać. Ona, ale nie ona. Przez chwilę miała ochotę powiedzieć – pani tu nie stała. Czyżby tak właśnie wyglądała przy odrobinie wysiłku? Podobało jej się. Piegi wprawdzie nadal widoczne, ale zdecydowanie stonowane. Policzki wykonturowane opalizującym bronzerem, a na szczycie lekko muśnięte rozświetlaczem, środkowa linia nosa też; do tego oczy czekoladowo-beżowe z brzoskwiniowym akcentem, delikatnie przyczernione zewnętrzne kąciki oka, mocne kreski. Usta naturalne, lekko tylko morelowe. Doklejone i wytuszowane rzęsy.

Bardzo się ożywiła. Poprawiła włosy, obróciła twarz w lewo, potem w prawo. Jejku, to naprawdę działa, musi częściej malować się tak odważnie. Mocne oczy i prawie naturalne usta, a i tak je widać. Faktycznie są pełne, dlaczego musiał jej to powiedzieć Emil, żeby zauważyła? Obiecała sobie, że częściej będzie doceniać swoje zalety, zamiast tak bardzo koncentrować się na wadach, szczególnie tych, których poprawić się nie da. Chyba że operacyjnie, ale na to nigdy się nie zdecyduje.

Emil zapisał jej na karcie klienta, jakich kosmetyków użył podczas makijażu. Niepotrzebnie, bo i tak wszystko to kupiła, a nawet kilka rzeczy ekstra.

Lena pożegnała się serdecznie z dziewczynami i uściskała z Emilem. Obiecała, że niedługo zajrzy, przecież ma jeszcze pięć wolnych miejsc w paletce, jak skrupulatnie przypomniał jej chłopak.

Ta wizyta w Inglocie to był najlepszy pomysł, na jaki mogła wpaść. Zamiast chodzić po stadionie i rozpamiętywać poprzedni dzień, poprawiła sobie humor tak, że nawet cieszyła się na popołudniowe spotkanie z Arkiem i jego babcią. Przecież nie można zmarnować takiego makijażu. Tylko czy do tego spotkania dojdzie, przecież nie ma jak odebrać telefonu.

Kupiła kawę z karmelem i cynamonem, sernik sobie darowała, przecież zje deser w Klifie... O ile się spotkamy – pomyślała.

JULIUSZ

1.

Obudził się rano z niesmakiem w ustach, niejasnym poczuciem rzeczywistości, nadwrażliwością na światło i spocony jak mysz.

Był z siebie bardzo dumny. Udało mu się wczoraj załatwić sprawę po swojej myśli. Patrzył teraz na pudełeczko zapakowane w granatową torebkę z logo firmy. Leżały w niej piękne kolczyki Swarovskiego. Od razu wpadły mu w oko dwa modele – w stylu regencji, owalne, opalizujące na złoto i bardzo drogie, oraz drugie, tańsze, chociaż nie można powiedzieć, że za półdarmo – czarna lub złota łza wysadzana kamieniami. Skromniejsze niż te pierwsze, pewnie bardziej odpowiednie, ale chociaż nie chciał wydawać na nią zbyt dużo kasy, to i tak się nie oparł i kupił te droższe. W końcu to niby prezent imieninowy, a nie przeprosinowy (chociaż miał nadzieję, że przegoni focha). Gdy tylko je zobaczył, w wyobraźni ujrzał je w uszach jego Lisiczki, jak mieniły się w tych rudych puklach. Zmiękł, osiem stów pękło, a i to z rabatem. Dzięki wszechświatowi za karty kredytowe.

Obsługiwała go sama szefowa, smakowita babeczka. Nie dziwił się wcale temu obleśnemu kolesiowi, że tak go brała, miała świetne ciało. Pakowała kolczyki, potem jeszcze jakieś ulotki i karty klienta. Nie patrzyła na ręce, pewna tego, co robi, doświadczona w obsługiwaniu luksusowych klientów. Za to zalotnie przeglądała się w jego oczach.

– Dla żony? Ma pan dobry gust, na pewno będzie zadowolona. – Niby pytała, niby założyła, że tak jest, ale mowa jej ciała mówiła co innego: Dla innej kobiety? Czy to coś poważnego, czy moglibyśmy się umówić, żebyś mnie przeleciał?

Gdyby to był prezent świąteczny dla siostry, gdyby nie było Leny, jeszcze tego wieczoru kotłowałby się z nią w pościeli. Albo na podłodze. Ale Lena jest. Zauważał inne kobiety, ale nawet te bezsprzecznie piękne nie interesowały go tak jak ten piegowaty rudzielec.

Czego to się nie robi dla fajnej dupy – pomyślał rozbawiony i jednocześnie nakręcony swoją akcją.

Potem złapał sto osiemdziesiątkę w stronę Nowego Światu, postanowił zajrzeć jeszcze do znajomych, którzy świętowali obronę pracy magisterskiej córki. Już dawno go zaprosili, miał nadzieję, że pójdzie tam z Leną, zapomniał jej o tym powiedzieć. Zresztą tylko od niej uzależniał obecność na tym jublu, ale skoro stało się tak, jak się stało, pojedzie sam. Potrzebował kilku drinków, wczorajszy dzień go wykończył.

Musiał się zebrać w sobie. W końcu ma jechać do Lisicy. Miłej Lisiczki z puchatym, rudym futerkiem.

O rany, ale go łeb napieprzał. Może by się trochę ponakręcał tym futerkiem i piegami, ale ból dawał się we znaki, a poza tym organizm domagał się nawodnienia. Z zewnątrz i z wewnątrz.

Zrobił sobie wodę z magnezem, wypił duszkiem. Potem wsadził w kuchni głowę pod kran z zimną wodą, inaczej nie doszedłby chyba do łazienki. Po co tyle pił? Chciał chyba zabić niesmak nieudanego rozstania z Jolką, nie zasłużyła na to, nie tak.

Drugi to Helena Miła – pojawiła się w jego życiu jak meteor, pieprznęła w skorupę i zaczęło się, jedno pęknięcie po drugim i jest teraz miękki jak czaszka noworodka. Znowu mu się śniła. Czuł się jak po zderzeniu z autobusem, kiedy pytają, czy pan mnie słyszy i jaki jest dzień tygodnia. Niby wiedział, ale nic go to nie obchodziło.

Po chłodnym prysznicu, przy czarnej kawie i chlebie razowym z masłem (żołądek odmawiał mu posłuszeństwa), zastanawiał się, o której wypada stawić się u Leny. Miał nadzieję, że zobaczy go, zmięknie, spędzi z nim dzień na jedzeniu, całowaniu, pieszczotach, a wieczorem wylądują tutaj. I do rana będą się kochać.

Postanowił, że skoro te kolczyki są takie wytworne, to kilka bukiecików konwalii związanych ozdobną wstążką będzie akurat.

2.

Zaparkował samochód za budynkiem. Zastanawiał się przez chwilę, jak rozegrać sprawę. Kogo spytać o kobietę z upośledzoną siostrą? O Lenę nie ma sensu, za krótko tu mieszkała, mówiła przecież, że przeprowadziła się raptem w czwartek.

Czy to możliwe, że tak niedawno? Kilka dni, a już zapomniał, jak wyglądało życie bez tej słodkiej rudej komplikacji.

Czy słodkiej, to się jeszcze okaże. Może się okazać, że gorzko ją popamięta.

Silnik pomrukiwał cicho, nie wyłączał go ze względu na klimatyzację. Słuchał radia. Grali Stinga, koncert z orkiestrą symfoniczną, chyba z Berlina. Uwielbiał tę piosenkę, a teraz wyjątkowo kojarzyła mu się z Leną: *Whenever I say your name, whenever I call to mind your face (...) whenever I'm filled with doubts that we will be together*[*].

Chyba się nie zakochałeś, stary gamoniu?

[*] Wyjątek z piosenki Stinga *Whenever I Say Your Name*: „Gdy wymawiam twoje imię, gdy przywołuję na myśl twój obraz (...) gdy nachodzą mnie wątpliwości, że będziemy razem".

Poczuł pod palcem prawej ręki coś miękkiego. Zaczął dłubać między siedzeniami i po chwili wyciągnął jasnoszary szal. Najpierw spanikował, że to Jolki i będzie musiał się z nią zobaczyć, ale zaraz poczuł zapach perfum i już wiedział, że to Lisica zostawiła. Pierwszego dnia miała go na sobie; teraz pamięta, bo cała była spowita jakby szarym dymem, a ten szal potęgował to wrażenie. Przyłożył go do ust i do nosa, zaciągnął się zapachem kobiety, której pragnął jak żadnej od bardzo dawna, do kochania, i do kochania. Do wszelkiego rodzaju kochań i zakochań świata. Chciał, żeby kręciła się po jego mieszkaniu, chciał, żeby zaanektowała jego przestrzeń, chciał wychodzić od niej i do niej wracać, żegnać ją i na nią czekać. Lena, Lena, jakżeś to sprawiła, rudzielcu niemożliwy?

Wysiadł z samochodu. Pamiętał klatkę, do której wchodziła Lena, wystarczyło przecież spytać sąsiadów na parterze. Wejście było otwarte, wszedł i zapukał do pierwszych drzwi. Otworzyła mu starsza pani, niewysoka, siwe włosy zwinięte w koczek, jak na rysunkach w starych bajkach dla dzieci. Miała uważne, ale życzliwe oczy.

– W czym mogę panu pomóc? – spytała z rezerwą, ale bez strachu.

– Dzień dobry, mam nadzieję, że nie przeszkadzam. Nazywam się Juliusz Niewiadomski. – Wiedział, że nic nie załatwi, jeśli się nie przedstawi, to przecież była kobieta starej daty. – Szukam mojej znajomej, Leny Miłej, może pani ją zna? Mieszka tutaj razem z koleżanką i jej siostrą. Nie raz tu ją odwoziłem, ale zapomniałem numeru mieszkania.

– Tak, mieszka z Adelą na drugim piętrze pod dziewiętnastym. A siostra ma na imię Kaśka, ale to zapewne pan wie. – Patrzyła na niego uważnie.

– Tak, z opowiadań, nigdy ich nie poznałem. A teraz, rozumie pani – wskazał torebeczkę z kolczykami i kwiaty – muszę się zrehabilitować za to, że zapomniałem o jej imieninach. Chyba się trochę na mnie gniewa. Stąd moja wizyta.

Babcia, jak ją w myślach nazywał, nie wydawała się ani udobruchana, ani przekonana o prawdziwości jego opowieści. Oczy miała przenikliwe, jak starsi ludzie, którzy nadal mieli czas na uważność wobec innych. Czasem go to wkurzało, ale nie w tym przypadku. Ta kobieta miała w sobie łagodność, poza tym kogoś mu przypominała.

– Czy jeszcze jakoś mogę pomóc?

– Nie, przepraszam za najście i dziękuję za pomoc.

Pochylił się w geście podziękowania. Odwrócił się i zaczął wchodzić na piętro. Numer dziewiętnasty był na lewo, zaraz przy schodach. Zadzwonił i czekał.

Drzwi otworzyła niewysoka, krępa dziewczyna, wiek trudny do określenia, jak to u ludzi z zespołem Downa. Mogła mieć zarówno dwadzieścia, jak i trzydzieści kilka lat. Chyba taka rekompensata za to, że ma się w życiu trochę trudniej z tym dodatkowym chromosomem.

– Dzień dobry, szukam Heleny Miłej. Mam na imię Juliusz.

Nie odzywała się. Przechyliła głowę i uważnie mu się przyglądała.

Głupia sytuacja. Nie wiedział, jak się zachować.

– Czy pan jest ojcem Leny?

Zamurowało go. On ojcem? Co za impertynencja! Był starszy, ale chyba nie aż tak? Po chwili skonstatował, że nie ma racji. Faktycznie mógłby być jej ojcem, gdyby został nim w wieku dwudziestu czterech lat.

– To niegrzecznie nie odpowiadać na pytania – rzekło dziewczę, wyrywając Jula z zamyślenia.

– Masz rację, młoda damo. Nie, nie jestem jej ojcem. To jak, zawołasz Helenę?

– Nie.

Jula po raz drugi zatkało. Jak to nie? I co on ma teraz począć? Przecież nie zacznie wołać Leny z korytarza, głupio by to wyglądało.

Ona patrzyła na niego, on patrzył na nią. Impas. Nie miał lepszego pomysłu, co robić dalej.

Nagle odwróciła się i odeszła, zostawiając drzwi otwarte. Za moment z głębi mieszkania wynurzyła się dziewczyna niewiele wyższa od tej pierwszej, z dredami zwiniętymi w kłębek na głowie.

– Kaśka, dlaczego mi nie powiedziałaś, że ktoś dzwonił do drzwi? Tyle razy ci mówiłam, żebyś nie otwierała sama.

– Przepraszam – to już do Jula. – Kaśka jest ostatnio bardzo zachwycona coraz większą samodzielnością i tak to się kończy. Pan do nas?

– Tak, to znaczy nie, do Heleny Miłej.

Dziewczyna uśmiechnęła się szeroko.

– Czyżby pan Juliusz?

Lena mówiła jej o mnie. Serce podskoczyło mu w piersi z radości, przecież nie opowiada się ludziom o kimś obojętnym. Zaraz potem przyszło opamiętanie – o kimś obojętnym nie, ale można na przykład zrelacjonować, że się poznało beznadziejnego faceta, z którym nie ma o czym gadać.

– We własnej osobie. Juliusz Niewiadomski.

Dobrze, że nie trzasnął obcasami.

Patrzyła zaciekawiona na pakuneczek, na kwiaty, a on stał, tłumaczył się i krygował.

– Nie ma jej i niestety, nie wiem, gdzie jest i kiedy wróci. Wyszła, zanim się obudziłyśmy. Czy mam coś jej przekazać?

A co tu można przekazać? Że jakiś żałosny stary dureń przylazł z kwiatami i pocałował klamkę jej pokoju? Gorzej, nawet do tej klamki nie dotarł.

– Nie, dziękuję. Zadzwonię do niej. Do widzenia.

Nie miał już ochoty ani rozmawiać, ani tam dłużej stać, nic więcej tłumaczyć, odechciało mu się tej szopki i w ogóle wszystkiego. Poza tym miał kaca.

HELENA

1.

Wracała do domu sprężystym krokiem, machając torbami. Kupiła nie tylko kosmetyki, ale i bardzo kobiece sandały na fikuśnym koturnie, a do tego jasnolimonkową sukienkę. Właściwie bez zastanowienia. Zmierzyła, dobra, pasuje, biorę. Najwyżej odda, ekspedientka zapewniła, że może. Ale obie wiedziały, że zwrotu nie będzie, dzisiaj był dzień dobrych decyzji.

Ledwie weszła do domu, dopadła do niej Kaśka. Próbowała coś powiedzieć, ale była tak zaaferowana, że nie dała rady nic wyartykułować. Zaczynała zdanie, zacinała się jednak na drugim wyrazie i ani kroku dalej.

Adela dołączyła do nich, wyraziła głośny zachwyt nad nowym wyglądem Leny, po czym zarządziła przejście do kuchni, bo jej kipi, a musi zrelacjonować wizytę, no kogo? – Jula.

Lena osłupiała. Upuściła torby, rozłożyła ręce w niemym geście zdziwienia. Niemym, bo ją zatkało.

– Jak to Jula? Przecież ja mu nic nie mówiłam, ani numeru mieszkania, ani twojego imienia, jak on mnie tu znalazł? Widział tylko, do jakiej klatki wchodzę, ale chyba nie tak łatwo znaleźć właściwe mieszkanie.

Przerwał im dzwonek do drzwi. Adela poszła otworzyć, a po chwili wkroczyła do kuchni z panią Michaliną.

– No i zagadka się wyjaśniła. Pani Michalina powiedziała Julowi, gdzie cię szukać.

– Tak, moje dziecko, jam temu winna. Przyszłam dowiedzieć się, czy wszystko w porządku i czy nie narozrabiałam za bardzo. Kiedy go zobaczyłam, od razu wiedziałam, że to twój Juliusz. Miał w ręku kwiaty i pakuneczek, prezent jakiś, a że wczoraj tak płakałaś, to pomyślałam, że jeśli mu nie powiem, to nie będzie miał okazji przeprosić. Poza tym do czegoś muszę się przyznać, chociaż mi trudno. Ja już cię w myślach wyswatałam z moim Arkiem i jak zobaczyłam Juliusza, to najpierw mnie kusiło, żeby nic nie mówić, zasłonić się niewiedzą, ale potem uznałam, że to jednak niecne. Przecież nie mogę kierować czyimś losem dla własnych korzyści. Jeśli ci Arek pisany, jeśli ci się spodoba, to będzie, a jeśli nie, to przecież nikogo do miłości nie zmusisz.

Pani Michalinie aż tchu zabrakło. Wypowiedziała to wszystko na jednym wydechu, jakby się bała, że się rozmyśli.

Lena przestraszyła się, że sąsiadka zasłabnie. Zaraz posadziły ją na krześle, a Kaśka przyniosła kapcie, nie wiadomo po co. Roześmiały się i atmosfera przestała już być tak dramatyczna. Kaśka myślała, że to dzięki jej kapciom, co zresztą było poniekąd prawdą, więc postanowiła zarządzić jeszcze coś.

– Herbata przyjaźni! – wykrzyknęła, wyrzucając ręce w górę, po czym chwyciła się za głowę. – O nie!

– Kaśka, na miłość boską, co się znowu stało? – Adela aż podskoczyła.

– Mamy tylko trzy filiżanki przyjaźni, jak teraz wypijemy herbatę? Przecież nas jest – tu się zatrzymała, po czym wysunęła do przodu ramię i zaczęła: – raz, dwa, trzy – tu wskazała na siebie – i cztery – zakończyła na pani Michalinie.

– Faktycznie – odrzekła z tajemniczą miną Lena – ale całkiem przypadkiem mam tu w torbach... – W tym momencie chwyciła się za głowę, niczym Kaśka, bo nagle przypomniała sobie, że rzuciła te torby na podłogę. – Ojejku, mam nadzieję, że jej nie potłukłam! Kupiłam piękną filiżankę i ona może być dla pani sąsiadki.

Kaśka klasnęła, po czym wykonała taniec radości, z wymachami rąk i obrotami, a na koniec chwyciła Lenę za obie ręce i zaśpiewała:

– *Scooby dubidu, where are you…*

Adela wytłumaczyła, że Kaśka w centrum, do którego chodzi, zaczęła niedawno lekcje angielskiego. Nauczyciele uczą przez piosenki i wierszyki.

Kaśka uparła się, żeby przynieść marker i napisać imię pani Michaliny pod spodem filiżanki. Tak też uczyniły. Starsza pani z radości dostała aż wypieków. Lena zaparzyła zieloną herbatę, chociaż pani Michalina obawiała się, czy będzie jej smakować, bo nigdy nie próbowała.

– I jak? – spytała Lena, kiedy już wypiły kilka łyków.

– A wiesz, że z odrobiną miodu to całkiem, całkiem. Lekko cierpka, ale nie tak, jak się spodziewałam. A jaki to posmak? Owoc jakiś, ale nie mogę skojarzyć.

– A nie wiem, to jakaś mieszanka z herbaciarni. Koleżanka z Kołobrzegu mi ją podarowała przed wyjazdem do Warszawy. Lubię liściaste z dodatkiem suszu owocowego.

– Ale, ale, całkiem zapomniałam. Arek do mnie wydzwania, zmartwiony, że nie może się do ciebie dodzwonić, a podobno się umawialiście. Uspokoiłam go, że na pewno byś odebrała, że coś musiało się stać. Odebrałabyś, prawda? Przecież zawsze możesz powiedzieć, że nie jesteś zainteresowana. A poza tym, moja droga, wyglądasz dzisiaj zjawiskowo.

– Pani Michalino, oczywiście, że bym odebrała. Kłopot w tym, że zostawiłam rozładowaną komórkę w domu, podłączoną do prądu i wyszłam, a to – wskazała makijaż – jest właśnie efektem mojej wizyty w salonie Inglota w Arkadii. Zaraz sprawdzę wiadomości i oddzwonię do Arka.

– A nie kłopocz się, kochaneczko, on tu niedługo będzie. Powiedział, że spróbuje cię tu poszukać, że bez ciebie nigdzie nie idziemy, że on ma jakiś dobry plan na dzisiejsze popołudnie, wielka niespodzianka dla nas obu. Już tu jedzie.

– To wybaczcie na chwilę, zajrzę do telefonu i oddzwonię, będzie mi mniej głupio, kiedy już przybędzie.

Zebrała torby. Przypomniało jej się, jak wczoraj siała rzeczami na schodach. Powoli zaczyna to być jej specjalnością.

Miała milion wiadomości, nieodebrane połączenia, maile i powiadomienia z fejsa. Najpierw oddzwoniła do Arka, żeby go złapać, zanim tu zapuka. Poza tym nie była gotowa. Musiała się przebrać, sprawdzić, jak się trzyma makijaż, jakoś przygotować do tego wyjścia.

– Cześć, Arku, przepraszam, że nie odbierałam, zapomniałam telefonu.

– A już myślałem, że spuściłaś mnie na drzewo. – W jego głosie słychać było ulgę.

– Powiedziałabym jasno, że nie mam ochoty na spotkanie.

– No nie wiem, kobiety mają kręcenie i gierki we krwi.

Powiedział to niby żartobliwie, ale Lena odebrała to raczej jako wyrzut. Nastroszyła się. Tego jej tylko brakowało – pouczania i sztorcowania.

– No to chyba nie mamy o czym rozmawiać, skoro tak mnie widzisz.

– Przepraszam. Nie chciałem, żeby to tak zabrzmiało. Obiecuję, słowo harcerza, że więcej czegoś takiego ode mnie nie usłyszysz, tylko się nie gniewaj.

– O której się widzimy?

Szybko się zreflektował. Lena to doceniła i postanowiła nie ciągnąć tematu.

– Już po was jadę. Mam niespodziankę.

– W takim razie nie przedłużam, bo jeszcze muszę się przebrać.

– Helena, poczekaj, ale gdzie ty jesteś? Miałem cię odebrać ze stadionu.

– W domu jestem, nie pojechałam dzisiaj na targi, za gorąco, odechciało mi się. Uznałam, że mam wystarczająco materiału na artykuł.

– W takim razie do zobaczenia za pół godziny. Wiesz, cieszę się, że cię poznałem u babci.

– Do zobaczenia, Arku. Czekam.

Zakończyła rozmowę, na zwierzenia nie miała ochoty. Zresztą nie miała z czego. Nie była nim tak zafascynowana, jak najwidoczniej on nią. Jak to się dziwnie plecie. Ją interesował Jul, ale najwyraźniej ona jego już nie. Arek nakręcał się na nią, a ona nie bardzo podniecała się tą znajomością. Dlaczego nie może być tak, że coś się wreszcie zepnie prawidłowo, a nie jak dwie niepasujące części zamka błyskawicznego?

Jul, cóżeś narobił, chłopie. Po co mi ty byłeś? Teraz nic, tylko siedzieć i płakać. Lenie wydawało się, że za chwilę rozpadnie się na kawałki. Przez ten czas w Arkadii w ogóle o nim nie myślała, a teraz, kiedy Arek zaczął flirtować, wracała do niej myśl o całkiem innym mężczyźnie, innych szeptach, innych pocałunkach... I to poczucie zawodu, które tkwi w piersi i uwiera.

Zajrzała do kuchni. Przeprosiła, że tak zniknęła, ale dodzwoniła się do Arka i musi je teraz zostawić, bo czas się szykować, on tu będzie lada moment. Pani Michalina zaczęła się zbierać.

– W takim razie i ja idę się wyszykować. Czy on ci powiedział, co to za niespodzianka?

– Nie, a czy to ma znaczenie? – Lena zaniepokoiła się tym pytaniem.

– Nie, ale nie wiem, jak się ubrać. Czy jedziemy na wycieczkę i potrzeba mi wygodnych butów i spodni, czy może do restauracji i powinnam być elegancka?

– Słuszna uwaga, nie pomyślałam o tym. – Teraz i Lena miała zagwozdkę. – Pani Michalino, może pani go zapyta, bo on mi nie powie.

– Zadzwonię i spróbuję wysondować. Już ja go zbiorę, tego huncwota, takie numery kobietom wykręcać. Kto to pomyślał?

Starsza pani oczywiście tylko udawała zagniewaną. Odeszła, na zmianę utyskując i śmiejąc się pod nosem.

2.

Pani Michalina dała Lenie znać, że już czekają na zewnątrz przy samochodzie, ale absolutnie jej nie pospiesza, tylko informuje.

Adela nie ukrywała podziwu.

– Lena, jak ty to robisz? Jesteś tutaj kilka dni, jeszcze nawet pracy nie zaczęłaś, a już masz dwóch absztyfikantów, wiekową sąsiadkę za przyjaciółkę, ulubionego wizażystę, bywasz, wożą cię wszędzie, już nie mówiąc o Kaśce, która cię uwielbia. A do tego nie wygląda na to, żebyś o to jakoś specjalnie zabiegała.

– Adela, nie przesadzaj. Jeden absztyfikant mnie nie bardzo chce, a już zdążyłam w nim zagustować. Drugi by chciał, ale ja myślę o tym pierwszym. Sąsiadka mi się udała. I wy mi się udałyście. Tu faktycznie mam fart.

Uściskała ją i Kaśkę, bo ta się oczywiście zmaterializowała, jak zawsze, kiedy w grę wchodziły tulanki. Obróciła się przed nimi i spytała o opinię. Kaśka straciła zainteresowanie i poszła oglądać swój serial, a Adela tylko machnęła ręką.

– Już ty mnie nie denerwuj. Wyglądasz jak rusałka z rysunków dla dzieci. Ta miętowa sukienka z koronkami aż się prosi o wianek z białych kwiatów. A te sandały na koturnach to już w ogóle szał. I makijaż jak z żurnala. Nie za dużo tego dobrego, moja panno? – Adela weszła w ton zrzędliwej matki.

– Jul się nie odzywa. Adela, będę płakać.

Oczy Leny naprawdę się zaszkliły. Adela przestraszyła się, że całe przygotowania pójdą na marne. Chwyciła Lenę za ramiona, odwróciła w stronę drzwi i nakazała wymarsz.

– Nie daj im czekać. A z Julem to jeszcze nic pewnego, przypominam, że był tu wcześniej, elegancki, z kwiatami i prezentem.

– Ale nie zostawił dla mnie wiadomości. A może ja powinnam do niego zadzwonić?

– Nie masz już czasu, zadzwonisz później. Zresztą on wcale nie musi wiedzieć, że wiesz o jego wizycie. Mogłaś przecież wcale dotąd nie wrócić do domu.

– A jeśli on tu znowu przyjdzie? Powinnam może zostać.

– Helena, oni tam czekają. Chyba nie chcesz zawieść pani Michaliny? Tak się cieszy na wasze wspólne wyjście. A jak on tu przyjdzie, to go uwiodę w twoim imieniu, bo ciacho z niego, chociaż zupełnie nie w moim typie.

Helena udała, że czegoś zapomniała, i wróciła na chwilę do pokoju. Wyjęła z torebki komórkę. Jeszcze raz przejrzała listę wiadomości – nic ciekawego, maile promocyjne, coś od operatora sieci, pewnie nowa oferta, fejsowe powiadomienia, nadal nic od Jula. Pewnie chciał tylko przeprosić, że jej zawracał głowę, i ładnie się pożegnać. Nie było jej, ulżyło mu i zniknął na zawsze. Szkoda. Westchnęła, znowu niebezpiecznie załzawiła. Chciała skasować spam, ale zahaczyła wzrokiem o informację, że ma wiadomość w poczcie głosowej. To, co najpierw uznała za mail promocyjny, okazało się właśnie tym. O, ja durna – pomyślała – ciągle zapominam sprawdzać. Kiedyś sobie zablokowała możliwość zostawiania wiadomości głosowych, bo musiała wtedy oddzwaniać, ale kiedy szukała pracy i bała się, że nie odbierze telefonu z propozycją rozmowy kwalifikacyjnej, włączyła tę opcję na nowo.

Trzęsącymi się rękami stukała palcem w ekran, by dostać się do skrzynki z wiadomością. Czekała, aż automat wypowie te wszystkie formułki – godzinę połączenia i numer. Czy to od Jula? Przecież nie pamięta numerów, więc skąd ma wiedzieć. Denerwowała się na ten automat, na telefon, na operatora – szybciej, o Boże, nie słyszę, czy to już. Wreszcie usłyszała jego głos, nie pomyliłaby go z nikim innym: „Lenuś, oddzwoń. Pogadajmy. Kochanie. Heleno Miła, na litość boską, nie zostawiaj mnie tak bez słowa!".

„Lenuś, kochanie" – to do niej. Musi posłuchać jeszcze raz. Posłusznie, według wskazówek, wybrała jedynkę i skupiła się na tym, co w słuchawce: „Masz jedną nową wiadomość. Otrzymana dnia dwudziestego czwartego maja o godzinie osiemnastej zero pięć. Lenuś, oddzwoń. Pogadajmy. Kochanie. Heleno Miła, na litość boską, nie zostawiaj mnie tak bez słowa!”.

Rany, przecież to z wczoraj. Rozładowała się jej komórka, zresztą u pani Michaliny i tak by pewnie nie słyszała telefonu, bo był zakopany w torebce, którą starsza pani zabrała z klatki schodowej i zostawiła gdzieś w przedpokoju.

Dzisiaj Jul tu był. I co ona ma teraz począć? Zadzwonić? A dlaczego on nie może? Narzucać się nie będzie, bo znowu ją odtrąci. Co robić?

Przyszło jej coś na myśl. Otworzyła nową wiadomość i wpisała z pamięci, miała nadzieję, że w miarę akuratnie: „Proszę, pospiesz się, proszę, nie zatrzymywana odejdę”. Ciekawa była, czy on pozna fragment z wiersza Poświatowskiej. Ekonomiści są tacy przyziemni, pewnie nawet nie czytają poezji.

Może gdyby zaczęła rozważać, czy wysłać, czy nie, zawahałaby się, ale nie dopuściła do siebie tych myśli, po prostu stuknęła palcem w kopertę i poszło. Schowała komórkę do torebki. Teraz jego ruch. Serce jej biło szybko i nierówno, wzięła kilka oddechów, po chwili poczuła spokój.

Nie mogła odwołać spotkania z Arkiem i panią Michaliną. Najchętniej zostałaby w domu, z dzbankiem miętowej herbaty i książką, ale wiedziała, że wgapiałaby się w ekran telefonu, i to by ją zabiło. Poza tym miała tak piękny makijaż, że zdecydowanie nie mógł się zmarnować.

JULIUSZ

1.

Już drugi raz tego dnia podjechał pod blok Leny. Po wcześniejszym rozczarowaniu obiecał sobie, że odpuści. Na szczęście wrzucił konwalie do zlewu napełnionego wodą, więc nie padły w tym upale. Przespał się, wstał, wypił kolejną kawę, zrozumiał, że jednak nie odpuści, więc przebrał się i znowu tu sterczał w samochodzie.

Ziewnął przeciągle. Po co on wczoraj tyle pił? Przecież nawet nie będzie mógł dziś zaszaleć z tą dziewczyną, gdyby się okazało, że ona jednak go chce. Znowu zrobi coś nie tak, powie za mało albo za dużo i cała kołomyja zacznie się od nowa. Za stary jest na to, zdecydowanie.

Z drugiej strony Hanuszkiewicz zwykł mawiać, że starość to kwestia wyboru, a jeśli tak, to uganianie się za Heleną Trojańską oznacza, że on jeszcze tego wyboru nie dokonał. Mógłby siedzieć w domu i oglądać sport od rana do nocy albo działać w jakiejś partii i z miną mędrca i zbawcy narodu siedzieć na jakimś zebraniu. Zamiast tego się zakochał. *Ergo* nie jest stary, tylko zmęczony.

Już miał wysiąść z samochodu, kiedy spostrzegł Arka Zajdlera z jakąś starszą panią. Zaraz, zaraz, przecież to ona wskazała mu mieszkanie Leny. No to wszystko jasne, nie znał jej wcześniej, choć tak myślał. Po prostu przypominała mu przyjaciela, pewnie to babcia albo ciotka. W pierwszym odruchu chciał do nich podejść, ale w porę się zatrzymał. Musiałby tłumaczyć się tej kobiecie, potem opowiadać o wszystkim Arkowi, a ten zacząłby się z niego nabijać. Po co mu to? Poczeka, aż odjadą, i wtedy ruszy do Lisicy.

Zadzwoni do niej. Wyjął telefon z kieszeni. Wyszukał numer – Moja Miła – i zamarł z palcem w powietrzu. A może lepiej nie? Jeszcze go pogoni. Kiedy go zobaczy, to jest nadzieja, że zmięknie, przecież była taka wrażliwa na jego dotyk. Pocałuje ją, ugłaszcze, będzie dobrze.

Nagle telefon zawibrował, Jula zaskoczył dźwięk przychodzącej wiadomości. Tak się przestraszył, że upuścił aparat na podłogę. Grzebał chwilę pod nogami, przeklinając soczyście. Brakowało mu dziś cierpliwości.

Wiadomość od Leny. Wstrzymał oddech. Przebiegł wzrokiem linijkę tekstu. Jeszcze raz i jeszcze raz. „Proszę, pospiesz się, proszę, nie zatrzymywana odejdę". Ona do niego mówi Poświatowską! Lenka, już tu jestem, idę – ledwo pomyślał, ledwo głowę podniósł – a tu ona – szła energicznie, aż jej włosy podskakiwały w górę i w dół, jak małej dziewczynce grającej w gumę.

Uśmiechnął się w jej stronę. Skąd wiedziała, że on tu czeka? Przecież tego miejsca nie widać z okien bloku. Wysiadł z samochodu, cały rozpromieniony, ale zaraz zorientował się, że ona tak spieszy nie do niego, ale do... Arka!

Przywitała się z nim serdecznie. Za serdecznie! Cholera, kiedy ona zdążyła go poznać? Przecież dopiero przyjechała do Warszawy, a on też niedawno wrócił. Co to w ogóle ma znaczyć, do kurwy nędzy? Przecież właśnie dostał od niej SMS-a!

Sięgnął po kwiaty, które leżały na przednim siedzeniu, torebeczkę z kolczykami zostawił w samochodzie. Trzasnął drzwiami i zaczął iść prosto na nich. Miał nadzieję, że jego postawa i zdecydowany krok wystraszą przeciwnika. Nie zamierzał się nią dzielić, nie wypuści jej już z rąk, nie ma takiej opcji.

– Lena, kochanie, zawołałaś mnie i jestem.

Nie zwracał uwagi na Arka i jego towarzyszkę. Jeszcze nie. Teraz liczy się tylko ona. Stała jak wryta, musiał szybko działać, zanim się ocknie. Objął ją jedną ręką, bo w drugiej trzymał kwiaty, przytulił mocno do siebie, po chwili lekko się odsunął i pocałował w usta. Przywłaszczył ją na oczach Arka. Po czym odwrócił się w jego stronę i spojrzał wymownie w oczy: nie waż się, brachu, jej tknąć, bo ci rękę wyrwę razem z płucami i jajami – nadawał pozawerbalnie. Samce rozumieją się bez słów.

– Przyjacielu, co za spotkanie. Mieszkasz tu teraz?

Nie dał mu odpowiedzieć. Zwrócił się od razu do starszej kobiety:

– Cieszę się, że panią znowu spotykam. Dziękuję za poranną pomoc. – Wręczył jej dwa bukieciki z naręcza konwalii, które trzymał. Resztę podał Helenie, która automatycznie przyjęła kwiaty.

– Kochanie, czy mi wybaczysz?

Tamci myśleli, że chodzi o imieniny, ale Jul z Leną wiedzieli swoje. Juliusz odwrócił się do nich plecami, zasłonił Lenę i patrzył jej w oczy. Chciał, żeby wszystko mogła z nich wyczytać, żeby zrozumiała to, czego nawet słowami nie umiałby teraz powiedzieć.

Stali tak chwilę, aż zaczęło to być krępujące. Zwrócił się więc z powrotem do przyjaciela i starszej pani:

– Kochani, to miała być niespodzianka dla Leny, ale będę wdzięczny, jeśli i wy przyjmiecie zaproszenie. Mam zarezerwowany stolik w Belvedere. Jestem pewny, że przyjmą cztery osoby zamiast dwóch. Piękna pogoda, usiądziemy na zewnątrz. Proszę, uczyńcie nam ten zaszczyt.

To mówiąc, objął Lenę w pasie. Znaczył teren. Z pewnością nie umknęło im to, że powiedział „nam".

Zapadła niezręczna cisza. Wiedział, że Arek miał inne plany, wyglądało na to, że chciał panie czymś zaskoczyć, ale wytrącił mu broń z ręki. Jakby go nie znał, starego podrywacza. Sam go przecież tego uczył. Chłopak stracił wcześnie ojca i Jul mu służył trochę za starszego brata, a trochę za mentora.

Przez chwilę mierzyli się wzrokiem. Gdyby ktoś chciał w tym momencie wejść między nich, prawdopodobnie zostałby porażony prądem. Tylko patrzeć, jak się sczepią. Arek jeszcze chwilę „kopytami rył ziemię", ale ostatecznie postanowił odpuścić. Rozluźnił spięte mięśnie, dał za wygraną. Albo tylko taki fortel? Jul nie tracił czujności, kiedy ten zwrócił się do towarzyszki:

– Babciu? Proszę, pozwól, że ci Jula oficjalnie przedstawię – to mój przyjaciel, o którym ci tak wiele opowiadałem. Musisz pamiętać, przecież nosi takie oryginalne imię. To właśnie on polecił mnie na swoje miejsce na uczelni w Stanach. Znamy się i przyjaźnimy od wielu lat.

– No właśnie, stary, jak to możliwe, że nigdy nie przedstawiłeś mnie swojej babci? – Jul zwrócił się do Arka z udawanym wyrzutem.

Rozmawiali jeszcze chwilę w tym stylu, odsuwając moment konfrontacji. Znowu spięci, czujni, pierwszy raz w takiej sytuacji, więc niepewni, jak daleko mogą się posunąć. Przyjaźń wystawiona na najwyższą próbę.

Pani Michalina wzięła sprawy w swoje ręce.

– Chętnie przyjmiemy pańskie zaproszenie. Arek tyle mi o panu opowiadał, że miło będzie pana bliżej poznać. Nie mam zbyt wielu atrakcji, taka kolacja to będzie miła odmiana. Zatem panowie mi wybaczą, muszę wrócić do domu po szal, skoro mamy siedzieć na zewnątrz. Na pewno pod wieczór zrobi się chłodniej, a stare kości już nie są tak odporne na chłód.

– Ależ jeśli szanowna pani sobie życzy, zaraz zadzwonię i dowiem się, czy mają stolik wewnątrz albo czy mogą nas po jakimś czasie tam przenieść, na przykład po głównym daniu, a przed deserem. Proszę o chwilę cierpliwości.

Jul z ulgą oddalił się na tyle, żeby go nie za dobrze słyszeli. Rzecz w tym, że nie miał stolika w Belvedere, wymyślił to na poczekaniu, więc teraz będzie musiał coś wykombinować. Jeśli w restauracji nie mają nic wolnego, jest ugotowany. Miał przeczucie, że kolczyki to nie ostatni wydatek. I nie miał na myśli tylko kolacji.

HELENA

1.

– A ty, kochaneczko, będziesz mi towarzyszyć, tobie też się przyda jakiś kardigan lub szal. – Pani Michalina nie dała Lenie zaprotestować, zagarnęła ją pod ramię i pociągnęła za sobą.

Kiedy zniknęły za drzwiami klatki schodowej, staruszka odwróciła się do Leny, pociągnęła konspiracyjnie swoim nosem à la Mała Mi i rzekła wprost:

– Trzeba im dać chwilę, niech się dogadają. To przyjaciele, a teraz walczą o jedną kobietę. Bądź mądra, wstrzemięźliwa, pozwól im to załatwić między sobą, inaczej zawsze będzie coś nie tak, a oni znają się tyle lat, że szkoda to zmarnować ze starego jak świat powodu. Już była jedna Helena odpowiedzialna za wojnę i pożogę. Wystarczy.

– Myśli pani, że Arkowi na mnie zależy? Przecież on mnie poznał zaledwie wczoraj.

– A Juliusz kiedy?

– Ma pani rację, też niedawno. Teoretycznie mieliby taką samą szansę. Przykro mi to mówić ze względu na panią, ale Jul ma przewagę. Myślę, że jestem w nim zadurzona, fascynuje mnie i pojawienie się Arka niczego tu nie zmienia.

– I to jest w porządku. Nie ceniłabym cię bardziej, gdybyś nagle swoją uwagę skierowała na mojego wnuka. Jak by to o tobie świadczyło? Ale widzisz, panowie wyczuli, że są zainteresowani tą samą kobietą, i teraz muszą ten problem rozwikłać. Dajmy im kwadrans, dla niepoznaki faktycznie musimy wziąć jakieś szale, żeby nas nie rozszyfrowali. A ty pamiętaj, że takie sytuacje to jak łuskanie owoców granatu – jeśli delikatnie, cierpliwie wyjmiesz jedną kulkę po drugiej, masz słodki i soczysty owoc do skonsumowania, jeśli zrobisz to niefrasobliwie, za szybko, to narobisz bałaganu, poleje się sok i pojawią trudne do zmycia brunatne plamy – wielka strata okazji do czegoś dobrego i cennego. Tu potrzeba rozwagi, moja droga, rozwagi.

2.

Stała w swoim pokoju i głęboko oddychała. Rozmowa z sąsiadką bardzo ją poruszyła. Skąd ona ma wziąć tę rozwagę, skoro to wszystko jest takie świeże, tak ją dotyka?

Kiedy zobaczyła Jula idącego w ich stronę, wszystko w niej zamarło, a potem jej serce zaczęło wyśpiewywać Pieśń nad Pieśniami, trele, *Odę do radości* – wszystko naraz.

Kiedy ją objął, jej mięśnie i nerwy zagrały radosny koncert fortepianowy z wariacjami na temat tego, co już było między nimi, i tego, co właśnie nadchodzi. Słyszała w sobie tę muzykę i jak wchodzi orkiestra, kiedy ją pocałował, i jak wszystko przechodzi w wolny durowy motyw, kiedy ją sobą zasłonił i zagarnął wzrokiem.

Zaprosił ich wszystkich na kolację, a ona myślała tylko o tym, że dużo bardziej wolałaby być z nim sama.

Musi wziąć się w garść. Poudawać trochę, że jej nie zależy, bo gdy tylko da mu poznać, że tak bardzo chce, że jej ręce wyciągają się do niego, on znowu stanie się chłodny. Drugiego odrzucenia już by nie zniosła.

Pani Michalina nakazała wziąć jakieś okrycie, żeby nie zdemaskować fortelu, jakim się posłużyła. Lena zaczęła szukać swojego szarego szala, ale diabeł go ogonem nakrył. Nie miała zwyczaju rozrzucać swoich rzeczy, więc powinien być z bluzką i spodniami, z którymi go miała ostatnio na sobie, ale nic z tego. Zgubiła?

JULIUSZ

1.

Miał więcej szczęścia niż rozumu. Były wolne stoliki, na zewnątrz, wewnątrz, gdzie będą chcieli, wszystko chyba dzięki temu, że dopiero w ten weekend otworzyli restaurację po remoncie.

Wrócił do Arka już spokojny, pewny swego, ale tamten jeszcze niezadowolony, musieli sobie coś wyjaśnić.

– Więc jesteście razem z Heleną – bardziej stwierdził, niż zapytał, Arek.

– Tak. – Krótko. Jul nie będzie mu niczego ułatwiał.

– To dlaczego wczoraj była taka spłakana? Przez ciebie?

Nie twój zasrany interes – pomyślał Juliusz. Zamiast tego odpowiedział:

– Błąd w komunikacji. Znasz to z doświadczenia, jeśli dobrze pamiętam.

Odnosił się do sytuacji sprzed lat, kiedy Arek miał świetną dziewczynę, ale go zostawiła, bo czegoś tam nie dogadali, a potem było już za późno i przepadło. Wiedział, że Arek żałuje tego do dziś. Chwyt był poniżej pasa, ale przez to skuteczniejszy niż inne.

– Jesteś z nią czy to tylko pobożne życzenie?

Tamten nie został dłużny. Jula nawet to bawiło, sam go tego przecież nauczył.

– Jeśli robiła ci jakieś nadzieje, zapomnij, to ze złości na mnie.

– Nie robiła.

– Sam widzisz.

– Fajna jest. Szkoda jej dla ciebie. Mogłaby być matką moich dzieci.

Cios podbródkowy. Celny. Arek wiedział, że Jul nie chce już dzieci, poza tym nie jest jakimś pieprzonym Anthonym Quinnem, żeby płodzić w tym wieku. A ona młoda, pewnie by chciała.

– Helena nie chce mieć dzieci, rozmawialiśmy o tym.

Oddał. Miał nadzieję, że zabolało. Oczywiście skłamał, przecież nigdy nie poruszyli tego tematu.

– Teraz tak mówi, bo ją sobie wokół palca owinąłeś. Jakbym tego wcześniej tyle razy nie widział. Umiesz. Wiem, że nie mam szans, Julek. Chyba że poczekam, aż ją rzucisz albo zdradzisz, może wtedy, jako pocieszyciel.

– Jeśli sama nie odejdzie, to nie mam zamiaru jej wypuścić z rąk. Gdyby przyszło ci do głowy stanąć mi na drodze, nogi ci z dupy powyrywam.

Jul uznał, że pora przejść do rzeczy wprost. Znudziło mu się krążenie wokół tematu, poza tym spodziewał się lada moment powrotu pań i nie chciał pozostawiać żadnych niedopowiedzeń.

– *Beatus qui tenet*[*].

– Piękna puenta, bracie. Zgoda? – Juliusz wyciągnął rękę do Arka.

– Wojna nie ma sensu, jeśli znać zawczasu, kto przegrany. Zgoda, przyjacielu.

* Łac.: Szczęśliwy, kto trzyma (Szczęśliwy, kto ma).

HELENA

1.

– Nie znalazłam mojego szala, nie mam innego odpowiedniego na tę porę. Co teraz?

– Nic. Oni już dawno zapomnieli, po co poszłyśmy. Zabrałam swój, bo naprawdę martwię się o moje stare kości. A ciebie i tak będzie grzać widok tego przystojnego mężczyzny. Zresztą założę się, że ma w samochodzie jakąś marynarkę, którą chętnie cię w razie czego okryje.

– Pani ma zawsze na wszystko radę i odpowiedź, chciałabym taka być.

– W moim wieku będziesz. Poza tym nie na wszystko mam radę, bo choć nieba bym wnukowi przychyliła i widzę, że jest bardzo ożywiony, odkąd cię wczoraj u mnie spotkał, to wiem, że nie ma szans z tym twoim Juliuszem, za mocny z niego gracz.

Dotarły do samochodu, gdzie panowie na nie czekali. Lena uznała, że musi wytłumaczyć się z tego, że nic ze sobą nie ma.

– Mam nadzieję, że nie będzie chłodno wieczorem, bo nie znalazłam swojego szarego szala.

– Nie znalazłaś, bo jest u mnie. Zostawiłaś w piątek w samochodzie.

Mówiąc to, Juliusz ostrożnie umieszczał panią Michalinę na tylnym siedzeniu. Wprawdzie proponował, żeby usiadła z przodu, ale uparła się, że z tyłu. Lena widziała, że było mu to na rękę. Uśmiechnęła się pod nosem.

Może powinna trochę poflirtować z tym drugim, wtedy Julowi zacznie zależeć? Od razu się skarciła. Starsza pani zalecała rozwagę, a to na pewno nie mieściło się w tej kategorii. Zresztą, nawet by nie umiała.

JULIUSZ

1.

Schylił się szybko i zręcznie umieścił pakuneczek z kolczykami w schowku. Trochę zbyt gorliwie tłumaczył się z potrzeby uporządkowania bałaganu na przednim siedzeniu. Nie chciał, by Lena widziała prezent przedwcześnie, to nie był dobry moment na jego wręczenie.

Otworzył szerzej drzwi, ujął Lenę za rękę i przyciągnął do siebie. Jej sukienka odkrywała ramiona. Świeży, jasnozielony kolor podkreślał miedziany kolor ciała. Wzruszyły go jej piegi. Czule odgarnął jej włosy i pocałował w kark, kiedy powoli zwracała się w stronę samochodu. Zareagowała na dotyk, zabrakło jej tchu. Jemu też.

Ruszył. Włączył się w słaby o tej porze ruch. Gładko zmienił biegi, sunął w kierunku Łazienek. Położył prawą dłoń na przedramieniu Heleny. Czuł, że jest spięta, że nie bardzo wie, na czym stoi. Pogubiła się, biedna. On też stracił nagle odwagę, to wszystko takie płoche jest, chociaż wcześniej sądził, że proste. Chwilę tak trwali, aż Lena wsunęła nieśmiało swoją dłoń w jego. Tak mu ją pięknie, nieśmiało podłożyła. Zagarnął ją łapczywie, chciał, żeby poczuła się pewnie, starał się przekazać: „Masz mnie bezwarunkowo, jestem tu dla ciebie".

Zatrzymał się na światłach. Na chwilę musiał ją puścić, powrót to znowu niepewność. Sięgnął, a ona już gotowa, jakby tylko na to czekała, wpasowała swoją dłoń w jego, spojrzała przy tym tak, że gdyby tylko byli sami, rwałby z piskiem opon do domu.

Podjechał od Parkowej i zaparkował przy restauracji. Arek pomógł wysiąść babci, Jul asystował Lenie. Chociaż nie lubił manifestowania uczuć w towarzystwie, nie oparł się, musiał ją objąć, kiedy zmierzali do wejścia.

Kelner wskazał im stolik w czymś w rodzaju całkowicie oszklonej oranżerii. Obok stolika były rozsunięte na całą szerokość drzwi na ogród.

Otoczenie o tej porze roku wyglądało zachwycająco. W duchu pogratulował sobie wyboru miejsca. Wszechświat im sprzyjał, jeszcze tydzień temu nie przyjmowano tu gości. O remoncie za to mówiło się dużo, bo w projekcie wystroju maczał palce Boris Kudlička, scenograf Opery Narodowej. Może się założyć, że w następny weekend nie będzie tak łatwo o stolik.

I znowu Lena siedziała naprzeciwko niego, obok pani Michalina, Arek po jego prawej ręce. Najpierw trochę się złościł, kiedy starsza pani usiadła obok Lenki, ale potem uznał, że lepiej mieć Lisicę przed sobą, obserwować, jak je. Uwielbiał na nią patrzeć.

Sukienka w stylu country odsłaniała ramiona i dekolt. Juliusz bardzo starał się nie wpatrywać zachłannie w to miejsce. W pewnej chwili pomyślał, że jedno pociągnięcie w dół wystarczyłoby, żeby odsłonić biust Lisicy. Akurat byli w trakcie konwersacji na temat jutrzejszej promocji książki Grzegorza Chlasty we Wrzeniu Świata. Postanowili pojechać na to spotkanie razem. Jul zaoferował transport, ale ustalili, że przy dobrej pogodzie podjadą do Nowego Światu tramwajem lub autobusem i się przejdą. Potem może posiedzą jeszcze w kawiarni z ogródkiem i Jul będzie mógł napić się z nimi wina, skoro nie będzie musiał prowadzić.

Oni nadal rozmawiali o książce, o nowych służbach specjalnych, a on myślał tylko o tym, co Lisica ma pod sukienką. Stanik musi być z tych fikuśnych, bez ramiączek, bo nic nie widzi, a zauważyłby te przezroczyste na pewno, bo go zawsze raziły. Czy kobiety naprawdę myślą, że ich nie widać? Toż lepiej, gdyby obnosiły piękne, koronkowe lub jedwabne, ramiączka, które stanowiłyby element stylizacji. No, ale co on tam wie. Za to doskonale wie, co zrobiłby z Leną i gdzie, i w jakiej pozycji, i ile razy. Chociaż z tą mnogością to chyba przesadza, bo daje mu się jednak we znaki wczorajszy wieczór. Kolejny raz pożałował, że się tak upodlił ze znajomymi.

Pani Michalina okazała się niezwykle interesującą rozmówczynią. Nie dostali jeszcze zamówionych dań, a Jul już czuł się jak w rodzinie, takiej fajnej, której członkowie chętnie przebywają w swoim towarzystwie. Z Arkiem znali się od lat i naprawdę była to dobra przyjaźń; starsza pani przypominała mu jego własną babcię, którą bardzo kochał i stracił dość wcześnie. A Lena? Nie po raz pierwszy, ale teraz chyba najbardziej dotkliwie, odczuł potrzebę bycia z nią naprawdę. Chciał, by była jedyną kobietą, która ma w torebce klucze do ich wspólnego mieszkania. Marzył o tym, że dostaje od niej SMS-y z przypomnieniem, że w drodze do domu ma kupić sery i wino, bo wpadają znajomi na brydża. Wyobrażał sobie, że rankiem widzi ją w koszulce i w bieliźnie, taką jeszcze senną i potarganą, z odciskiem poduszki na policzku, kiedy stojąc gołą stopą na drugiej stopie, żeby chłód posadzki nie doskwierał, czeka, aż kawa z sykiem wsączy się do filiżanki. Przyniósłby jej wtedy klapki z udanym wyrzutem, że znowu stoi bosa na gołej podłodze. Ona podstawiłaby mu pyszczek pod nos, żeby ją pocałował i przestał marudzić. Któreś z nich usmażyłoby lekką jajecznicę na pomidorach. Ustalaliby plany na ten dzień, idą coś zjeść na mieście, kino, może teatr? On opowiadałby o książce, którą właśnie czyta, ona o artykule w ostatnich „Wysokich Obcasach". Przekomarzałby się, że nie ma racji, ona, jak to ona, najpierw zareagowałaby temperamentnie, a potem śmiała się w głos, że znowu ją podpuszcza. Nie kłóciliby się nigdy, dbałby o nią, ani jedna łza nie zagościłaby w jej oczach, na pewno nie przez niego, a gdyby z innego powodu, wiedziałby, jak je osuszyć. I tu wracał do pierwszej myśli, zawsze tak było – jak się w niej znaleźć, jak ją opleść i zawłaszczyć, zabrać światu, chociaż na chwilę? Odkąd ją pierwszy raz ujrzał, nie było dnia, żeby o tym nie myślał. Każda kobieta, która go jakoś tam wabiła, ostatecznie wzroku nie stracił, koniec końców miała jej twarz i rudą czuprynę. Obiecywał sobie, że już nigdy nie zwiąże się trwale z inną kobietą, aż do teraz. Nastała era Leny, miał nadzieję, że to nie jest jego epoka lodowcowa.

HELENA

1.

Podobało jej się, że jest tak szarmancki wobec pani Michaliny, ale była też trochę zazdrosna, bo miała wrażenie, że poświęca jej całą uwagę, jakby ta nowa znajomość z babcią najlepszego przyjaciela miała dla niego duże znaczenie. Nic dziwnego, okazało się, że panowie znają się od lat, to na pewno bardziej wiąże niż jakaś tam niedawno poznana dziewczyna. Czuła się jak piąte koło u wozu.

Nie odnajdowała się w niejasnych relacjach damsko-męskich, musiała wiedzieć, na czym stoi. Tę stronę siebie poznawała dopiero teraz.

Ta kobieta, w którą próbowała się wcielić, kiedy przyjechała do stolicy, gdzieś zniknęła. Nie wiedziała, cieszyć się czy płakać. Podobało jej się, że była wtedy taka pewna siebie, wyzwolona, na granicy rozwiązłości. Taka powinna być kobieta nowoczesna, wielkomiejska: bez skrupułów, bez zahamowań, bierze, co chce, daje tylko tyle, ile uważa, i korzysta raczej, niż jest wykorzystywana. Łatwo się mówi, ale natury chyba nie oszukasz.

Inna rzecz, że gdy wchodzi w grę uczucie, ta drapieżność przeważnie jest bezlitośnie rugowana; dziewczyna staje się bezbronna, płocha, wrażliwa – łatwo ją zranić.

Teraz, stojąc na chodniku i czekając, aż Jul pomoże starszej pani usadowić się wygodnie w samochodzie, czuła się jak głupia, prowincjonalna gęś. Wolałaby być teraz panią Michaliną, kobietą, którą wszyscy adorują i uwielbiają, bo jest mądra, dobra i nic już nie musi udowadniać. Najchętniej odwróciłaby się teraz na pięcie i niepostrzeżenie oddaliła. Poszłaby sobie do pokoiku na drugim piętrze, przebrała w dżinsy, zaległa na kanapie z książką i muzyką w tle; tam jest jej miejsce, a nie u boku Jula, w jakichś eleganckich restauracjach. Właściwie co on w niej widzi? Dlaczego tak się uparł? Na pewno ma wokół siebie ładniejsze, bardziej obyte, ustawione kobiety, które imponują intelektem, karierą, klasą i do tego znają ludzi w mieście. A ona – zwykły słoik.

Kolej na nią, by wsiadać. Przeszła obok Jula. Przygarnął ją czule, tak w każdym razie jej się wydawało, a zaraz potem, jakby chciał jej udowodnić, że się nie myliła, odsunął włosy z jej szyi i zanim zanurzyła się w czeluści samochodu, pocałował w kark. Kto by pomyślał, że zwykłe zetknięcie warg mężczyzny ze skórą na karku kobiety może wywołać u niej taką reakcję. To nie miało nic wspólnego z podnieceniem seksualnym, odnosiło się raczej do sfery emocjonalnej. Poczuła, jakby jej serce przestało pompować krew, nagła pustka komór, przejmująca pauza, a potem pobranie nowej porcji krwi, tak gwałtowne, że zaparło jej dech. Przez chwilę myślała, że tego nie wytrzyma, nastąpi krach i spektakularny koniec. Nic takiego się nie stało. Świat nie zamarł, nic się nie zmieniło, a Jul zapewne zrobił to automatycznie i nie przywiązywał do tego żadnego znaczenia. Chociaż miała przez sekundę wrażenie, że i jemu dech zaparło, ale szybko przywołała się do porządku – mężczyznom to się nie zdarza, tylko takie kozy wychowane na Jane Austen mają w sobie tyle egzaltacji.

Nie potrafiła znaleźć w sobie tego „mojo", które towarzyszyło jej w pierwszych dniach. Im bardziej angażowała serce w znajomość z Julem, tym bardziej stawała się miękka jak obrany skorupiak. Podświadomie się wycofywała, bo nie była ani wystarczająco silna, ani gotowa na odrzucenie.

Pomyślała, chyba pierwszy raz, odkąd odeszła od Zbyszka, jak wielką krzywdę mu wyrządziła. Po tylu wspólnych latach musiało to być dla niego szokiem. Kiedy powiedziała matce o ich rozstaniu, ta w pierwszym odruchu dezaprobaty rzekła: „Pan Bóg cię pokarze za twoje uczynki". Lena bardzo się wtedy oburzyła; Bóg nie ma z tym nic wspólnego, jakby mało było na świecie ludzi, którzy potrzebują jego uwagi. Grzech to niewielki, jeśli w ogóle. Przecież nie odchodziła do innego mężczyzny, a zmienić zdanie miała prawo. Nie byli małżeństwem, i to nie z jej winy. Czyż nie większym grzechem, jeśli już w takich kategoriach to rozpatrywać, była niechęć ze strony Zbyszka, by mieć z nią dzieci, by związać się węzłem małżeńskim? Przecież to właśnie w oczach Boga jest marnotrawieniem potencjału ludzkiego.

No tak, ale związek z Julem też nie rokuje. Nie sądzi, żeby chciał ją za żonę, na pewno nie będzie się rwał do ojcostwa. Z jego strony to mogło być wyłącznie nic nieznaczącą przygodą. Tyle że Lena w jego towarzystwie, zamiast to wszystko brać pod uwagę, topiła się jak masło w reklamówce pijaka śpiącego na słońcu.

Jest przekonana, że zainteresowanie przyjaciela obudziło w Juliuszu samca alfa, ale to minie. Zjedzą, pogadają, odwiezie ich do domu, przed pożegnaniem szepnie pewnie coś w rodzaju: „Lisiczko, przecież wiesz, że to nie miało racji bytu...". I tyle.

Brnęłaby w te rozmyślania dalej, gdyby nie poczuła ręki Jula na swoim przedramieniu. Zamarła. I jak to rozumieć? Pociesza? Zwodzi? Robi to z sympatii? Bo przecież nie z miłości. Widziała, jak wsuwał do schowka pakuneczek od Swarovskiego. Zapewne jakaś Joanna czy Beata czeka na niego i zostanie obdarowana na przeprosiny pięknym drobiazgiem. Kochanie, wybacz, miałem dzisiaj ważne sprawy, ale od jutra już jestem twój – wyszepcze w jej kark, może nawet w to samo miejsce, w które przed chwilą pocałował Lenę.

Ale to nie był dotyk mężczyzny obojętnego, raczej niepewnego jej reakcji. Wzruszyła się. Wróciły do niej te wszystkie chwile, kiedy byli dla siebie centrum wszechświata. Teraz to już całkiem pogubiła się w sytuacji.

Mój ci on czy nie mój? A jak nie mój, to będzie mój czy już jest czyjś? A może swój tylko i nie chce być z nikim?

To było ponad jej siły. Poddać się czy zawalczyć? Jeśli nie spróbuje, będzie do niego tęsknić całe życie. Takich mężczyzn się nie zapomina, więc jeśli choć trochę nie zawalczy, to może się okazać, że się wahał, czekał na jakiś znak z jej strony, a ona to zaprzepaściła.

Spojrzała na jego zadbaną, mocną dłoń. Nie mogła się oprzeć, wsunęła pod nią swoją, potem zwróciła się w stronę Jula, chociaż wiedziała, że prowadzi i nie będzie na nią zwracał uwagi. Nawet jeśli w jej oczach jest zbyt dużo uczucia, on i tak tego nie zauważy.

Myliła się. Natknęła się na jego oczy i wszystko, co sobie uporządkowała, runęło w gruzy.

Kiedy już była gotowa rzucić się za nim w przepaść, on cofnął rękę.

Zobaczył w moich oczach to bezkresne, cielęce oddanie, które wylało mi się z serca, i przestraszył się – myślała.

Boże, ona nie przeżyje tej jazdy.

Ruszył ze świateł, rozpędził się, zmienił kilka razy biegi, ustalił rytm jazdy i znowu wrócił ręką dokładnie w to samo miejsce. Rozpaczliwie pochwyciła jego dłoń. Pragnęła pewności, bo miotała się wśród wszelkiego rodzaju uczuć, przechodziła od rozpaczy do euforii tak gładko jak łyżwiarka kreśląca pętle na lodzie – jedna pętla zaciskała się na gardle, druga wiązała ją z nim coraz bardziej. Co chwila krzyczała w duchu „ratunku!", a zaraz potem „jeszcze!".

A wszystko przez to, że kiedy był w jej życiu czas na związki, niepowodzenia, zawody i porzucenia, ona weszła w stałą, udaną, ale chyba zbyt wczesną relację z kolegą z liceum. Jej emocjonalny, uczuciowy system immunologiczny nie istniał, nawet w zalążku. Jako nieużywany organ przepadł w procesie życiowej ewolucji.

Dojechali na miejsce. Wysiedli. Nie wiedziała, jak się zachować, gdzie się podziać. Jul pomógł jej wysiąść, pyknął zamek centralny, a zaraz potem poczuła ramię Juliusza oplatające jej talię. W ulubionych powieściach dziewiętnastowiecznych na pewno byłaby to kibić – Lena nie mogła darować sobie tej paraleli. Uśmiechnęła się do tej myśli, co Jul wziął za dobrą monetę. Przygarnął ją ciaśniej i nie puścił aż do momentu, kiedy dotarli do stolika.

Drobny gest, ale tak ją ustawił psychicznie, że reszta wieczoru była fenomenalna. Arek odpuścił wywracanie oczami i wyznania na przydechu, za to okazał się niezwykle dowcipnym kompanem. Pani Michalina miała rację. Panowie musieli się chyba rozmówić, bo atmosfera była zdecydowanie czystsza.

Mieli mnóstwo tematów do omówienia. Starsza pani była na bieżąco z nowościami wydawniczymi, koncertów i spektakli widziała chyba więcej niż oni wszyscy razem wzięci, a na pewno Helena. Już się umówiły, że na kolejne wydarzenia będą chodzić razem. Jul zaoponował, poprosił, żeby zostawić coś też dla niego. Zrobił to z taką kurtuazją, nawet pocałował panią Michalinę w rękę, że obie nie mogły się nie roześmiać, każda oczywiście z innego powodu. Stanęło na tym, że na najbliższe spotkanie autorskie we Wrzeniu Świata wybiorą się jutro razem.

Lena czuła się, jakby znalazła w Warszawie rodzinę. To było zaskakujące uczucie. Nagle przechodziła od porannych rozterek o samotności singla w wielkim, obcym mieście do euforii z posiadania osób, które stają jej się bliskie. A przecież mieszkała w Warszawie zaledwie od kilku dni – w jakiś dziwny, magiczny sposób czas tutaj obfitował w wydarzenia i przyniósł niewyobrażalne zmiany w jej życiu.

Natomiast rzeczywistość koszalińska zdawała się być odległa o lata świetlne, podobnie jak tamtejsze wydarzenia. Przyjaźnie też jakoś zbladły. Nie myślała już o Milenie tak często jak kiedyś, a przecież dawniej dzwoniły do siebie prawie codziennie. Skarciła się w duchu, upomniała raczej, że koniecznie musi przyjaciółce wszystko opowiedzieć. To będzie długa rozmowa.

2.

Na deser przenieśli się na kanapy i fotele w ogródku. Panowie wypili po filiżance espresso, co nie uszło uwagi pań. Było już późno, a kawa mocna.

– Niezbyt dobrze spałem zeszłej nocy, wszystko przez tę rudą boginię, która porzuciła mnie wczoraj nagle, choć obiecywała wspólny wieczór – mówiąc to, Jul nachylił się do policzka Leny i ucałował ją delikatnie.

Tym razem siedzieli obok siebie na rozłożystej sofie. Kiedy Jul mówił coś o niej, ale tak naprawdę chciał, żeby wiedziała, że do niej, zbliżał swoją twarz do jej twarzy. Czasem miało się wrażenie, że ich usta zaraz się zetkną. Lena była wtulona w niego, objęta ramieniem Jula. Byli wpasowani w siebie jak dwa puzzle. Oboje czuli się z tym naturalnie, jak gdyby stało się oczywiste, że od teraz będą ze sobą tak blisko, nawet w towarzystwie. Lena zastanawiała się, czy to oznacza pasowanie na jego dziewczynę. Jak to się odbywa w dorosłym świecie? Czy mężczyzna mówi: „Bądź moja od teraz, od dziewiętnastej", czy po prostu zachowuje się tak, że kobieta musi się sama w tym połapać? I jak w tym wszystkim nie wyjść na głupka? I dla kogo był ten prezent od jubilera? Może dla matki? Pamięta, że coś wspominał o jej chorobie.

– Nie ja cię porzuciłam, chyba to rozumiesz, mój drogi – powiedziała z udawaną powagą, ale od razu widać było, że już mu wszystko wybaczyła.

I jak to zakochana kobieta będzie wybaczać i inne potknięcia, bo już powoli wytraca swoją odrębność, buńczuczność, rządzi chemia i nic już nie będzie szare, nic smutne, każde niestosowne zachowanie znajdzie idealne usprawiedliwienie, każda łza spotka się z jego przepraszającymi ustami, a przeprosiny będą zawsze utęsknione i przyjęte z ulgą. Jeszcze przez jakiś czas bez dyskusji.

Nagle Jul o czymś sobie przypomniał, przeprosił ich i odszedł. Lena zamarła. A więc to tak, znowu jakiś telefon, pewnie komórkę miał ustawioną na wibracje. Znowu go straci. Jakie to wszystko ulotne, dłużej tego nie zniesie. Dla własnego dobra trzeba to teraz przerwać, nie narażać się na upokorzenia.

Już miała przeprosić i wyjść, pani Michalina na pewno zrozumie, taka mądra kobieta, kilka słów wystarczy, może nawet nie trzeba nic mówić, kiedy ujrzeli Jula, który już z daleka wyciągał w jej kierunku szafirową torebeczkę ze srebrnym łabędziem – znakiem rozpoznawczym firmy jubilerskiej.

– Kochanie, całkiem bym zapomniał, twój imieninowy prezent.

Jul był tak rozpromieniony, że Lena nie mogła się nie roześmiać. Zerwała się z kanapy, przytuliła go mocno. Pewnie mocniej, niż się spodziewał. Przecież nie mógł wiedzieć, że była w tym geście też ulga, że to nie dla innej kobiety, że nikogo poza nią nie ma, to tylko jej głupia wyobraźnia.

– I na przeprosiny, że wczoraj byłem taki niedelikatny, Arek mówił, że przeze mnie płakałaś. Nigdy więcej, obiecuję – wyszeptał już tylko dla niej przeznaczone słowa.

Położyła mu dłoń na policzku, po czym czule, ledwo dotykając, to było bardziej jak obietnica dotyku, muśnięcie skrzydeł motyla, przesunęła dwa palce pionowo w dół, do linii szczęki.

Spojrzała mu w oczy. Chciał o coś zapytać, ale w ostatniej chwili zrezygnował.

– Pozdrowiłam moją ulubioną zmarszczkę. – Poczuła, że jest mu winna wyjaśnienie.

– Niemożliwe, ja nie mam zmarszczek.

– Masz. Poznaję je po kolei, ta jest najpiękniejsza, zaczyna się na wysokości połowy nosa, biegnie wbrew wszystkim uwarunkowaniom terenu, załamując się w najmniej oczekiwanych miejscach, aż do brody. Nie zawsze ją widać, mam poważne podejrzenia, że ukazuje się tylko mnie.

– A, jeśli tylko tobie, to nazwijmy ją „linią Heleny", jak szlak kolejowy. Będą o tobie pieśni pisać.

– Na razie to rozwidlenie na dole zmarszczki – dotknęła go w tym miejscu – nazwałam „deltą Julową".

Nachyliła się w jego stronę i tylko nieznacznie odsuwając palce, pocałowała go w to miejsce. Miała ochotę zostać tak dłużej, by czuć jego zapach, skórę pod ustami. Ale nie byli sami. Kolejny raz tego pożałowała.

– Czy panowie też będą pili szampana, czy mam przynieść kartę mocniejszych trunków? – spytał kelner, sprawnie ustawiając stojaczek z wiaderkiem lodu, w którym chłodził się szampan.

Lena, już z powrotem na kanapie, z ciekawością rozwijała pakuneczek. Karteczki, książeczki, jakieś informacje i fenomenalny pomysł – lusterko wielkości karty kredytowej, płaskie, idealne do portfela. Na końcu wyjęła pudełeczko. Otworzyła i zamarła. Na ciemnogranatowym pluszu leżały złote kolczyki w kształcie rombu, wysadzane setkami maleńkich kamyczków. Zamurowało ją.

– Nie podobają ci się? Zawsze możemy wymienić na coś innego. Jeśli chcesz, to pojedziemy tam jutro i wybierzesz sama.

– Ależ, Jul, one są przepiękne, ale ja nie mogę tego przyjąć. Chyba nie sądziłeś... nawet nie wiem, co powiedzieć.

Lena spakowała wszystko do torebeczki i chciała oddać Julowi.

– Heleno Miła, już ci raz mówiłem, przyjmuj hołdy z radością, na litość boską, dlaczego niby miałabyś nie przyjąć? Pani Michalino, ratunku.

– Kochaneczko, pozwól, że się wtrącę, pan Juliusz ma rację. Kobieta nie powinna zastanawiać się, czy mężczyznę stać, czy to wypada. Skoro macie się ku sobie, a on chce ci sprawić przyjemność, pozwól mu na tę odrobinę szaleństwa, tym bardziej że to prezent imieninowy. Przecież nie za każdym razem będzie się tak wykosztowywał.

Lena była w kropce. Wyglądały na drogie. Bardzo jej się podobały, ale czuła się głupio, przyjmując taki dar. Z drugiej strony może już wystarczy tej prowincjonalnej maniery upominania się o minimalizowanie wydatków? Wygłupiła się już wczoraj, przed śniadaniem. Jul miał rację, a starsza pani na pewno wie, co mówi.

Wręczyła mu pudełeczko. Zaczął protestować, ale ona nie słuchała, tylko wyjęła z uszu swoje kolczyki i nachyliła się do niego, żeby założył te, które wybrał.

– No nareszcie, mądra dziewczynka – powiedział Jul, wyjmując pierwszy kolczyk. – Lenka, boję się, że cię urażę, nie umiem ich włożyć.

Westchnęła. Miała nadzieję, że będzie je zakładał i za każdym razem dostanie całusa do kompletu, a tu takie rozczarowanie. Wyjęła mu kolczyki z ręki i sprawnie zaczepiła w dziurkach, po czym odwróciła się najpierw do pani Michaliny i Arka, a potem w stronę Jula i bardziej ruszając ustami, niż artykułując to na głos, spytała: „I jak?". Uśmiechała się przy tym promiennie.

W jego oczach widziała odpowiedź. I zapowiedź tego, co będzie się działo, kiedy zostaną sami, a ona będzie miała na sobie tylko te kolczyki. Zwilgotniała. Jego oczy potrafiły ją rozpalić, a tego nie doświadczyła nigdy, z żadnym mężczyzną.

A może po prostu nie pamięta?

– Dziękuję, kochanie, są naprawdę piękne. – Nie zważając na ludzi dokoła, uklękła na sofie i uściskała Jula.

– Dobra, kotki-psotki, koniec tego miziania, bo mnie zemdli, zanim jeszcze deser przyniosą. – Arek postanowił przerwać tę idyllę.

Pani Michalina dała mu kuksańca w bok.

Lena się zaczerwieniła. Co za maniery, być wśród znajomych i o nich zapominać. Przeprosiła.

– Kochani, za spotkanie, za przemiły wieczór, za imieniny Lenki i za to, że mi wybaczyła moje zapominalstwo i to, że czasem jestem bezmyślnym gamoniem.

Wznieśli kieliszki, które kelner napełnił złocistym płynem. Lena poczuła się wreszcie bezpieczna.

JULIUSZ

1.

Wymykała mu się. Nie potrafił określić jasno, czy już mu uległa, czy jeszcze trzeba o nią zabiegać. Jak tylko spoczywał zadowolony, że już ją ma w garści, ona nagle odpływała, już nie była ani jego, ani niczyja, bo jedno mógł stwierdzić z całą pewnością – Arek dał sobie spokój, a i ona nie szukała z nim flirtu.

I co teraz? Jak ją do siebie przekonać? Wiedział, że albo teraz, albo sprawa będzie przegrana. Jeśli jej na sobie nie zafiksuje, już nigdy nie będzie jego, nie zaufa mu na tyle, żeby swobodnie wejść z nim w relację.

Momentami miał tego po dziurki w nosie, za stary był na takie gierki. Wtedy Lena, jakby wyczuwała jego irytację, robiła się taka wydelikacona na twarzy, bezbronna, a zaraz potem, szelma jedna, patrzyła na niego tymi zielonymi ślepiami, jakby cały świat nie istniał, tylko oni. I postanowienia brały w łeb. Już o niczym nie mógł myśleć, tylko o tym, jak ją do swych kwater zwabić i ją tam na zawsze zatrzymać.

Jakoś inaczej dziś wygląda. Nie znał się na kobiecych sztuczkach. Czy to włosy, czy makijaż? W każdym razie jest dziś romantyczna i drapieżna zarazem. Były momenty, że wyglądała jak dziewiętnastowieczna heroina, a zaraz potem jak zbuntowana nastolatka. Ta zmienność i wieloznaczność go fascynowały.

Pani Michalina patrzyła na niego łagodnie. Wiedziała chyba, co się dzieje między nimi. Był jej wdzięczny, że nie najeżyła się na niego, a przecież mogła, bo wnuk też interesował się Leną, więc będąc po jego stronie, mogła być zła na Jula. Wiedział też, że specjalnie zabrała Helenę z pola bitwy i dała im stoczyć ten pojedynek bez świadków. Wróciło wspomnienie paniki, kiedy się zorientował, że mógłby ją stracić, że już może być za późno.

A teraz Lena siedziała obok na sofie, wtulona w niego, jakby to było jej naturalne miejsce, a on nie wyobrażał sobie już żadnej innej kobiety u swego boku. I jak to tak? Zakochać się bez pamięci? I co dalej? Rychło w czas o tym myśli.

Rozleniwieni po obiedzie, rozmawiali niespiesznie o różnych sprawach. Dobrze mu z nimi było. Lena wreszcie poczuła się komfortowo, czuł to wyraźnie. Rozluźniona dyskutowała z Arkiem o kolejnych inscenizacjach klasyki. On opowiadał się za awangardą, nowymi środkami wyrazu, ona upierała się, że taki Czechow na przykład musi być właśnie klasyczny. Cała w emocjach, gestykulowała, zwracała oczy na Jula, zaraz potem na Arka, panią Michalinę, szukała u nich poparcia. Bezwiednie, a może specjalnie, tego nie umiał rozgryźć, kładła co chwilę rękę to na jego udzie, to na dłoni. Czekał na to, niby patrzył na nich, brał udział w dyskusji, ale wyglądał chwili, kiedy Lena znowu go dotknie. Prosił w myślach: „Nie zabieraj dłoni, zatrzymaj ją dłużej na mnie", ale ona zaraz znowu podnosiła ją gdzieś w przestrzeń, żeby gestem podkreślić swoje racje. Śledził trajektorię jej zadbanych, dziś jasnoróżowych paznokci i zaklinał: „Dotknij mnie". Z utęsknieniem czekał na moment, kiedy znów poczuje ciepło jej dłoni, by zaraz potem zacząć się martwić, że mu za chwilę odfrunie. Patrzył przy tym na profil Leny. Ileż to razy w takich momentach pytał sam siebie, czym zasłużył na takie cudo.

Kiedy czuła jego wzrok, po chwili odwracała oczy w jego kierunku, czujna Lisiczka najmilejsza. Uśmiechała się, a w kącikach oczu miała wtedy drobniutkie zmarszczki, takie kreseczki śmieszki.

Przypomniał sobie, że ma przecież w samochodzie prezent dla Leny. Koniecznie, natychmiast chciał zobaczyć jej minę, kiedy jej go wręczy. Przeprosił i poszedł do auta. W drodze powrotnej zamówił szampana.

Zobaczył Lenę z daleka i od razu wiedział, że znowu straciła grunt pod nogami. Co się z tobą dzieje, moja Miła?

Wyciągnął rękę z podarunkiem. Spostrzegła torebeczkę i zareagowała zaskakująco entuzjastycznie. Tuliła go dłużej, niż się spodziewał. A to sroka jedna, lubi świecidełka.

Spodziewał się, że pochwyci torebeczkę, ale ona nawet na nią nie spojrzała. Położyła za to czule dłoń na jego policzku. Tylko podmuch wiatru między jego skórą a jej palcami, nagle tak ostrożnymi, zasygnalizował, że ona tam jest, a dotyk wisiał w powietrzu. Przesunęła w dół palce, zauważył, że się wzruszyła.

Nie płacz, najmilejsza, co ci jest? Chciał spytać, ale ona, jakby rozumieli się bez słów, wytłumaczyła, że wita się z ukochaną zmarszczką na jego policzku.

Pocałowała go czule w to wyimaginowane miejsce.

I tu go miała. Nawet nie wiedziała, boginka ognia wszelkiego, że go w nim właśnie rozpaliła. Wielki, nie do zniesienia, nie do ugaszenia, chyba że ona go uratuje.

A i wtedy nie ma ratunku, bo jedną ręką gasi, drugą rozpala, przewrotna, kobieca, ciepła i zimna jednocześnie.

Na co ci to, Juliuszu Niewiadomski? Pytanie daremne. Już go nie słyszał albo słyszeć nie chciał.

2.

Spodziewał się wybuchów radości. Na początku faktycznie niecierpliwie wypakowywała kolejne przedmioty z torebeczki, ale kiedy otworzyła pudełko, zaraz zdecydowanie je zatrzasnęła i odmówiła przyjęcia.

Jul nie wiedział, co począć. Nie trafił?

Okazało się, że piękne, ale za drogie i nie może ich przyjąć. Jul zagotował się w sobie. Co jest z tymi dziewczynami? Każda chce człowieka sukcesu, księcia na białym koniu, a jak już są rozpieszczane, to nas kastrują. Czyżby podejrzewała, że mnie na to wszystko nie stać? A może myśli, że nie jest warta tyle zachodu? Musi popracować nad jej poczuciem wartości.

Poprosił panią Michalinę o pomoc. Na szczęście przyszła mu w sukurs, przez chwilę tłumaczyła jej, że nie powinna się wahać, że tym razem to jest uzasadnione.

– Przecież nie za każdym razem będzie się tak wykosztowywał – zakończyła.

To ostatnie zdanie powiedziała, patrząc na Juliusza, co on przyjął ze zrozumieniem. Starsza pani próbowała dać mu wskazówkę, że Lena jest onieśmielona tak wystrzałowymi pomysłami i czasem wystarczy coś mniej spektakularnego, ale też wyrażającego jego uczucia. Jul zapisał sobie to w pamięci.

Helena dała się wreszcie przekonać i włożyła kolczyki. Wyglądała w nich zjawiskowo. Kręciła mu przed nosem swym rudym łebkiem, cała rozświetlona blaskiem tych kolczyków, a on w duchu gratulował sobie wyboru. Chrzanić cenę, ten widok wart jest każdych pieniędzy.

3.

Wypił z nimi szampana, a potem jeszcze z Arkiem po whisky przy barze, kiedy panie bawiły w toalecie.

– No, no, Juliusz Niewiadomski usidlony, cóż to za widok. Ileż to razy tłumaczyłeś mi, że można rwać czereśnie, ale niekoniecznie kupować sad?

– I nadal to podtrzymuję. Ale czasem niektóre inwestycje są niezbędne, inaczej okazalibyśmy się głupcami. O ile się nie mylę, też miałeś na oku ten sad, więc mi tu teraz nie praw kazań.

– Masz rację, to zazdrość, bo mi taką smaczną gąskę sprzed nosa sprzątnąłeś. Naprawdę wyobrażałem ją sobie z Zajdlerem juniorem na rękach. Bardzo mi pasował ten widok.

– O ile wiem, ale mogę się mylić, ona nie jest Żydówką, a przecież rodzice nie aprobowali twoich związków z gojkami. W każdym razie nie tych poważnych.

– Ale ich już dawno nie ma na tym łez padole, a ja chętnie sprawdziłbym, jak to jest mieć dzieci nie z tą kobietą, co trzeba. Babcia nie miałaby nic przeciwko.

– Tak, polubiła ją, a poznała dopiero wczoraj. Ja właściwie jeszcze jej nie znałem, a już byłem ugotowany. Tobie zawróciła w głowie szybciej niż babci. Arek, z nami coś nie tak czy to ona jest taka...? – Zawiesił głos. Jak powiedzieć, że wyjątkowa, i nie wyjść na egzaltowanego dziada?

– Wiem, stary, to jakaś trąba powietrzna, nie kobieta. Trzymaj się, bo będziesz miał ciężko. Kto wie, może mi życie uratowałeś? Z psami musiałbym chodzić, żeby mi jakieś inne samce jej sprzed nosa nie sprzątnęły. Właściwie to powinienem ciebie żałować.

Arek nabijał się z Jula, ale ten przyjął to ze spokojem. I tak wiedział, że to żal za straconą okazją, bo Helena Miła była inna, nietuzinkowa i zgodziła się być z nim.

Moja kobieta – pierwszy raz tak o niej pomyślał. Mogło to brzmieć knajacko, jakby traktował ją przedmiotowo albo, tak jak w tym przypadku, być wyrazem najwyższego oddania, zarzucenia walki o autonomię na rzecz poddania się drugiej osobie. Nie sądził, że jeszcze mu się to przytrafi.

4.

Wynajął chłopaka, który zawiózł ich na Miłą jego samochodem. Tam odprowadzili panią Michalinę i Arka pod drzwi i wspięli się na drugie piętro do mieszkania Leny. Wyjęła klucze z torebki, po czym odwróciła się do Juliusza w geście pożegnania.

– O nie, moja droga, nie możesz mnie więcej dręczyć. Wszedłem tu z tobą tylko po to, żeby poczekać, aż weźmiesz kilka niezbędnych rzeczy, bo już na tyle znam kobiety, że bez tego ani rusz, i zabrać cię do siebie, skoro nie mogę tu z tobą zostać.

– Jul, no nie wiem, nie planowałam...

Nie słuchał, co Lena ma do powiedzenia. Przechwycił te wątpliwości w locie, zanim zostały wypowiedziane, i zamknął je pocałunkiem. Już nigdy nie ujrzą światła dziennego. Całował tak, jakby miał się skończyć świat, i po trosze tak też było. Jego świat, który znał do tej pory, już nie istniał. Teraz liczyły się tylko te chwile, kiedy ona była z nim. I nie miał zamiaru wypuścić jej dziś z rąk.

Przestał. Spodziewał się oporu, konieczności dalszego przekonywania, ale jak zwykle jej nie docenił. Patrzyła przez chwilę na niego rozpalonymi oczami, po czym wsunęła mu palce we włosy i tym razem ona pocałowała jego. Pozwoliła torebce zsunąć się z ramienia na posadzkę. Objęła go drugą ręką, obróciła i oparła o ścianę.

Naparła na niego biodrami, od razu poczuł, że sztywnieje. Wysokość jej obcasów idealnie dopasowała ją do poziomu, na którym prezentowała się jego gotowość. Nie tylko penetrowała go językiem, udając ruchy frykcyjne, co przypominało mu, że on zaraz, niedługo, będzie mógł zrobić to samo, tylko całkiem inaczej, ale też kręciła się na jego twardzielu, co doprowadzało go do szaleństwa. Spojrzał na drzwi przed sobą, ale u sąsiadów nie było judasza.

– Lisico cudowna, mam nadzieję, że to gra wstępna.

– „Pociągnij mnie za sobą! Pobiegnijmy! Wprowadź mnie, królu, w twe komnaty"*.

– Ciągle zaskakujesz.

– To źle?

– To cudownie. Kocham cię.

* Pieśń nad Pieśniami.

– Nie bardziej niż ja ciebie.
– Powiedz to, proszę, Lenka, chcę usłyszeć.
– Nie teraz, nie tu, ale dzisiaj, obiecuję.

HELENA

1.

Trzęsącymi się rękami wrzucała potrzebne rzeczy do torby. Coś do przebrania, bieliznę, kosmetyki. Nie mogła się skupić. Jeśli czegoś zapomniała, będzie improwizować, w końcu nigdzie nie wyjeżdża, to tylko jedna noc.

Podniecenie odbierało jej władzę w nogach. Gdyby to tylko było możliwe, wciągnęłaby go teraz do domu i dosiadła bezwstydnie, zanim zdąży się zarumienić, zanim pomyśli, że jest nie dość doskonała, że nie umie z nikim innym poza Zbyszkiem.

Każdy centymetr ciała wołał o jego dotyk, była gotowa i niecierpliwa.

Zasunęła suwak, porwała torbę i wypadła z mieszkania. Kiedy zamykała drzwi na klucz, Jul stanął za nią, objął Lenę w pasie, po czym przesunął jedną rękę na jej pierś. Nie umiała tego powstrzymać, zdając sobie sprawę, że to strasznie bezwstydne, wyprężyła się, wypinając pupę w jego stronę. Napierał na jej pośladki, w tym czasie jego ręka drażniła sutek. Jęknęła przeciągle, odwrócił ją do siebie i uciszył pocałunkiem.

Pozbierali rzeczy i zbiegli na dół do samochodu, gdzie czekał na nich wynajęty kierowca. Jul wrzucił torby na siedzenie pasażera. Lena usiadła z tyłu i czekała, kiedy on do niej dołączy.

Podał adres swojego mieszkania, chwilę uzgadniał trasę, wreszcie kierowca pewnie skierował samochód w tamtym kierunku.

Jul udawał, że jest niewzruszony, że nic się nie dzieje, ale delikatnie, niepostrzeżenie przesuwał rękę w górę uda Leny. Siedziała wpatrzona w okno, ale wstrzymywany oddech świadczył, że jest na granicy wytrzymałości. Nagle położyła rękę na jego dłoni, a potem jakby zmieniła zdanie, przesunęła ją sobie między nogi, jednocześnie odwracając się w stronę Jula i obejmując go za szyję. Sama nie rozumiała, co wyrabia, to już było poza jej kontrolą. Gdyby nie ten chłopak, prawdopodobnie zjechaliby gdzieś na bok i kochali się w samochodzie.

Kierowca zaparkował wreszcie samochód pod blokiem Jula. Przyjął zapłatę i oddalił się, dzwoniąc po taksówkę.

Wbiegli do bloku. Juliusz nie mógł trafić kluczem w zamek. Całowali się, potykając o torby. Wreszcie mieszkanie stanęło otworem. Jul chwycił Lenę na ręce i poniósł przed siebie. Posadził na stole, po czym wrócił po torby. Usłyszała, jak niecierpliwie przerzuca je przez próg, zamyka drzwi i wraca do niej.

Stanął przed nią. Przyglądał jej się chwilę. Płonęła. Była przekonana, że ma pręgę nad górną wargą, że cała jest w pręgi. Nie pamięta, żeby kiedykolwiek była tak podniecona, bała się, że kiedy Jul dotknie, ona eksploduje.

– Puk, puk, wpuścisz mnie w siebie?

Rozchyliła lekko nogi, a on wsunął się między nie, jednocześnie kładąc ręce pod jej pośladki. Chwycił brzeg jej jedwabnych fig i całkiem z niej zsunął. Bezgłośnie wylądowały na podłodze. Nie była w stanie rejestrować kolejnych etapów, bo następowały zbyt szybko. Zanim się zorientowała, Jul nie tylko stał między jej nogami, ale góra jej sukienki była zsunięta, a on językiem wodził po jej sutkach.

– Są takie, jak sobie wymarzyłem, rudzielcu zachwycający.

– Jakie, Jul, jakie miały być? – mówiła, oddychając łapczywie.

– Sterczące zwieńczenie twoich zachwycających piersi, jasnordzawe, słodkie w smaku. Kocham twoje piersi.

– A ja kocham twój język, który je teraz pieści.

– Powtórz.

– Kocham cię.

Pocałował ją, nagle zwalniając, czule. Przestała opierać się na rękach, usiadła prosto jak pensjonarka i zaczęła rozpinać jego koszulę. Nie dawała sobie rady z guzikami. Jul odczekał, aż rozepnie dwa górne, po czym chwycił poły koszuli i szarpnął je, wyrywając guziki.

Lena, nadal siedząc na stole, oplotła go rękami i przywarła do niego piersiami. Całowali się tak, że mieli obolałe usta. Miała wrażenie, że zaraz dostanie obłędu. Ale to było jeszcze nic, preludium zaledwie.

Po chwili Jul pchnął ją lekko na plecy i zsunął się między jej nogi. Poczuła, jak jego język wiruje, nie wiedziała już gdzie i jak, kiedy poczuła się jak granat, z którego wyrwano zawleczkę. Najpierw usłyszała w głowie huk, a potem zobaczyła jasność tak jaskrawą, że otarła się o utratę świadomości. Krzyczała, wspinając się nogami na ramiona Jula. Jeszcze nigdy w życiu tak nie szczytowała.

Kiedy się trochę uspokoiła, usiadła z powrotem, a Jul podniósł ją lekko i przeniósł na łóżko. Rozebrał i chwilę stał nad nią, przyglądając się z uwagą.

– Nie patrz tak, proszę, nie zawstydzaj mnie.

– Kochanie, jakże ja mógłbym cię zawstydzić? To ty zawstydzasz urodą, jesteś idealna.

– Teraz tak mówisz, rano na oczy przejrzysz.

– Teraz chcę cię jak nikogo bardziej na świecie.

Położył się przy niej i przygarnął mocno. Zdziwiona poczuła, że znowu narasta w niej podniecenie. Nie sądziła, że to możliwe, kiedyś po orgazmie zasypiała.

Uklękła nad nim i zaczęła metodycznie zdejmować mu spodnie. Oddychał ciężko, bardzo ją to podniecało. Kiedy dotknęła jego wzwiedzionego członka, poczuła jego reakcję, usłyszała, jak jęczy, też zaczęła szybciej oddychać.

Dziwiła się temu, jak łatwo przyszło jej uwierzyć w to, że faktycznie jest piękna. W jego oczach widziała taki zachwyt, że przestała wstydzić się swojej nagości.

Poczęła całować jego piersi, wodziła językiem po jego brzuchu, pępku, jej rude włosy spływały po nim, drażniły wrażliwą teraz skórę. Kiedy objęła ustami penisa, wyprężył się jak ona zaledwie kilka chwil temu.

– Lena, na litość boską, przestań. Nie wytrzymam tego.

Ale ona nie słuchała. Czuła, jak wzbiera, i bardzo ją to podniecało. Nigdy wcześniej żaden mężczyzna nie szczytował w jej ustach. Chciała tego doświadczyć, właśnie z nim. Cały seks z nim, od początku do końca, to był jeden wielki zbiór pierwszych razów, zresztą jak wszystko, co dotyczyło Jula. Była jego głodna, jeszcze bardziej ciekawa, czuła się jak odkrywca na nieznanym lądzie, i to ją podniecało na równi z jego sprawnym językiem i zwinnymi dłońmi.

Wiedziała, że dochodzi, czuła to. Tym bardziej wzmogła pracę ust, zaciskała i zwalniała ucisk, dotykała rękami jego jąder, aż poczuła wypływającą z niego falę. Była w ekstazie, kiedy pompował w nią swoje soki. Kiedyś myślała, że to będzie obrzydliwe, ale kiedy się kocha, kiedy kobieta czuje się kochana i podziwiana, to jest po prostu kolejny, jeden z wielu aktów oddania i miłości.

Ucichł, położyła się przy nim i przytuliła policzek do jego piersi. Przygarnął ją mocno, po chwili całowali się niespiesznie, zaspokojeni mogli już pozwolić sobie na powolną czułość. Głaskał ją po plecach, po włosach. Patrzyła mu w oczy, czuła potrzebę przeglądania się w nich, sięgania głębiej, penetrowania jego duszy. Pławiła się w jego umiłowaniu, w szeptach prawie bezgłośnych.

– Rudzielcu najmilejszy, nigdy wcześniej tak pięknie, nigdy…

Uciszyła go pocałunkiem. Jakby nie miała cierpliwości tego słuchać, chciała wyznania wchłonąć ustami, przyswoić bez słów. Zatrzymać na zawsze.

Zdawała sobie sprawę, że ten pierwszy ich seks był pospieszny, chaotyczny, ale i tak chyba najpiękniejszy w jej życiu. Nie powinna tak mówić, w końcu kiedyś była ze Zbyszkiem szczęśliwa, szczególnie na początku wszystko między nimi było niezwykle ekscytujące, ale wtedy jeszcze niewiele umiała, ani przyjąć, ani z siebie dać.

Teraz dawanie było tak ważne, bo wiedziała, że równie wiele otrzymuje. Oboje starali się zaspokoić nie siebie, ale partnera, czuła to. I nie był to tylko wyścig po orgazm, ale liczyła się każda minuta ich zespolenia, fizycznego i psychicznego.

Każda jego blizna, zmarszczka, doskonałość i niedoskonałość, zachwycały ją jednakowo. Nie umiałaby powiedzieć, co kocha w nim najbardziej, tyle tego było. On po prostu składał się z samych najbardziejów.

Głaskała go chwilę czule, całowała jego oczy, „jej" zmarszczkę i wieńczącą ją deltę Julową. Jak kotka trącała go nosem i wciskała go we wszystkie ciepłe zagłębienia – w zgięciu szyi i barku, przy uchu, na karku. Wdychała go, starała się zapamiętać ten piżmowo-koloński zapach Jula.

Usnęła pierwsza. Czuła dłoń Jula masującą jej kark, słyszała jego oddech i bicie serca. Była zaspokojona, szczęśliwa i bezpieczna. Jeszcze zarejestrowała, że zamyka oczy, i odpłynęła.

ROZDZIAŁ VII
26 MAJA 2014, PONIEDZIAŁEK

JULIUSZ

1.

Obudził się w poczuciu takiej błogości i szczęścia, że zaczął się zastanawiać, czy nie umarł. Nie był wierzący, ale wielu jego znajomych było za pan brat z Bogiem i zawsze, kiedy życzyli mu dobrze, chcieli, żeby było mu jak w niebie. No więc teraz się w nim znalazł, tak właśnie musi to wyglądać.

Kiedy mówił im, że nie jest przekonany o istnieniu Boga, a już na pewno nie tego dobrotliwego starca z brodą i w niebieskiej szacie, oni zawsze przywoływali przypowieści o synu marnotrawnym, o czarnej owcy, powtarzali, że ostatni będą pierwszymi i że nigdy nie jest za późno na nawrócenie. Zawsze go to dziwiło. Bo jak to – ludzie całe życie chodzą do kościoła, postępują według dziesięciu przykazań, a Bóg ostatecznie i tak umiłuje tego, który przyszedł na końcu, na ostatnią chwilę? Jeśli tak jest, to ten ich Bóg zachowuje się jak firma telekomunikacyjna lub właściciel telewizji satelitarnej – bardziej dba o nowych klientów niż o tych, którzy wiernie trwają przy nim latami.

Spojrzał na rudy łebek śpiący obok i szczerze się wzruszył. Raptem wczoraj o tym rozmyślał, a dziś ona tu była. Nie miał złudzeń, żadna jego zasługa, to ona go wybrała i zdecydowała, że da mu szansę, on tylko mógł sygnalizować gotowość i wielką chęć.

Nie ściągnęła nowych kolczyków i teraz miała na policzku odcisk jednego z nich. Pasowały do niej, wyglądała w nich jak starożytna księżniczka. Włosy ułożyły się za nią ognistą falą. Jej ciemne brwi i rzęsy aż krzyczały na tle piegów i alabastrowej skóry. Jaka księżniczka? Raczej nie kobieta z krwi i kości, lecz sylfida wcielona.

Wpatrywał się w Lenę i zaklinał wszechświat, żeby ona została już na zawsze. Wydawało mu się, że wraz z nią weszła do tego domu harmonia. Celebrował tę chwilę, kiedy wszystko było możliwe. Lena otworzy oczy i nadal będzie go kochać, tak jak wczoraj.

Wstał ostrożnie, żeby jej nie obudzić. Wziął prysznic, a potem od razu poszedł do kuchni zaparzyć kawę. Stał boso, tak jak wyobrażał sobie kiedyś Lenę, i też mu nogi marzły, chociaż już zaczynał się poranny upał. Nie włożył koszuli, nawet niedokładnie się wytarł, wciągnął na siebie tylko dżinsy.

Słuchał radia, popijając kawę na balkonie, kiedy poczuł ręce oplatające go w pasie, a zaraz potem dotyk policzka na plecach. Trwali tak razem przez chwilę, aż odwrócił się, trzymając kubek wysoko, żeby jej nie poparzyć. Postawił go na parapecie i objął Lenę. Miała na sobie zwiewną koszulkę w kolorze starego złota. Wprawdzie wolałby, żeby wyszła do niego tak, jak spała, czyli całkiem naga, ale nie mógł na to liczyć. Sąsiedzi wywieźliby ich na taczkach.

W radio śpiewała Dorota Miśkiewicz.

Razem ze mną nie spiesz się, nie ma po co, nie ma gdzie
Nie musimy robić nic, czasem wolno tylko być

Lena przesunęła ustami wzdłuż jego obojczyka, po czym podstawiła mu pod nos uśmiechniętą twarz i poprosiła:

– Zatańczmy, Jul.

Podążając za dźwiękami muzyki, pociągnęła go za rękę do pokoju.

Objął ją w pasie, czuł pod dłońmi poruszające się pod skórą mięśnie. Lena zarzuciła ramiona na jego szyję, głaskała kark, po czym przesunęła jedną dłoń na jego policzek, przytrzymała jego wzrok i wyszeptała melodyjnie za wokalistką:

Poza czasem szukaj mnie.
Niech na oślep pędzi świat.
Nie ucieknie nam i tak
Poza czasem, szukaj[*].

Oderwała się od niego i ze śmiechem zaczęła wirować dokoła. Jej włosy wyglądały jak rudy obłok.

– A nie mówiłem, że sylfida? Chociaż właściwie raczej driada, bo zaopiekowałaś się starym drzewem. I to jak! Zamieszkałaś w mojej duszy.

– Czy stare drzewo zadowolone, czy składa reklamację?

– Reklamację, a jakże, to wszystko pięknie, ale za krótko. Driada usnęła, otulona konarami. Nie zdążyłem cię

* *Poza czasem* z płyty Doroty Miśkiewicz *Pod rzęsami*. Tekst Magda Czapińska.

poznać – tu przerwał na chwilę, pocałował ją namiętnie i dokończył przewrotnie: – dogłębnie.

– Och, koniecznie musimy to naprawić.

Stała przed nim na palcach, wyciągała w jego stronę nabrzmiałe usta, a nad nimi widniała ta wyczekiwana, już bez niej żyć niepodobna, czerwona kreska, znak, że Lena jest podniecona albo zła. Teraz zdecydowanie to pierwsze.

Zwinnie wsunął język między jej wargi, ominął zęby i nawigował, aż poczuł jej szorstkawy, ale też mięciutki jak ona cała języczek. Bawili się tak przez chwilę, ich oddechy przyspieszyły, a intensywność pocałunku się wzmogła.

Posadził ją sobie okrakiem na biodrach. Obejmowała go za szyję, kiedy ostrożnie niósł ją do sypialni.

A potem jego mózg przeszedł z ustawień logicznych na ustawienia z kosmosu chyba.

Lena, nadal obejmując go nogami w pasie, wyrzuciła ręce w górę i ściągnęła koszulkę. Zaskoczyła go, szczególnie że jej pełne piersi, z sutkami, które już były twarde, wylądowały wprost naprzeciw jego ust. Chwycił lewą i natychmiast usłyszał przeciągły jęk. Lena była zachwycająco głośna. Zaczepiła dłonie o jego szyję i wygięła się w spazmie podniecenia. Nie utrzymał jej, runęli na łóżko. Wylądował między jej nogami. Zasyczała, widocznie uraził ją pasek spodni. Zerwał się na kolana, zaczął przepraszać, a ona tylko na niego spojrzała. Jej oczy miały tak zielony kolor, że wyglądała jak czarownica. Rzuciła chrapliwym głosem:

– Nie gadaj tyle, tylko ściągaj te spodnie.

Rozkaz to rozkaz, zrobił to w sekundę. Ukląkł z powrotem między jej nogami, pochylił się nieznacznie, zagarnął jej biodra i nadział ją na siebie, poza tym nawet nie ruszył lędźwiami. Jej reakcja była zachwycająca. Rzuciła się do przodu biodrami jak dzikie zwierzę w ludzkiej skórze. Wciągnęła powietrze z takim świstem, że miał wrażenie, że zabrała cały tlen dostępny w pokoju. Mięśnie jej brzucha, takiego na pozór miękkiego, zagrały pod skórą. Szarpnęła się na nim, zmusiła do tego, by zaczął się poruszać. Zrazu powoli, obserwował reakcję dziewczyny, na jej twarzy odbijało się bowiem wszystko – rozkosz, niecierpliwość, wręcz bolesne oczekiwanie. Kiedy przyspieszył, dostosowała oddech do jego ruchów. Ręce wyrzuciła w górę, momentami podpierała się na nich, jakby chciała zrobić mostek. Oczy miała zamknięte, jęczała, doprowadzało go to do szaleństwa. Uwielbiał głośne kobiety, a jeszcze żadna nie była tak ekspresyjna.

– Otwórz oczy, spójrz na mnie, Lisico niegrzeczna.

Nie słuchała go, nie przestawała ruszać biodrami, wychodzić mu na spotkanie, a on zatracił się w niej. Coraz szybciej, szybciej, to nie do zniesienia, tego nie da się dłużej wytrzymać…

Usłyszał jej krzyk, czuł, że wszystko w niej pęcznieje, zrobiła się rozkosznie ciasna. Szczytował wraz z nią, tryskał raz po raz, a ona za każdym razem wzmagała jęk rozkoszy. Długo to trwało, jego podbrzusze rwało spazmami na granicy bólu. Chwycił ją wyżej i pociągnął ku sobie. Pocałował w usta, oczy miała już otwarte, patrzyła na niego mętnym wzrokiem, ale i tak było w tym tyle uczucia, tak bezbrzeżne oddanie i miłość, że wzruszył się i wbrew sobie, pierwszy raz w życiu, jego piersią wstrząsnął pojedynczy, wstydliwy i niechciany szloch.

– Jul, przepraszam, czy sprawiłam ci ból?

Trzymał głowę między jej piersiami. Wdychając jej zapach, uspokajał oddech i emocje. Zastanawiał się, co odpowiedzieć, żeby nie wydać się śmiesznym. Może faktycznie uciec w to wytłumaczenie, że coś mu nadwerężyła, wierzgając jak dziki rumak? Nie, nie po tym, co się wydarzyło. Nie będzie łgał kobiecie, która nadal ma go w sobie.

– Wzruszyłem się po prostu. Jestem starym cynikiem, rzadko mi się to zdarza, właściwie wcale. Aż nagle zjawiasz się ty i przewracasz mi świat do góry nogami.

– Nic ci nie przewracam, nie przesadzaj. Seks ze mną to jeszcze nie jest żadna zmiana. Za to u mnie rewolucja, panie „jestem-w-centrum-wszechświata".

Zsunęła się z niego i ułożyła miękko na pościeli. Pociągnęła go za sobą tak, że położył głowę na jej brzuchu, układając się prostopadle do niej. Głaskała go po włosach, wodziła palcem po czole i koło uszu. Ileż w tym było czułości. Zamknął oczy, marzył, że tak już będzie zawsze. Długo leżeli bez słowa i odpoczywali.

– Leno, przenieś się do mnie, proszę. Nie chcę już żyć bez ciebie.

– Już o tym rozmawialiśmy, pamiętasz?

– Tak, ale wtedy było inaczej, przyznaj.

– Jul, to było trzy dni temu.

– Całe trzy dni, które odmieniły moje życie. Twoje nie?

– Dlaczego tak się spieszysz? Przecież prawie się nie znamy.

– Nie mam już czasu na czekanie. Chcę zaoferować ci, co mam najlepszego, kiedy jeszcze jestem w stanie, i fizycznie, i pod każdym innym względem. W każdej chwili możesz mnie zostawić. Trafi ci się młodszy, fajniejszy, spakujesz rzeczy i tyle. Nie będę cię zatrzymywał, obiecuję nie robić żadnych scen, żadnego grania na uczuciach. Nie będziesz miała starca na sumieniu.

– Co ty wygadujesz? Teraz chcesz mnie zniechęcić? Po tym, jak obdarowałeś mnie najwspanialszym seksem świata?

– Ależ ja właśnie chcę cię zachęcić. Obiecuję cieszyć się każdą chwilą z tobą, a kiedy uznasz, że już ci nie wystarczam, żadnych skarg. Wiem, że mamy ograniczony czas.

– A jeśli zechcę zostać panią Niewiadomską, zapragnę obrączki, czy w tym wypadku mam spodziewać się, że wystawisz mnie za drzwi?

– Nie zechcesz. Nie jestem dla ciebie partią. Oboje wiemy, że jestem za stary. I tak mam wyrzuty sumienia. Pewnie chciałabyś mieć dzieci, potrzebny ci mężczyzna do budowania życia, a ja już nie bardzo nadaję się na ojca malucha. Ale mogę ci wiele zaoferować. Chcę ci wiele zaoferować. Będę cię kochał, rozpieszczał, nabierz przy mnie sił, pewności siebie, wymyślisz się na nowo jako kobieta, a potem pozwolę ci odfrunąć.

– Panie Higgins*, nie zapędza się pan trochę w tej mowie nad własnym grobem?

– Lena, Lena, Lisico okrutna, kocham cię, chcę cię, ale wiem, że nie mam prawa trzymać cię przy sobie wiecznie.

* Postać z *Pigmaliona* George'a Bernarda Shawa, mężczyzna, który próbuje zmienić młodą kobietę z gminu w damę.

Przez jakiś czas leżała bez słowa. Nadal gładziła jego czoło i włosy, ale była jakby nieobecna.

– Juliuszu Niewiadomski, przesadził pan. Proponuje mi pan układ, a nie związek. Zamiast „będę cię kochał aż do śmierci" plan biznesowy – ja zrobię to, ty zrobisz to, a potem zamiast fuzji rozstanie. Firma córka pójdzie swoją drogą, firma matka zostanie na starych śmieciach, nie chowajmy urazy. I to w jakim momencie? Jeszcze nie odzyskałam władzy w nogach po kosmicznym orgazmie, który z tobą przeżyłam, jeszcze jestem cała wilgotna tobą, a ty mi wyjeżdżasz z prawdami objawionymi o swoim wieku i moich potrzebach? A spytałeś mnie, co ja o tym myślę? Co ja teraz czuję?

Zerwała się i wymaszerowała do łazienki. Zdążył zauważyć, że jest wzburzona, jej piegi nabrały krwistego koloru, oczy płonęły wściekłością. Ach, ten rudy temperament.

I co, stary gamoniu? Pięknie to rozegrałeś, nie ma co. No nic, przy niej człowiek szybko się uczy, jak gasić pożary. Dosłownie. Panna Miła potrzebuje strażaka i jeśli on chce z nią być, musi do tego przywyknąć.

Przecież właśnie to w niej kocha najbardziej.

Kiedy wyszła z łazienki, czekał na nią, już ubrany, z pachnącą kawą z ekspresu. Wiedział już przecież, jaką lubi.

Stanęła przed nim z założonymi rękami. Bosonoga bogini dzierżąca błyskawice – baskijska Mari*.

– Myślisz, że mnie ugłaszczesz kawą? O nie, mój drogi, jeszcze nie skończyliśmy. Sprawy mają się tak. Słuchaj, bo

* Mari była personifikacją wielkości i majestatu gór, władczynią duchów i demonów, piorunów i błyskawic.

nie będę powtarzać dwa razy. Będę z tobą, jeśli zechcę. Będę miała dziecko, jeśli zechcę. Odejdę wtedy od ciebie z tym dzieckiem i będę miała gdzieś ciebie i twoje pieniądze. Nie potrzebuję, żebyś był moim nauczycielem, bankiem, przystankiem autobusowym na drodze do nowego życia ani hotelem, ani wibratorem, ani strażnikiem czci. Chcę, żebyś mnie kochał do szaleństwa, a pieścił tak, jakby jutro miał przestać istnieć świat. Wszystko inne mogę sobie zapewnić sama. Jeśli będę potrzebować twojej pomocy, poproszę, a ty mi przyjdziesz na ratunek, bo jesteś dobrym człowiekiem, a nie dlatego, że coś jesteś mi winien. Twój wiek – do cholery jasnej, ostatni raz o tym wspominam – nie jest problemem, a gdyby tak było, nawet bym na ciebie nie spojrzała. Czy naprawdę sądzisz, że ja w to poszłam z nudów, z desperacji? Albo nie wiedziałam, jak odmówić?

– Lenuś, uspokój się, już dobrze, pij kawę, usiądźmy.

– Nie leniusiaj mnie teraz! Słuchaj, bo ci zaraz zacznę tu zastawę rozbijać! – wykrzyczała, zadzierając wysoko głowę, jakby chciała, żeby wszyscy w dzielnicy słyszeli.

Podszedł do niej, chwycił wpół, przerzucił sobie przez plecy i wyniósł do łazienki, po czym wstawił ją pod prysznic i odkręcił zimną wodę.

Został z nią pod strugami lejącymi się z góry, całował, oplatając mocno ramionami. Przez chwilę się szarpała, ale odczekał, aż poczuł, że słabnie. Co chwilę powtarzał, że ją kocha do szaleństwa. Lena milczała, wręcz ostentacyjnie zaciskała usta. W oczach ciągle jeszcze miała bunt. I ból. Sprawił jej przykrość, choć tak bardzo nie chciał.

Zdjął z niej mokrą koszulkę, po raz drugi od rana stanęła przed nim całkiem naga. Ukląkł przed nią, całował ten apetycznie zaokrąglony, brzoskwiniowy brzuch. Podniósł się na chwilę, odkręcił ciepłą wodę. Po czym znowu zszedł niżej. Odwrócił ją plecami w stronę ściany i oparł o nią delikatnie. Tak jak sobie wymarzył, na dole nie do końca była wygolona. I tak jak się spodziewał, jej włosy też były rudawe. Rozsunął nogi Leny i zaczął przesuwać językiem po już nabrzmiałej łechtaczce. Jakże ona była responsywna.

Trzymała ręce na jego głowie, wsunęła palce we włosy, sterowała natężeniem jego pieszczot. Kiedy on przestawał, prosiła niecierpliwie, żeby tego nie robił.

Kiedy była już bardzo podniecona, ręką chwyciła za uchwyt prysznica, a nogę zarzuciła mu na ramię. Wzmógł pieszczoty. Jęczała, błagała go o litość, a jednocześnie wyginała się do przodu, ułatwiała mu dostęp. Zaczęła krzyczeć, żeby w nią wszedł. Nie słuchał, nie przestawał. Siła jej orgazmu go zaskoczyła. Podniósł się i pozwolił Lenie przywrzeć do siebie i odpocząć.

– Czy było tak, jakby świat miał przestać istnieć?

– Jul, świat przestał istnieć. Dopiero teraz go powoli odzyskuję.

– Czyli wszystko według pani życzeń. I żeby było wszystko jasne – będę kochał cię aż do śmierci.

O dziecku nic nie wspomniał. Jest jakaś granica, ojcem-dziadkiem nie będzie. Nic nie musi sobie udowadniać.

– Dlaczego nie chciałeś się ze mną kochać?

Jul milczał.

– Słyszysz? Nie unikaj odpowiedzi. Gniewasz się?

– Co ci przyszło do głowy, głuptasku. Milczę, bo zabroniłaś mi mówić o moim wieku.

– A co ma piernik do wiatraka?

– A to, moja droga, że tylko małolatowi stanie w pół godziny po wielkiej akcji zakończonej pomyślnie.

– Juleczku!

– A co to za zmiana? Czegoś ode mnie chyba chcesz.

– Kocham cię, mój ty stary drzewie.

– Gramatyka szwankuje, ale bardzo mi się podoba. Przeprowadzisz się do mnie?

– Może? Nie wiem. Teraz mnie o nic nie pytaj.

HELENA

1.

Stała opleciona przez niego rękami. Mokra, słaba, bała się, że gdyby ją puścił, opadłaby na podłogę jak szmaciana lalka na deszczu.

Co to było? Dwa razy w ciągu godziny miała orgazm, za każdym razem było tak, że rozpadała się na kawałki, musiała potem zbierać się metodycznie, po kawałku, szukając swoich szczątków w stratosferze.

Nigdy czegoś takiego nie przeżyła, nie potrafiła się w tym odnaleźć. Do tego Jul drążył temat wspólnego zamieszkania. To nie to, że nie chciała, ale bała się, że to za szybko, że jego decyzja nie jest świadoma, że to tylko taki odruch po spełnionym seksie, a potem tego pożałuje.

Kiedyś miała żal, że Zbyszek nie spieszy się z deklaracjami, a teraz bała się zdecydowania Juliusza. Chyba coś z nią nie tak.

Jul wyciągnął ją wreszcie spod tego prysznica, bezwolną, senną, wytarł i zaniósł do łóżka. Gdy tylko poczuła pod policzkiem poduszkę, usnęła.

2.

Obudziła się i przez chwilę nie wiedziała, gdzie jest. Przypomniała sobie wreszcie. Aż się przeciągnęła na wspomnienie.

Wyszła z pokoju w poszukiwaniu Jula. Nigdzie go nie widziała. Rozejrzała się po mieszkaniu. Sama nie wie, czego się spodziewała. Kawalerki w stylu porucznika Borewicza? Stolik, tapczan przykryty kapą, lodówka na pepsi w szkle, powieść Chandlera niedbale rozłożona na ławie?

Było całkiem inne, o dziwo – przytulne, pełne ciepłego światła. Eklektyczne w stylu: nowoczesne sofy na tle antycznej komody i gdańskiego kredensu. Kto mu sprząta? Bardzo tu wszędzie schludnie. Komputer stacjonarny w gabinecie, iPad w pokoju dziennym, używał nowego modelu smartfona, gadżeciarz.

Niczego nie dotykała, przyglądała się tylko.

– Jul!

Nigdzie go nie było. Zawołała jeszcze kilka razy. Wydawało jej się, że słyszy głosy, ale nie mogła dojść skąd. Z balkonu? Z mieszkania obok?

Pojęła wreszcie, że dochodzą z klatki schodowej. Była prawie pewna, że go słyszy. Włożyła dżinsy i top i otworzyła drzwi. Faktycznie, stał tam Jul, a wraz z nim jakaś kobieta, niewiele od niej starsza. W pojęciu Leny piękniejsza, bo nie ruda, tylko bezpiecznie pastelowa blondynka. Stała wyżej, w połowie schodów, jakby próbowała wyjść poza zasięg jego ramion. Chyba była pijana.

Jul ujrzał Lenę i się zmieszał. W tamtą jakby diabeł wstąpił. Zaśmiała się sztucznie.

– Ach, to tak, szybciutko przerzucamy się z dupy na dupę, życie seksualno-uczuciowe Juliusza nienawidzi pustki.

Zachwiała się niebezpiecznie, Jul chciał ją chwycić, ale szarpnęła się do tyłu i sama odzyskała równowagę.

– Jeszcze w sobotę rżnąłeś mnie, aż wióry leciały, a teraz kroisz tę panienkę na pół? Houdini pierdolony, ciągle pojawia się i znika. Tobie też tak robi? – zwróciła się do Leny. – Też nie widzisz go tygodniami, a potem nagle zabiera cię na weekend i pieprzy do upadłego? Po kilku latach takiej huśtawki zostawi cię dla młodszej i jędrniejszej, możesz być pewna.

– Jolu, to nie tak, przecież wiesz, tłumaczyłem ci.

– Tak, tak, zakochałem się, tak wyszło, nie planowałem... Chujuuuuu smolony! Najlepsze lata mojego życia mi zabrałeś. To ja cię kochałam cały ten czas, myślałam – poczekam, wreszcie któregoś ranka zostanie. A ty do takiej, takiej... wiewióry piegowatej???

Kobieta usiadła na schodach i zaczęła płakać. Łkała najpierw bezgłośnie, a potem wyła jak zranione zwierzę.

– Leno, wejdź do mieszkania, proszę.

Stała i nie mogła się ruszyć.

– Lena! Na Boga, wejdź i zamknij drzwi.

Nadal nic. Nogi odmawiały jej posłuszeństwa, a właściwie nie, działały, ale impuls nie szedł z głowy, nie mogła zmusić się do jakiegokolwiek ruchu.

Jul chwycił ją za ramiona, odwrócił i skierował w stronę mieszkania. Weszła, cały czas słysząc za plecami łkania. Nagle ustały i tamta rzekła w ślad za nią:

– Odebrałaś mi go. Jaka kobieta robi coś takiego drugiej kobiecie?

– Wszystko ci wytłumaczę, daj mi trochę czasu – powiedział do niej uspokajająco Jul, a zaraz potem stanowczo zamknął za Leną drzwi.

Nie odcięło to jednak głosów dochodzących z zewnątrz.

– Co ona ma takiego, czego mnie zabrakło? – pytała tamta przez łzy.

Lena nie chciała już tego słuchać. Siedziała chwilę z rękami na uszach. Nie wytrzymała tak długo, zebrała swoje rzeczy i wyszła z mieszkania. Niewiele zapamiętała, tylko tyle, że zatrzymywana poleciła Julowi zająć się jego dziewczyną, a sama zbiegła ze schodów i wydostała się z bloku.

Błądziła, nie wiedziała, gdzie jest, w którą stronę iść. Najpierw chciała po prostu odejść stamtąd jak najdalej. Nie była w histerii ani panice, wręcz odwrotnie – niespotykanie spokojnie to przyjęła. Wracały do niej słowa tamtej kobiety. Jeszcze dwa dni temu on się z nią kochał. Zostawił Lenę w sobotę pod blokiem, żeby pójść do niej. Dobrze wyczuła, że nagle stracił zainteresowanie. Jak widać, miał wtedy co innego w planach. Ale co się stało, że je odzyskał? Pokłócili się z tą, jak jej tam było, Jadwigą? Nie, jakoś inaczej. Jolką. Tak, to chyba to imię.

Nie zauważyła, że niebo zaciągnęło się chmurami. Szła ulicami przed siebie, pocieszała się, że każde miasto jest tak skonstruowane, że jeśli będzie modyfikować trasę co któreś okrążenie, to na pewno w końcu dotrze do dzielnicy, którą zna.

Zerwał się wiatr, po jakimś czasie niebo się otworzyło i zaczęła się ulewa. Słyszała, że ktoś, przekrzykując burzę i deszcz, proponował jej schronienie, ale ona bała się zatrzymać, jakby od tego, czy będzie krążyć bezustannie, jak rekin, zależało jej życie.

Kiedy już przemokła do suchej nitki, pomyślała, że teraz już nikt nie pozna, może zacząć płakać. I popłynęły pierwsze łzy, a za nimi wodospad, całkiem jakby Lena konkurowała z pogodą. Usiadła na ławce i płakała. Podobnie jak tamta, na początku cicho, a potem wyła jak zraniony wilk w Bieszczadach. I znowu pomyślała, że jest jedynie nieudolną naśladowniczką wszystkiego i wszystkich. Skopiowała zachowanie aury, potem jego kobiety, pewnie też nieudolnie ją jako kochankę. Jola wyglądała na bardziej świadomą siebie. Alkohol dodał jej odwagi, a potem ją rozkleił, pewnie dlatego tak się zachowała, ale w innym przypadku pokazałaby Julowi, gdzie raki zimują.

Wyobraziła sobie, że oni teraz się godzą, Jul pieści tę kobietę, tak jak ją jeszcze kilka godzin temu. W końcu dlaczego nie? Przecież byli, a może już znowu są, razem od wielu lat. Pomyślała mściwie, że tak się przy niej wyeksploatował, że nie będzie w stanie. Marne to pocieszenie. Zemdliło ją. Sama myśl, że on może jej teraz dotyka, całuje, o Boże, jak on całuje…

I znowu łzy, strumienie, skąd u niej tyle łez?

Próbowała się pozbierać, złapać taksówkę, co w trakcie takiej burzy z piorunami połączonej z ulewą graniczyło z cudem. Stała na brzegu chodnika i płakała coraz mocniej. Niewiele ją obchodziło. Przed oczami miała cały czas twarz Jula, taką jak wtedy, kiedy się kochali, czuła jeszcze jego pieszczoty, usta na jej ustach. Takie miękkie, takie miękkie... – powtarzała jak mantrę.

Ukucnęła, jej plecami wstrząsał szloch, obsmarkała się cała, nie mogła znaleźć chusteczek, a kiedy je wreszcie wyjęła z torebki i jedną wydostała z paczki, wszystkie były przemoczone. Rzuciła je przed siebie, wyjęła czyste majtki z torby i wytarła twarz i nos.

Całkiem osłabła. Usiadła na chodniku, oparła głowę o ławkę i zatopiła się w niebycie. Miała nadzieję, że jeśli bardzo się postara, przestanie istnieć, rozpłynie się w tym deszczu.

– Czy wszystko w porządku? Proszę pani, mogę jakoś pomóc?

Poczuła oplatające ją ramiona, a po chwili poszybowała w powietrze. Usłyszała jeszcze, jak ktoś mówi: „Weź jej torby i moją też, jeśli możesz, bo mi spada z ramienia".

Płynie w powietrzu, unosi się i buja. Jest z tatą w Mikołajkach. Pływają codziennie, lubi patrzeć, jak tata metodycznie rusza wiosłami, łódka łagodnie chybocze się na boki, jest bezpiecznie i miło. Chyba sobie pośpi.

3.

– Wydaje mi się, że straciła przytomność. Co robimy? Zabrać ją na pogotowie, szukać w dokumentach adresu i do domu? A jak jest na coś chora?

– Lepiej do szpitala, tam już się nią zajmą, sprawdzą papiery, wezwą rodzinę, przecież nie będziemy bujać się z nią po mieście cały dzień w tę pogodę.

Słyszała, co mówią, ale nie sądziła, że to o niej. Przecież ona nie straciła przytomności i wszystko słyszy. Poruszyła się nieznacznie, wszystko ją bolało, była czymś skrępowana. A nie, to kurtka, okryli ją dwoma kurtkami i jeszcze jakimś ręcznikiem wokół głowy. Śmierdział benzyną albo jakimś smarem.

– Halo, słyszy mnie pani? Ale nam pani strachu napędziła.

– Dlaczego?

– Przestała pani kontaktować. Myśleliśmy, że to coś poważniejszego, ale widocznie tylko pani zemdlała. Zawieziemy panią do domu, tylko proszę podać adres.

– Jezu, co tu tak śmierdzi, głowa mnie boli.

– Piotrek, zabierz pani spod głowy tę szmatę, mówiłem, że to niedobry pomysł.

– A miałeś coś innego pod ręką?

– Panowie, dziękuję, ja już sobie pójdę, przepraszam za kłopot.

– Żaden kłopot, nigdzie pani nie puścimy w tę burzę, w samochodzie bezpieczniej, bo to jak klatka Faradaya, jakby w nas pierdolnęło, to rozejdzie się po karoserii.

– Janek, zachowuj się, to nie jest bufetowa Wanda z baru Syrenka.

– Mam na imię Helena.

– Pani Heleno, Piotrek jestem, a ten niewychowany pacan to Janek.

– Lena wystarczy. Miło mi was poznać.

– Miło jak miło, nieźle nas pani, *sorry*, nieźle nas przestraszyłaś. Wolałbym w innych okolicznościach.

– Jest, jak jest, nie męcz Leny. To gdzie cię wieźć?

– A pasuje wam podjechać na Miłą? Będę wdzięczna, faktycznie leje. I zimno mi.

Lena usiadła na tylnym siedzeniu i próbowała się trochę ogarnąć. Ciuchy miała przemoczone, wyglądała jak miss mokrego podkoszulka z Górki Dolnej.

– Włóż którąś z kurtek, nie krępuj się.

– Dziękuję, nie chcę ich zamoczyć.

– Nie przesadzaj, one po to są, żeby chronić i ogrzewać, a nie po to, żeby były suche za wszelką cenę.

Lena włożyła tę większą, w kolorze khaki, bo wydawała jej się cieplejsza i przytulniejsza.

– Ha, moją wzięła!

– Piotrek, ty to jednak dzieciak jeszcze jesteś. Trzydziestka na karku, a taki głuptak.

Lena nie mogła się nie roześmiać. Fajne te chłopaki. Miała szczęście, mógł ją z tego chodnika podnieść jakiś łysy zboczeniec i do tego złodziej. Najpierw by ją wymacał, a potem jeszcze obrabował. Jan, jakby czytał w jej myślach, powiedział:

– Twoje torby są w bagażniku, wszystko jest, nie martw się. Miałaś szczęście, lało tak, że ludzie biegli pod dachy, nikt by cię nie zauważył. Gdyby nie to, że Piotr zgubił but w trakcie rajdu do banku, też byśmy cię nie wypatrzyli.

Jechali zalanymi ulicami. Warszawa wyglądała jak po powodzi. Deszcz ustał, życie powoli wracało do normy. Lena czuła się jak bohaterka filmu katastroficznego, która przemierza miasto z dwoma przygodnymi wybawicielami. Po trosze tak było.

Dojechali na miejsce. Wszyscy wyszli z samochodu. Lena wyglądała jak obraz nędzy i rozpaczy. Janek wyjął jej torby, uparł się, żeby wszystko sprawdziła, i uspokoił się dopiero wtedy, kiedy przyznała, że nic nie brakuje.

Uparli się odprowadzić ją pod drzwi. Wprawdzie Piotrek żartował, że to w celu wytropienia, gdzie mieszka, ale widać było w jego oczach, że martwi się o nią, bo a nuż znowu zemdleje. Był taktowny i nie pytał o nic, ale nie przyjął do wiadomości, że Lena dalej pójdzie już sama.

Kiedy weszli na klatkę schodową, spotkali panią Michalinę. Z siatką (tak właśnie – siatką, bo nie uznawała reklamówek i torby na zakupy plotła sobie ze sznurka, metodą makramy) spieszyła do sklepu, żeby zdążyć przed następnym deszczem.

– Bój się Boga, dziewczyno, co się stało?

– Nic takiego, proszę się nie martwić, złapał mnie deszcz i zasłabłam, panowie mi pomogli i przywieźli do domu.

– Ależ to trzeba było na ostry dyżur, sprawdzić, w czym rzecz, cóż za niefrasobliwość.

– Pani Michalino, wszystko dobrze, po prostu zaskoczyła mnie ta pogoda.

Lena bardzo starała się zachować spokój, ale już zaczęło do niej docierać, co miało miejsce przed zajściem na ulicy i dlaczego tam się znalazła. Poczuła napływające łzy, a że próbowała je powstrzymać, pokasływała i to zaniepokoiło jej towarzyszy.

– Wiedziałem, że tak będzie, może trzeba było zatrzymać się gdzieś i najpierw napoić ją gorącą herbatą.

– Przestań z tą gorącą herbatą, znalazłeś sobie uniwersalne lekarstwo. Setkę trzeba było w nią wlać.

– Czyś ty zwariował, przecież nie wiemy, co jej było.

– Panowie, dobrze zrobiliście, że natychmiast tu przyjechaliście. Skoro nie do szpitala, to nie należało nigdzie się zatrzymywać. Już ja się zajmę Leną, możecie mi zaufać.

Piotr i Jan próbowali oponować, ale pani Michalina nie znosiła sprzeciwu. Kiedy już sobie coś postanowiła, musiało być po jej myśli.

– Jeśli i wy chcielibyście napić się herbaty, to zapraszam do mnie. To tutaj.

Wskazała im drzwi, po czym podała Piotrowi klucze, a sama ujęła ramię Leny i troskliwie pociągnęła ją w stronę mieszkania.

– Wygląda na to, że zawsze, kiedy jestem w takim stanie, pani zgarnia mnie z tych schodów. To taka nowa świecka tradycja. – Lena próbowała się uśmiechnąć, ale nie zdołała już powstrzymać łez.

– Panowie tu usiądą, a my z Lenką na chwilę się oddalimy. Zaraz wracam.

Celowo nie użyła liczby mnogiej, bo nie sądziła, żeby Lena była w stanie się do nich przyłączyć.

Kiedy weszły do drugiego pokoju, pani Michalina usadziła ją w fotelu przy biurku z komputerem, a sama sprawnie pościeliła łóżko. Pościel była przygotowana, ale nie powleczona.

Starsza pani zauważyła wzrok Leny i wytłumaczyła:

– Tu zawsze śpi Arek. Ostatnio takie upały, że postanowiłam uprać jego pościel i teraz będzie jak znalazł.

Pociągnęła swoim pokaźnym nosem. Lena zdążyła już wcześniej zauważyć, że jak jest w emocjach, to tak właśnie robi. Zmartwiła starszą panią, poczuła się w obowiązku zapewnić, że wszystko w porządku.

– Moja droga, przecież widzę, że nie jest, i jak znam życie, to sprawka tego huncwota Juliusza. Nie mylę się? Odpoczniesz, to pogadamy, a teraz idę zająć się tymi dwoma młodzieńcami, których zostawiłam samopas w salonie.

– Pójdę z panią, nie pożegnałam się, nie chcę, żeby mieli mnie za jakiegoś dzikusa. Bardzo mi pomogli, gdyby nie oni, może nadal bym tam tkwiła.

Lena spojrzała na siebie i wstrząsnęły nią dreszcze.

– Pani Michalino, dziękuję za obietnicę gościny, ale ja chyba jednak pobiegnę na górę się przebrać. Wrócę za chwilę.

Weszły do pokoju. Pani Michalina wyjęła czajniczek i filiżanki. Lena pomogła je poustawiać i pousadzać wszystkich wygodnie.

– Ależ, proszę pani, my jesteśmy proste chłopaki, kubki wystarczą.

– W tym domu nie ma kubków. Jeśli już, to szklanki w metalowych koszyczkach. To co wybieracie?

Stanęło na filiżankach, te koszyczki przerażały ich jeszcze bardziej.

Lena wymknęła się do siebie, żeby się przebrać. Wróciła po kilkunastu minutach i została przechwycona przez starszą panią, która poprosiła ją o zaniesienie do pokoju miseczek z zupą i koszyka z chlebem.

– Ależ, proszę pani, po co tyle zachodu, my tylko tak na herbatkę i zmykamy.

– Taka pora dnia, że jestem już głodna, wy pewnie też. Nie dyskutujemy, tylko wsuwamy.

Pani Michalina umiała postawić na swoim. Lena przypomniała sobie o pierogach, które tu jadła zaledwie dwa dni temu, wtedy też płakała. Odsunęła od siebie tę myśl, nie była w stanie stawić teraz temu czoła.

Piotr z Jankiem pojedli, popili i zaczęli się zbierać. Uściskali Lenę jak starzy znajomi, chociaż z pewną taką nieśmiałością.

– Lenka, a ty jesteś na fejsie?

– Jestem.

– A to chodź się polubimy i będziemy się kontakcić. Zaliczymy wypad na jakieś piwko czy coś.

– Pietrek, ogarnij się, jakie piwo, to przecież dama, a nie koleżanka z działu zbytu. Sushi i wino, może być? – Jan był dumny ze swojego pomysłu.

Piotr wyjął komórkę i sprawnie połączył się ze swoim kontem na FB. Lena podała im dane, odnalazł ją i wysłał zaproszenie do znajomych. Janek obiecał zrobić to samo.

4.

Kiedy wyszli, pani Michalina usadowiła się wygodnie w fotelu, wyjęła lufkę, osadziła papierosa, zapaliła i spojrzała swoimi przenikliwymi oczami na Lenę. Milczała.

– Co ja będę pani ściemniać, głupia koza jestem i tyle.

Nic. Ani słowa.

– Nie ma się czym chwalić.

Cisza.

– Okazało się, że on ma kobietę i ona przyszła pod drzwi, kiedy u niego byłam.

– Nie wyglądał mi na takiego głupiego.

– Mnie też nie. Ale takie są fakty.

– A konkretnie jakie?

– Wstyd mi się przyznać.

– A czego się wstydzisz? Zrzuciłaś ją ze schodów?

– Nie, jak mogła pani tak pomyśleć?

– Nie pomyślałam, chciałam cię sprowokować. Cóż takiego wstydliwego mogłabyś robić, kochaneczko? Masz na myśli fakt, że poszłaś do niego, spędziliście razem noc, bynajmniej nie na oglądaniu transmisji walk bokserskich?

– Mniej więcej tak.

– Przypominam ci, że wcześniej byliśmy z Arkiem świadkami waszych pierwszych chwil razem. Byliście tak w siebie zapatrzeni, że nie wiedzieliśmy, gdzie oczy podziać.

– Przepraszam, nie sądziłam, że tak to wyglądało.

– Nie przepraszaj, tak to już jest w tych pierwszych momentach, że nic się nie liczy. No i co to za historia z tą kobietą?

– Pani Michalino, banalna jak świat stary, przyszła i wykrzyczała, że jej go odebrałam. Ale co gorsza, powiedziała, że nie dalej jak w sobotę byli razem i uprawiali… ten, no rozumie pani.

– Kochanie, może i jestem stara, ale nie umrę na dźwięk słowa seks. Przypominam ci, że mam wnuka, *ergo* musiałam mieć kiedyś dzieci z mężem w komplecie. Uprawiałam tę dyscyplinę sportu i wiem, na czym polega.

Lena zaczerwieniła się, trochę ze wstydu, trochę z emocji.

– Tego samego dnia Juliusz mnie adorował, tak na mnie patrzył, jakby na świecie nie było innych kobiet. Nie stracił żadnej okazji, żeby dotknąć mojej dłoni, pocałować przelotnie, przytulał, wabił jak pająk w pajęczynę.

– Pamiętam, opowiadałaś tamtego wieczoru, kiedy byłaś u mnie.

– No właśnie. Myślałam wtedy, że dam sobie z nim spokój, że nie wytrzymam tej huśtawki emocjonalnej, bo najpierw był zainteresowany, a kiedy dostał ode mnie sygnał, że ja też, zmienił nagle front i zbyt chętnie odwiózł mnie do domu. W niedzielę wrócił, sama pani widziała, co się działo. Nie umiem mu się oprzeć, zadurzyłam się jak głuptak jakiś i jak ta antylopa gnu pognałam prosto w paszczę lwa zginąć marnie.

– Nie rób sobie wyrzutów. Żadna chybaby się nie oparła, taki wdzięk roztaczał. Spodobał mi się, naprawdę był tobą zainteresowany. Poznałabym, gdyby udawał, i na pewno starałabym się cię ostrzec. Tym bardziej jestem zdziwiona. Jesteś pewna, że ona mówiła prawdę? Może chciała go tylko zdyskredytować w twoich oczach?

– Nie wiem, nie rozmawiałam z nim, bo wysłał mnie do mieszkania, a sam został z nią na klatce schodowej. Była zrozpaczona, wydaje mi się, że trochę nietrzeźwa, krzyczała, płakała. Alkohol znosi bariery, pozwala na szczerość. Mówiła prawdę.

– No tak, to oczywiste, że nie mógł jej w takim stanie zostawić. Trudna sytuacja, z jednej strony ty, z drugiej inna kobieta.

– Proszę go nie usprawiedliwiać. Zranił mnie, nie wiem, jak teraz postąpić, nie odnajduję się w tej sytuacji, nie mam doświadczenia, moja odporność na taki ból jest zerowa.

– Czy ona mówiła, że są razem?

– Nie, wykrzyczała, że zostawił ją dla rudej wiewióry, takiej brzydkiej, to o mnie. – Lena nie mogła opanować drżenia brody.

– To zmienia postać rzeczy.

– Niby jak?

– Bo ją zostawił, jak mówisz, po latach dla ciebie, chociaż, jak mniemam, wtedy jeszcze nie wiedział, że zgodzisz się z nim być. To go stawia w innym świetle.

– Szczególnie że zaraz po tym, jak całowaliśmy się na środku Stadionu Narodowego, poleciał kotłować się z Jolantą.

– Nie zamierzam go bronić. Sama rozważ w sercu, czy chcesz bez niego żyć, czy ci już nie zależy, czy też postarasz się go zrozumieć.

– Nie chcę, nie mam siły, bardzo źle się z tym czuję. Pani Michalino, najchętniej zwinęłabym się w kłębek i przespała miesiąc.

– Zostajesz u mnie? Adela wyjechała z Kaśką na dwa dni do siostry. Pilnują zwierzyńca, bo Julita z mężem w szpitalu.

– Co się stało?

– A to ty nic nie wiesz? Może nie powinnam w takim razie mówić, ale to chyba nie jest tajemnica, w każdym razie ja nic o tym nie wiem. Jej mąż ma chorobę Bürgera. Odjęli mu najpierw jedną nogę, teraz drugą. Szukają innego mieszkania, a najlepiej domu, bo mieszkają w bloku bez windy. Trudna sytuacja.

– Pani Michalino, tak mi głupio. Ja tu o jakichś nieistotnych sprawach, a ludzie mają poważne problemy. A to mnie pani do pionu postawiła.

– Do usług, moja droga. To jak? Łóżko Arka jest bardzo wygodne, chociaż wydaje się wąskie, ale to tylko dodaje mu przytulności. Stary, dobry mebel, nie to, co teraz.

– Nie, dziękuję, pójdę już. Dziękuję za rozmowę. Jak zwykle u pani nabieram dystansu do spraw, kolejny raz ratuje mnie pani przed pensjonarską otchłanią rozpaczy.

– Nie bądź dla siebie zbyt surowa, jeszcze raz powtarzam. Wszystko się ułoży. Zobaczysz, zadzwoni, wyjaśni, jeszcze tego wieczoru będziecie razem.

– Nie sądzę. Idę, pani Michalino, myślę, że po prostu muszę się wypłakać. Nadejdzie świt, zacznę życie od nowa. Tym razem będę już bardziej rozsądna. Widocznie musiałam odebrać tę lekcję, nadrabiam braki.

– Nie twoja wina, że nie miałaś wcześniej takich doświadczeń. To nie jest głupota, po prostu miałaś szczęście.

Pani Michalina wspięła się na palce i ucałowała Lenę w czoło.

– Moja biedna Pirlipatka. Wszystko się ułoży.

Lenie tylko tego trzeba było, żeby się do reszty rozkleić. Usiadła w fotelu i płakała, i płakała, końca nie było widać. Starsza pani nie przeszkadzała, nie pocieszała, zebrała naczynia i ulotniła się do kuchni. Wróciła tylko na chwilę, postawiła przy Lenie filiżankę herbaty i znowu wyszła.

JULIUSZ

1.

Nie mógł jej uspokoić. Jolka na zmianę płakała, śmiała się, złościła i wpadała w rozpacz.

Lena z kolei wybiegła z mieszkania z torbą w ręku. Jeszcze tego mu brakowało. Dwie histerie, każda inna, każda z innego powodu, chociaż na ten sam temat.

Wściekł się nie na żarty. Jolka mogłaby już dać spokój, przecież tak go nie odzyska. Że też kobiety nigdy nie wiedzą, kiedy odpuścić, bo i tak nie uda się już nic uratować. A znowu Lena, Lisica ruda, jest w gorącej wodzie kąpana. Jej temperament czasem go przerastał. Tutaj z kolei on nie wie, czy już czas odpuścić, czy może jeszcze raz zawalczyć. Chce mu się tak za nią latać bez przerwy?

Nie wziął Joli do mieszkania z obawy, że opacznie to zrozumie, wpadł do środka, chwycił kluczyki i wrócił do niej. Udało mu się jakoś zmusić ją do ruszenia tyłka ze schodów. Zapakował ją do samochodu, musiał zapiąć pasy, bo znowu uderzyła w płacz i nie chciała tego sama zrobić. Kiedy się nad nią nachylił, objęła czule jego twarz i zaczęła całować. Powstrzymał ją delikatnie, ale nie był zbyt gwałtowny, nie miał żalu, zresztą czuł się winny. Pogłaskał ją po głowie, potem ujął jej dłoń, przemówił miękko:

– Jolu, przepraszam, że sprawiłem ci ból. Nie chciałem, nie sądziłem, że jesteś aż tak zaangażowana, myślałem, że po prostu ci ze mną po drodze, fajny seks, czasem jakiś wypad razem, nic wielkiego.

– Julek, a z czego ty to wywnioskowałeś? Ja po prostu byłam cierpliwa, myślałam, że jak poczekam wystarczająco długo, zdecydujesz się na kolejny krok, ale ty masz jakieś problemy emocjonalne. Raz mnie do siebie przyciągasz, jesteś czuły, szalejesz, kochamy się dwa razy dziennie, a potem nie odzywasz się tygodniami, jakbym nigdy nie istniała. Tyle czasu tak, aż tu nagle – zakochałem się, *sorry*, taki mamy klimat.

– Przepraszam, co mogę więcej powiedzieć?

– Nic. Podrzuć mnie do domu, wystarczająco się upokorzyłam. Taki wstyd przed tą twoją flamą. Żeby ona chociaż jakaś atrakcyjna była, a nie takie piegowate czerwone sobie wziąłeś. W tatuśka będziesz się zabawiał? Co, córeczki brakowało ci do kompletu?

Juliusz dość miał tych impertynencji. Nie słuchał więcej, zatrzasnął drzwi samochodu, wybrał numer korporacji taksówkowej i zamówił kurs do mieszkania Jolki.

Kiedy podjechał samochód, poprosił ją, żeby się przesiadła, nie słuchając jej pretensji, zapłacił za kurs, a kiedy Jolka nie chciała wysiąść z jego samochodu, po prostu zostawił ją w otwartym wozie i odszedł.

Słyszał jeszcze, jak rzuca za nim wyzwiskami. Nie obejrzał się. Będzie tego.

2.

Wyszedł do samochodu, żeby sprawdzić, czy Jola już pojechała. Na złość zostawiła wszystko pootwierane na oścież. Już miał zatrzasnąć drzwi i wrócić do domu, ale zmienił zdanie, wsiadł do auta i pojechał rozejrzeć się po okolicy. Miał nadzieję, że znajdzie Lenę i namówi na rozmowę. Ulewa rozpętała się na dobre. Krążył i wypatrywał rudzielca w strugach deszczu, ale nigdzie jej nie dostrzegł.

Wrócił zmartwiony do domu. Usiadł w fotelu ze szklaneczką whisky i myślał o Lenie. Miał nadzieję, że nie stoi gdzieś mokra i przemarznięta. Wyłączyła telefon, nie spodziewał się, że będzie inaczej. Może i dobrze, trzeba to wszystko przemyśleć, ona też musi ochłonąć. Ale martwił się. Próbował się dodzwonić. Zostawił kilka wiadomości. Może odsłucha i oddzwoni? A może w drzwiach stanie? A co, jeśli nie? Czy powinien pakować się w ten układ? Jeszcze rano wydawało mu się, że odpowiedź może być tylko jedna, ale teraz ma wątpliwości. Jolka chyba miała rację. Lenka była dla niego za młoda, a do tego nie wyglądała na swój wiek, tylko na jeszcze mniej.

Zaczął rozpamiętywać, jak wygląda. Przesuwał w myślach wzrok po kolejnych elementach jej fizjonomii – pięknie wykrojonej szyi, nadąsanych pełnych ustach… Pomyślał o biodrach jak u bogini płodności, nogach nadspodziewanie sprężystych, chociaż twierdziła, że nie ćwiczy. Tak mają młode, niezmotoryzowane dziewczyny, które wszędzie docierają na piechotę. Brzuch, ulubiony element, nawet bardziej niż piersi, bo one były takie jednoznaczne, wyzywające, bezwstydne, zdawały się prowokować – patrz, jakie jesteśmy młode, twarde, obejmij sutki ustami, przekonaj się, jak smakuje pożądanie; z drugiej strony ten miękki brzuszek, pokryty rudym meszkiem, delikatny jak i ona.

Można było się na nim położyć, przytulić, ale nieznacznie niżej już było gorąco, wulkan buzował, w miedzianej otulinie czekała kraina ciasnej, wilgotnej rozkoszy, wzwiedziona łechtaczka, jak minifallus, tak wrażliwa na pieszczoty. Przypomniał sobie, co jej robił pod prysznicem, jak wtedy pachniała, i bardzo się podniecił. I pomyśleć, że gdyby nie poranne wydarzenia, prawdopodobnie teraz, przy odgłosach ulewnego deszczu i burzy, doczekałby się łaskawej amazonki anglezującej na nim.

I co teraz? Jechać do niej, udawać, że to głupstwo, a przecież byli umówieni na spotkanie we Wrzeniu Świata? Czy odpuścić? Jej obraz, jej zapach, oczy zielone, ta kreska nad wargą, która ją zdradzała – jak o tym zapomnieć?

Postanowił się wreszcie ubrać, bo wciąż miał na sobie to, co narzucił po prysznicu z rudzielcem. Potem postanowi, co robić. Na pewno nie będzie mógł prowadzić, przecież pił.

Wszedł do sypialni, otworzył szafę i od razu rzuciła mu się w oczy limonkowa sukienka, odcinająca się na tle jego niebieskich i gołębich koszul. Sam ją tam powiesił. Zdjął teraz z wieszaka, położył się na łóżku i wtulił twarz w materiał w poszukiwaniu zapachu Leny.

To nie może się udać. To nie może się nie zdarzyć. Taki paradoks zakochania.

3.

– Arek, cześć, Julek z tej strony. Byliśmy umówieni na dziś. Sprawy trochę się pokomplikowały, ale nadal jestem gotów was zabrać na to spotkanie, tylko nie wiem, czy Lena zechce z nami pójść.

– Nie mów, że znowu się pokłóciliście.

– Jolka wparowała mi dziś rano do domu i zrobiła awanturę.

– Przecież zawsze umawialiście się precyzyjnie, nie miała w zwyczaju nachodzić cię niezapowiedziana.

– W sobotę powiedziałem jej o Lenie.

– I co z tego, że przyszła?

– Lena była ze mną.

– No tak, o, ja głupi i naiwny, ty akurat byś jej przepuścił.

– Nie nabijaj się. Przecież nie mogłem jej zostawić z tobą pod jednym dachem, aż tak ci nie ufam.

– Chyba mnie przeceniasz. Po tym, jak wczoraj zobaczyłem, jak ci zmarszczki liczyła, zrozumiałem, co to znaczy, że miłość jest ślepa.

– Nie dobijaj mnie. Ona teraz nie odbiera telefonu. Muszę tam jechać, chociaż i tak nie będzie chciała mnie widzieć.

– Skąd wiesz? Sprawdź.

– Idziemy na to spotkanie? Obiecałem twojej babci.

– Daj spokój, zawiozę babcię, a ty zajmij się tą swoją Izoldą, Tristanie.

– Ty żmijo na mojej piersi wykarmiona.

– Byłeś świetnym nauczycielem. Powodzenia, Julek.

4.

Wiedział, że musi do niej pojechać, bo nie zaśnie. Wściekał się na sytuację, a jednocześnie nie chciał odpuścić. Ta ambiwalencja wprowadzała go w stan wewnętrznego rozedrgania. Bał się, że straci panowanie nad sobą i powie jej coś, czego będzie żałował. Marzył o związku bez tych wszystkich perturbacji, niedopowiedzeń, gierek, żeby było normalnie. Tylko czy wtedy byłoby tak fascynująco? Oto jest pytanie. Jolka go wkurzyła, Lena też, sam siebie wkurzał, że nie potrafi odpuścić, zostawić tego, jak jest, żyć w spokoju, bezproblemowo. Ale nie, stary satyr wchodzi w skomplikowaną relację z Lisicą, bo go kręci. No i co z tego? A bo to pierwszy raz podnieca go jakaś kobieta? Po co tak nalega na coś więcej? Miał ochotę sam siebie kopnąć w twarz.

Zapakował sukienkę w worek po garniturze i wyszedł z domu. Pachniało ziemią i kwiatami. Majowe, ciężkie mimo deszczu powietrze odurzyło go, ledwie wynurzył się z budynku.

Z zaskoczeniem skonstatował, że gdy tylko podjął decyzję o załagodzeniu sprawy, poczuł spokój i coś na kształt szczęścia. Już fantazjował o tym, jak wysiada za kilka godzin z samochodu z Leną, prowadzi ją do siebie, a ona wchodzi do mieszkania, zrzuca buty i zwija się w kłębek na sofie. Piją wino, ani słowa o tym, co wydarzyło się rano, przecież wszystko już sobie wyjaśnili i nie będą do tego wracać.

Czerpał przyjemność z szukania w myślach najlepszej pozycji do spania z nią u boku. Będzie się kręcić, rudzielec niecierpliwy, tyłem, bokiem, wypnie tyłeczek, zarzuci na niego nogę, aż wreszcie umości się u niego na ramieniu. A rano obudzą się wtuleni w siebie jak dwie łyżeczki w szufladzie.

Banał, ale chce tego, właśnie z nią i właśnie tak. Kto wie, może to ostatnia taka miłość w jego życiu? Przeszedł drogę od wzdychania do rówieśnic we wczesnej młodości przez romantyczne uniesienia w czasach studenckich, fascynację starszymi kobietami, dumne podjęcie wyzwań małżeńskich, wyzwolony i szalony seks bez zobowiązań ostatnio, aż do niej – zatoczył koło. Teraz chce, żeby było jednocześnie romantycznie, namiętnie, ciepło, czule. Tylko małżeństwa nie może jej obiecać. Nie dlatego, że nie chce, ale nie ma sumienia wiązać jej ze sobą. Kiedyś między nimi stanie jego wiek, nie ma czasu do stracenia.

Już drugi raz tego dnia wezwał taksówkę, w końcu wypił szklaneczkę whisky, a nigdy nie siadał za kółkiem po alkoholu. Podał adres Leny i rozsiadł się wygodnie. Przypomniał mu się rajd po kolczyki w podobnych okolicznościach. Jak to się dzieje, że ona jest w jego życiu od kilku dni, miesiąc temu zobaczył ją pierwszy raz, a teraz wszystko kojarzy mu się tylko z nią?

Niech ona tylko zechce z nim porozmawiać, już on ją ugłaszcze. Ma przecież w tym wprawę.

HELENA

1.

Siedziała na Centralnym, czekając na nocny do Koszalina. Nie było już wolnych kuszetek, zresztą i tak by nie usnęła, ale miała nadzieję, że w pierwszej klasie nie będzie tłoku i znajdzie przedział tylko dla siebie. Nie chciała płakać przy ludziach, a wiedziała, że niewiele ją dzieli od łez. Na razie była otępiała, ale lawina wkrótce ruszy.

Wyjazd to był impuls. Spakowała kilka rzeczy w małą torbę podróżną i wyszła z domu. Nikomu nic nie tłumaczyła. Nawet nie wiedziała, o której ma pociąg. Pamiętała, że odjeżdża wieczorem i mknie przez noc, żeby rano wypluć ludzi na pamiętającej komunę, lekko zapyziałej stacji na północy Polski, w innym świecie, gdzie czas płynie wolniej, dzieje się mniej, a wszystko jest swojskie; znane zapachy i przyjazne twarze dają poczucie bezpieczeństwa. Potrzebowała tego, lgnęła do znanej rzeczywistości, której wcześniej nie doceniała. W tym naturalnym dla siebie środowisku była silna. Tam zdoła się pozbierać.

Siedziała na ławce na peronie i obserwowała ludzi. Niektórzy zmęczeni, szarzy, w niemodnych, przepoconych ciuchach, zestresowani pośpiechem i uciążliwością dojazdów. Inni zadowoleni, z komunikatem „zaczynam urlop" na twarzach. Nie zdziwiłaby się, gdyby zobaczyła faceta z kołem ratunkowym w kształcie kaczki wokół talii. Ci jechali nad morze odpoczywać, szczęściarze. I jeszcze kuracjusze, najpewniej jadący do Kołobrzegu – odstrojeni w kancik, schludne walizki, do tego mniejsze torby z wałówką i termosami. Ci z kolei mieli wypisane na twarzy skargę i ból – jestem chora, jadę się leczyć, proszę mnie przepuścić. Siedzieli na ławce obok i wymieniali opinie na temat poszczególnych sanatoriów.

– Proszę pani, teraz Kormoran już nie jest modny, wszyscy jeżdżą do Kolibra, a tam sala dansingowa, kino i basen, duża oszklona kawiarnia, proszę pani, luksus po prostu.

Mimowolnie usłyszała, jak ktoś mówił, że przed wyjazdem wpadły na obiad i ciasto dzieci złożyć życzenia na Dzień Matki. O Boże, zapomniała!

Sięgnęła po komórkę. Ekran ciemny. Musiała ją wyłączyć, kiedy wyszła od Jula. Nie pamięta tego, ale na pewno miała naładowaną baterię, bo odłączała telefon od ładowarki. Kiedyś uwiązana do komórki, ciągle sprawdzała wiadomości i statusy na fejsie, odkąd poznała Juliusza, prawie jej nie używała, jakby świat ograniczał się tylko do niego.

Włączyła aparat. Miała kilka nieodebranych połączeń od Jula, Adeli, Arka i Mileny. Połączyła się z pocztą głosową. Serce jej biło jak szalone, wiedziała, że zaraz usłyszy JEGO głos.

„Lena, wracaj natychmiast, przecież jesteśmy dorosłymi ludźmi, chyba nie przypuszczałaś, że jestem mężczyzną bez przeszłości. Tak, przyznaję, ona nie należała do ciebie, ale przyszłość już tak. Czekam tu na ciebie, rudzielcu niepospolity".

I druga:

„Martwię się o ciebie, gdzie jesteś? Straszny deszcz, złap taksówkę i przyjedź. Osuszę twoje włosy, scałuję niepokój, przecież wiesz…".

Potem Adela:

„Lenka, jesteśmy u Julity, masz wolną chatę, gdybyś chciała wiesz co. Wracamy w środę wieczorem, baw się dobrze" śmiech, a potem Kaśka: „Ja nie chciałam jechać, ale mi kazali. Obiecałam pokazać ci sekret, to poczekaj".

Najbardziej zaskoczył ją Arek:

„Helka, złośnico, rozmawiałem z Julkiem, bo wiesz, byliśmy na dziś umówieni, wyciągnąłem z niego, co się stało. Nie bądź dla niego zbyt surowa, on naprawdę zostawił tę kobietę dla ciebie. A, i on nic nie wie, że dzwoniłem, i lepiej mu nie mów, bo mi zęby poprzestawia. Gdyby nie on, to ja bym… (przerwa), co tu gadać, przecież ty jego też. Trzymaj się. Jakby co, dzwoń. Babcia prosi przekazać, że rozumie, ty już będziesz wiedziała co".

A na końcu Milena:

„Zapomniałaś o przyjaciółce, obiecałaś relację, a tu koniec weekendu i nic. Daj znać, czy żyjesz. Dzwoniłam do twojej mamy i ona też nic nie wie, martwimy się. Twój ojciec snuje teorie spiskowe, że cię na macę przerobili. I nie daruje. Lepiej daj znak, zanim krucjatę z parafii zorganizuje. Torbo stara, żeby tak ani esemesa?".

Fakt, Lena nie zadzwoniła ani do mamy, ani do przyjaciółki, to nie fair. Teraz ma mnóstwo czasu i nadrobi.

Najpierw wyszukała numer do mamy.

– Wszelki duch Pana Boga chwali! Co się z tobą działo?

– Nic, mamo, tu takie tempo, że nie wiadomo, kiedy ten czas zleciał. Rozpakowałam się, urządziłam trochę, ciągle błądzę po mieście, pracowałam na targach i tak jakoś...

– Córciu, przecież ja wiem, jak to jest.

– Ale mam dla ciebie niespodziankę na Dzień Matki, wszystkiego najlepszego i spodziewaj się jutro córki na śniadaniu. Za tydzień rozpoczynam pracę, pomyślałam, że do was jeszcze zajrzę, bo potem nie wiadomo, kiedy będę miała czas.

– Kochanie, to jest dla mnie najwspanialszy prezent. Zatem nie przedłużajmy, bo krocie to kosztuje, pogadamy jutro.

– Dobrze, mamo, ale pamiętaj, że mamy do siebie rozmowy za darmo, możesz do mnie dzwonić w ramach tego doładowania i nic nie tracisz. Ja też nie.

– Nie znam się na tych urządzeniach i abonamentach. Wszystko mi wytłumaczysz, kiedy już tu będziesz.

– Dobranoc. Powinnam być w domu o dziewiątej.

– Czekamy, bezpiecznej podróży, Helcik.

Rozłączyła się. Siedziała chwilę bez ruchu. Mama nazwała ją Helcik, jak wtedy, kiedy była mała. Lubiła z mamą wyjeżdżać na wieś do ciotek w Bory Tucholskie, one też tak na nią wołały. Chleb ze śmietaną i cukrem nigdzie tak nie smakował jak tam.

Do oczu napłynęły jej łzy. Dorosłe życie jest do bani. No, chyba że dzieciństwo też ma się do niczego, ale ona akurat miała fajne. Ojciec wprawdzie jest upierdliwy i ciągle z tymi Żydami wyjeżdża, ale kocha ją, jest pewna, że może na niego liczyć i w ogóle nie skrzywdziłby muchy, lubi sobie tylko pogadać.

Otrząsnęła się ze wspomnień. Nie chciała robić z siebie pośmiewiska na dworcu pełnym ludzi. Wybrała numer Mileny, nie musiała długo czekać.

– No nie mówiłam, że jesteś torba stara? Jak mogłaś mnie tak bez żadnego słowa zostawić na pięć dni?

– Milena, przepraszam i obiecuję poprawę.

– Dobra, zostawmy to już, bom ciekawa – opowiadaj ze szczegółami.

Lena opisała, gdzie i z kim mieszka, jak wygląda okolica, opowiedziała o targach i nowościach wydawniczych, o wizycie w Arkadii i makijażu u Emila, skrzętnie omijała temat Jula. Nie miała zamiaru nic mówić, po co, skoro to już przeszłość.

– A dla kogo ty się tak stroisz?

– Dla nikogo, dla siebie, wyobraź sobie.

– Lena! Gadaj mi tu na-ten-tych-miast.

– Przyjeżdżam jutro rano, opowiem, kiedy się spotkamy.

– A to czekam z kolacyjką i białasem jutro wieczorem. Siedzę w domu, wpadaj, kiedy ci pasuje.

– Jesteśmy umówione.

– No, no, nie mogę doczekać się tych rewelacji.

– Będziesz zawiedziona, nic takiego się nie wydarzyło.

– Usłyszymy, ocenimy.

Przekomarzały się jeszcze chwilę, jak to one, od zawsze tak. Stara, dobra przyjaźń, odporna na wszelkie fochy i burze.

Kiedy skończyła rozmowę, zastanawiała się, czy powinna zadzwonić do Arka. I co mu powie? Wystukała kilka nic nieznaczących słów wiadomości, to musi wystarczyć. Nie znała go prawie wcale. To faktycznie interesujący mężczyzna i kto wie, może kiedyś będą parą dobrych znajomych, ale teraz na pewno nie będzie mu się z niczego zwierzać.

Opadła z sił. Marzyła, by znaleźć się już w pociągu, przymknąć oczy, nie myśleć. Spokój nagle okazał się równie bezcenny, co nieosiągalny. Tylko czy ona chciała spokoju? Czy bardziej tej miłości i Jula? Przecież od spokoju właśnie, od rytmicznego pikania bez żadnych odchyleń amplitudy uczuć, uciekła. Ze Zbyszkiem wszystko było przewidywalne, tyle że to, co dawało się przewidzieć, jej się nie podobało. Tym bardziej że brakowało i emocji, i stabilizacji, a ta jego niedojrzałość, która najpierw była urocza, po pewnym czasie zaczęła uwierać.

Z Julem miała to, czego oczekiwała od mężczyzny. No, prawie, bo nadal nie mogła liczyć na choćby odrobinę stabilizacji, ale czy w tych czasach w ogóle można było ją znaleźć? Kiedyś rodzina i praca to były wartości stałe, o które każdy zabiegał, a gdy już je miał, to trzeba było mocno się starać, żeby coś schrzanić na tyle, by to stracić. W tych czasach nic nie było pewne – ludzie tracili pracę z dnia na dzień, czasem bez żadnych wyjaśnień; rozwodzili się równie łatwo. Kiedyś zdradę można było wytłumaczyć jedynie wielką miłością, która spadła na partnera, teraz to była sprawa higieny. Nawet próbowali gdzieniegdzie, w prasie czy jakichś durnych poradnikach, wmawiać ludziom, że to może naprawić związek i dodać pieprzu życiu intymnemu. Pieprzu na ranę, chyba.

Tu ją bolało. Przywłaszczyła Jula w momencie, kiedy przyjęła go w siebie. Dopuściła go nie tylko do swojego ciała, ale i do serca, on był jej, ona cała należała do niego. Teraz widzi, jakie to było nieroztropne, głupie nawet, bo on tego tak nie postrzegał. Nieważne, co jej wyznał wcześniej, czuł się wolny na tyle, żeby bez skrupułów kochać się zaraz potem z inną kobietą. Założy się, że ani razu nawet nie pomyślał o Lenie.

Ciągle miała ten obraz pod powiekami – splecione ciała, Jul w szale, podniecony, całują się, kochają zapamiętale. Za każdym razem, kiedy ta wizja wracała, Lena kuliła się w sobie, jakby dostawała cios w splot słoneczny. Nie mogła znieść tej myśli, związanego z nią bólu, który przychodził falami, jak skurcze brzucha w grypie żołądkowej.

Odsłuchiwała wiadomości od Jula. To chyba objaw masochizmu, jakby próbowała znaleźć w nich drugie dno, którego przecież nie było. Ot, po prostu, wracaj, nie bądź głupia, nic się nie stało. Żadnego przepraszam, kocham cię, wybacz. Zresztą, co tu wybaczać? Jest wolny, nie są związani, a już na pewno nie byli w sobotę, a że jeszcze godzinę wcześniej tracił przytomność na jej widok, to nic, taka chwilowa słabość. Albo jej bujna wyobraźnia.

Wpatrywała się w ekran, od tamtego czasu nic. Zrezygnował z niej równie łatwo, jak ją uwiódł. Bolało.

JULIUSZ

1.

Wchodził po schodach z myślą, że Lena otworzy drzwi, przywita go, najpierw chłodno, potem będzie się wściekać, a na koniec da się utulić, wycałować i jak zwykle skończy się na tym, że będzie go topić w tych zielonych jak ocean oczach.

Zadzwonił do drzwi, nic. Jeszcze raz. Nic. Sięgnął po komórkę. Nie miał. Zapomniał. Rozmawiał z Arkiem, położył na stoliku przy fotelu, zajął się pakowaniem sukienki, a potem natychmiast wyszedł z domu. Co teraz?

Zszedł na parter i zapukał do pani Michaliny. Drzwi otworzyły się natychmiast, jakby się go spodziewała. Bez słowa wpuściła go do środka, po czym nadal bez słowa weszła do kuchni i wyłoniła się po dosłownie sekundzie z czajniczkiem w rękach.

Podążył za nią do pokoju. Poczekał, aż naleje herbatę do filiżanek, wytrzymał jeszcze osadzanie papierosa w lufce (to się nie dzieje, nikt już tego nie używa – pomyślał), ale gdy zaciągnęła się dymem, nie wytrzymał.

– Pani na pewno wie, gdzie jest Lena.

Nie miał zamiaru się tłumaczyć.

– Wiem i nie wiem.

Teraz on milczał. Popijał herbatę, nawet nie patrzył na starszą panią.

Lubię ją, ale jak nic uduszę staruchę. O Jezu, opanuj się, Juliusz, bo zaczynasz bredzić. Jak ją przekonać, że powinna współpracować?

– Proszę mi po prostu powiedzieć, bez zagadek, nie mam do tego cierpliwości. Pół nocy i cały ranek uprawiałem z Leną seks, potem to nieporozumienie, szklaneczka whisky i jestem na skraju wyczerpania. Przecież nie mam dwudziestu lat, niech się pani zlituje nad swoim rówieśnikiem.

Pani Michalina pociągnęła kilka razy nosem, ale jednak nie wytrzymała i zaczęła się śmiać. Wyglądała, jakby jej z pół wieku ubyło. Co chciała się odezwać, znowu zanosiła się śmiechem. Juliusz lubił o sobie myśleć, że jest zabawny, ale, na litość boską, nie było to znowu takie na Oscara.

– To nie zagadka, wiem, że wyjechała, ale nie wiem dokąd. Podejrzewam tylko.

– Więc? – Kurczę, zaraz jej tu odstawię widowiskową zbrodnię i karę, lichwiarka informacyjna jego mać.

– Gdybym ja była tak roztrzęsiona i rozbita z powodu mężczyzny – tu spojrzała na niego wymownie – pojechałabym do swojej matki.

– Czyli dokąd?

– Panie Juliuszu, uprawia pan z nią seks pół nocy i cały ranek, a nie wie pan, skąd pochodzi?

– Wiem, ale też jestem roztrzęsiony i rozbity, tyle że z powodu kobiety, i zapomniałem.

– Proszę, proszę, nigdy bym nie poznała po panu.

– Czego? Sklerozy czy rozbicia?

– Roztrzęsienia najbardziej.

– Proszę mi wierzyć, cały w środku chodzę.

Pani Michalina znowu zaczęła się śmiać.

– Pani Michalino, koniec żartów, pytam poważnie – co ja mam teraz robić? Pani z nią rozmawiała, co mi pani radzi?

– Naprawdę pana interesuje moje zdanie? Wygląda pan na raczej zdecydowanego i takiego, który zawsze wie, co robić.

– Wiedziałbym, gdyby mi mniej zależało.

– A zależy bardzo?

– Tak. Chyba tak, chociaż nie wiem, czy powinienem się w to bawić. Może lepiej zostawić ją Arkowi? Jemu się podoba, bardziej pasuje wiekiem, z nim ma przyszłość, a ze mną?

– Panie Juliuszu, to nie jest kosiarka, żeby się zastanawiać, czy pana trawnik jej potrzebuje, a może kolega ma większy i jemu nada się bardziej. Ta kobieta pana kocha, a pan ją nieustannie rani swoim „chcę, ale nie chcę".

– Tak pani myśli, że to jest właśnie to? „Chcę, ale nie chcę”?

– Tak właśnie.

– Jeśli tak, to nieświadomie. Właściwie odkąd ją zobaczyłem pierwszy raz miesiąc temu, nieustannie się za nią uganiam.

– A jak już pan ją dogania i widzi, że ona ulega, zaczyna pan niezrozumiały odwrót. Niby nic takiego się nie dzieje, nic pan nie mówi, ale ona od razu to wyczuwa.

– Bez przesady, jest przewrażliwiona.

– Albo pan jest gruboskórny, proszę mi wybaczyć szczerość.

– A to mi pani przywaliła między oczy.

– Chciał pan porozmawiać, poradzić się, a trzeba było poprosić, żebym pana po głowie pogłaskała, skoro panu na tym zależało.

– No tak, w naszym wieku człowiek nie ma już ochoty na owijanie w bawełnę.

– W jakim naszym? Bardzo mi pan schlebia, że mnie tak odmładza. A jeśli chodziło o postarzanie siebie, to jednak chyba pan przesadził. Dzieli nas przynajmniej ćwierć wieku, toż to całe pokolenie. Mogłabym być pana matką.

– Z panią nie wygram, poddaję się.

– Wiem, że jest bezpieczna i że postanowiła wyjechać na kilka dni. Nie mam dla pana dobrej rady, nie wiem, czego ona oczekuje po panu, czy ma nadzieję, że pan ją tam znajdzie, czy czeka na telefon. Kto to może wiedzieć?

– No nic, dziękuję za pyszną herbatę, pójdę już.

– Proszę się nie dąsać, ja naprawdę nie wiem, co panu doradzić. Czyjeś uczucia, oczekiwania to bardzo delikatna materia, nie umiem z niej nic dla pana uszyć. Musi pan zdać się na wyczucie i serce, posłuchać, co ono panu podpowiada.

– Rzecz w tym, że taki stary cynik jak ja od dawna już nie używa tego organu. Inne działają bez zarzutu, a ten się trochę zastał. Nie byłem przygotowany na to, że zacznie pompować jak szalone.

– Ma pan dwa wyjścia, to akurat proste – może pan usiąść, nic nie robić i poczekać, aż przestanie, albo zaangażować się na całego.

– Dziękuję. Zasiedziałem się, nadużywam pani cierpliwości, proszę mi wybaczyć.

– Proszę nie przesadzać, miło mi było wypić herbatę w towarzystwie, a cudze problemy przecież nigdy nie są naszymi, więc nie obciążył mnie pan nadmiernie. Proszę się nie wahać, jeśli będzie pan potrzebował rozmowy. Sam pan rozumie, stare kobiety zawsze mają czas.

– Pani Michalino, miałem zaproponować to wcześniej, ale przy tym rudzielcu wszystko mi z głowy ulatuje. Gdyby pani czegoś potrzebowała, szczególnie kiedy Arek wróci do Stanów, proszę do mnie dzwonić. Będę zaszczycony, jeśli zwróci się pani do mnie w potrzebie.

Położył na stoliku swoją wizytówkę, na odwrotnej stronie dopisał telefon domowy i chciał dodać jeszcze prywatny adres mailowy, ale rozmyślił się i przekreślił początek.

– Ależ proszę dodać maila, napiszę do pana krótką wiadomość, kiedy Lena wróci do Warszawy, i będzie pan miał wtedy mój adres.

– Ale to miał być adres poczty elektronicznej.

– Rozumiem, poznałam po małpie. Może i dzieli nas jedno pokolenie, ale rozumu mi nie odjęło, używam komputera jak każdy.

– No chyba nie każdy, proszę mi wybaczyć, że o tym wspominam, ale w pani wieku to jest raczej niezwykłe.

– Kobiety lubią być niezwykłe, niezależnie od wieku. Jeszcze pan tego nie wie?

– Jak widać, nie, ale szybko się przy pani uczę.

Juliusz dopisał na wizytówce adres.

– Zostawię u pani jej sukienkę, może jej potrzebować po powrocie.

– Jak pan uważa, ale nie będzie pan miał pretekstu, żeby się z nią zobaczyć. To jest właśnie ten moment, kiedy musi pan dokonać wyboru – albo zawiesi pan sukienkę na drzwiach od tamtej szafy i może pan zapomnieć o tej dziewczynie, albo zabierze ją pan ze sobą, wykorzysta jako pretekst do ponownego spotkania i nie spocznie, dopóki sprawy nie zostaną wyjaśnione i uładzone. Chwila prawdy. Proszę się nie spieszyć, pożegnam się teraz. Idę do kuchni. Muszę skończyć zupę na jutro, a pan może dolać sobie herbaty i pomyśleć nad tym, co dalej.

ROZDZIAŁ VIII
27 MAJA 2014, WTOREK

HELENA

1.

Wtorkowe poranki nawet w małych miastach nie są leniwe. Może i dla wielu Koszalin to miasto przesiadkowe do licznych nadmorskich miejscowości, ale dla mieszkańców majowy wtorek to po prostu wtorek – dzieci muszą do szkoły, dorośli do pracy, nawet pijak ma obowiązek – dotrzeć do parku.

Nie lubiła wyjścia z dworca. Gdy szła tunelem do hali, zawsze miała wrażenie, że brodzi w pijackiej urynie. Tłumaczyła sobie, że tam stoi woda, bo padało, ale zapach sugerował, że nie tylko. Zawsze ją to odstręczało, tyle lat i nic lepiej, jakby kolej opierała się zmianom, bo utrzymanie stanu z poprzedniego ustroju gwarantowało jej znaczenie jak w dawnych czasach. Czyżby kolejarze liczyli na to, że pasażerowie szczęśliwi, że skończyły się trudy podróży, nie zauważą, że dworzec pamięta lata siedemdziesiąte ubiegłego wieku? Reklamy z konduktorami w garniturach to tylko ładny obrazek w telewizji, a w zderzeniu z rzeczywistością wierutne oszustwo. Panowie wprawdzie mają pomarańczowe krawaty, ale w tłuste plamy, spodnie natomiast wyświecone, włosy tłuste i wąsiska à la Wałęsa też.

Była nieludzko zmęczona, nie zmrużyła oka. Wprawdzie zaczęła podróż sama w przedziale, ale potem dosiedli się inni. Współtowarzysze podróży ciągle się wymieniali i niby starali się zachowywać cicho, ale jednak wywoływało to zamieszanie.

Poza tym gonitwa myśli i tak nie dałaby jej chyba spokoju. Nie mogła uwierzyć, że zaledwie kilkanaście godzin wcześniej kochała się z Julem, mieli plany, zdążyli się posprzeczać, potem on ją tak pieścił, jakby miał się skończyć świat. A teraz ona w pociągu, on nie wiadomo gdzie, pewnie z Joanną. Nie, Jadwigą. Jak było na imię tej kurwie? O Boże, co ona wygaduje, co to za słownictwo? I jeśli już, to Lenę można by tak nazwać, bo to ona zabrała mężczyznę innej.

Lena, Lena, przecież nie wiedziałaś.

Pół nocy płakała. Bezgłośnie, prosto w chusteczkę. Zawiesiła szal na haczyku obok okna, wtuliła twarz w materiał i tak osłonięta poddała się rozpaczy. Nie chciała być w tym pociągu, chciała spać z głową na piersi Jula.

Stało się inaczej, odjechała najdalej, jak się da, żeby zapomnieć, nie dać się ponieść rozpaczy, ale ta ją dogania, jak tylko zamknie oczy, zaraz go widzi i nie ma ucieczki, nie ma ratunku.

Usłyszała sygnał przychodzącej wiadomości. To pewnie znowu anons Twittera, gdzie ma konto, ale w ogóle go nie ogarnia. Komu by się chciało co chwilę zaglądać, żeby przeczytać jedno zdanie, które ktoś z siebie wyrzucił?

Musi wyłączyć powiadomienia, bo oszaleje. Za każdym razem myśli, że to wiadomość od niego.

To było od niego!

„Wszystko, co mam, jest w Tobie zakochane. I niech sobie będą wszyscy mądrzy ze swoimi rozumami, a ja z moją miłością niech sobie będę głupi”*.

Stanęła, wpatrując się w ekran komórki. Przyciskiem po lewej stronie ekranu powiększyła czcionkę. Miała teraz przed oczami wielkie litery z wyznaniem miłości. Oparła się o szklaną ścianę saloniku prasy. Po chwili schowała aparat, weszła do środka i kupiła butelkę wody. Zmęczenie, długi dzień, nieprzespana noc, emocje dały znać o sobie, zrobiło jej się słabo.

Poprosiła jeszcze o prasę. Pomyślała, że zrobi rodzicom niespodziankę i kupi ich ulubione tytuły. Rzuciła jeszcze okiem na dziennik na stojaku przed kasą: „Dziś imieniny Lucjana, Magdaleny, Juliusza i Jana”.

Imieniny Juliusza. A jej tam nie ma. Pamiętała i nawet ma dla niego prezent. Zadzwonić? Nie śpi, przecież wysłał jej wiadomość. „Wszystko, co mam, jest w Tobie zakochane”, czy to wiersz? Będzie musiała wygooglać w domu na spokojnie.

Jeśli zadzwonić, to teraz, zanim znajdzie się u rodziców. Może napisze? Tak, wystarczy SMS. Przecież podjęła już decyzję, że nie będzie w to brnąć, bo Jul będzie ją ranił bez końca, to nie do wytrzymania. Raz lubi, nawet kocha, potem nie lubi; przyjeżdża, wyczekuje, potem traci zainteresowanie, a ona wiecznie na huśtawce emocjonalnej. Na dłuższą metę to nie do zniesienia.

* Trawestacja *Siekierezady* Edwarda Stachury.

Na dworcu nie było atmosfery, żeby spokojnie usiąść i coś napisać, więc wyszła z budynku, skręciła w lewo i udała się w stronę kościoła na Niepodległości. Nie, nie zamierzała tam wchodzić, chociaż gdyby się okazało, że jest pusty, to dlaczego nie. Raczej pójdzie obok, do McDonalda przy Lidlu, przy okazji wstąpi do sklepu po pieczywo, a potem zamówi kawę i zastanowi się, co robić. Wiedziała, że mama czeka, ale musiała to zrobić, zanim dotrze do domu.

Co napisać, nawiązywać do tego, co się stało, czy po prostu wysłać tylko życzenia?

Już przy stoliku wyjęła komórkę, wysunęła z niej pisaczek, dzięki temu miała wrażenie, że pisze do niego list. Ostatni. A potem chyba umrze, zapadnie się, rozpłynie, przestanie istnieć.

„Dziś Twoje imieniny, mam nadzieję, że spędzisz miło dzień ze swoją dziewczyną...".

Nie, to małostkowe i nie na miejscu, nie będzie przecież czepiać się tego, że są nadal razem. Takie prawo wieloletniego związku. Pewnie teraz będą nawet lepszą parą, bo po przejściach, bardziej siebie pewni – ona szczęśliwa, że spróbował i jednak wybrał ją, on, że przekonał się, że nie ma czego szukać u innych kobiet.

Ale przecież właśnie napisał, że ją kocha.

Tylko próbuje swoich szans, chce zobaczyć, czy Lena jest nadal zainteresowana. Kto wie, może ma nadzieję na trójkąt?

Lena czuła, że popada w obłęd. To wszystko prowadzi donikąd.

„Dziś Twoje imieniny, wszystkiego, co najlepsze, Jul, życzę Ci naprawdę dobrze. Niech Ci się darzy. Lenka".

Nie, to jak do kolegi z pracy, a przecież wczoraj o tej samej porze był w niej, płakał ze wzruszenia, mówił, że kocha. Tak nie wolno, trzeba jakoś inaczej.

„Jul, kochany, dziś Twoje imieniny, niech Ci się darzy. Bardzo tego chciałam, ale nie umiem tak, widać nie jesteśmy sobie pisani, bądź szczęśliwy. Lena".

Przyjrzała się tej wiadomości. Chyba może ją wysłać? Nie za łzawa? A jaka ma być, przecież leje łzy ciurkiem. Szczęście, że o tej porze nikogo tutaj nie ma.

Wysłała, wystarczy tego namyślania się, i tak bardziej naiwnej idiotki z siebie już nie zrobi. Wstyd jej, i żal, i bardzo, bardzo boli ta nieoczekiwana miłość.

Zaśpiew komórki.

„Wargi mnie bolą od niepocałowania. Zresztą nie tylko wargi <3 Zadzwonię. Odbierzesz? Możesz rozmawiać?".

O Boże, skąd on wiedział, że to jej ulubiony wiersz Urszuli Kozioł? Nigdy nie wspominała.

„Mogę. Zadzwoń. Niech to już się skończy. Porozmawiajmy jeszcze ten jeden raz".

Patrzyła tępo przed siebie. Czekała na dzwonek telefonu. Nie zadzwonił.

JULIUSZ

1.

Z każdego miejsca widział jej sukienkę. Miała nadprzyrodzone właściwości. Chociaż wisiała cały czas w jednym miejscu, przemieszczała się za nim. Jej kolor był jak zielone światło, zapraszało do bezpiecznego przejścia na drugą stronę. Jak znak, że ta miłość jest im pisana.

I jak tu żyć bez tego rudzielca okropnego? Nie ma jej, a jakby jeszcze bardziej była.

Chyba nie zaśnie. Gdyby nie wziął tej kiecki z mieszkania pani Michaliny, oszukiwałby się może, że odpuszcza, że dość. Ale jest tu, a nie tam. Wisi i woła: „Na co czekasz, stary głupcze, zadzwoń, niech wie, że tęsknisz".

Powstrzymał się w ostatniej chwili.

Położył się na łóżku. Był naprawdę skonany, przecież tyle się działo – Lena, Jolka, jazdy po mieście, niedospany, rozemocjonowany, za stary już jest na to wszystko. Widział zielone przebłyski przez niedomknięte drzwi, czuł na poduszce zapach Leny, a może tylko mu się wydawało.

Przypomniał sobie te chwile z nią, kiedy się kochali, właśnie tak – kochali, nie uprawiali seks, i potem, kiedy spała w jego ramionach, wspólny poranek. Rozpamiętywał każdą minutę, przedłużał je, smakował. Albo niecierpliwie przelatywał po zdarzeniach – restauracja, jej dłoń na jego policzku, ma taki skoncentrowany wzrok, lekko marszczy nos, usta skupione jak u dziecka, kiedy rysuje pierwsze litery.

Potem ona w kolczykach, ona naga, pod nim, nad nim, on na kolanach, jej zapach – piżmowy pomieszany z inną orientalną nutą. Jej aura – złota, czerwona – była jak ogień podłożony pod zbiornik z benzyną. On był tym zbiornikiem.

Trawi go ten żar, nie jest w stanie o niczym myśleć, wszędzie ona – pod powiekami, na skórze, pod palcami, w nozdrzach, na języku, w sercu, cały był nią.

Oczy. Zielone, czasem prawie szarobiałe, czasem szmaragdowe, ciemne – płonące lub chłodne jak pierwszy mróz osiadły na zielonych iglakach.

Jak miał o niej zapomnieć? Jak teraz udawać, że jej nie było albo że była, ale dobrze, że jej już nie ma?

Z drugiej strony instynkt samozachowawczy mówił mu – uciekaj, z ogniem się nie igra, z ogniem nie da się zaprzyjaźnić, trzeba go unikać.

A on jak piroman, wiedział, że nie powinien, a patrzył jak urzeczony, kiedy płomienie podchodziły blisko, wręcz ich pożądał.

Doczekał do rana, trochę spał, trochę chodził po domu, przewracał się z boku na bok, znajdował chwilowe ukojenie w marzeniach o tym, że są razem, że on tylko stoi i wietrzy się przy oknie, podczas gdy ona śpi w pokoju – leży na brzuchu, widzi miękką linię jej pleców i rude włosy. Cała jest w piegach. Niech wszechświat pozwoli mu jeszcze na to, żeby je wszystkie policzyć.

Przyszła dziewiąta i uznał, że może już wysłać do niej wiadomość. Książka z wyszukanym wcześniej fragmentem leżała na balkonie. Noc była chłodna i po deszczu bardzo wilgotna, jej kartki zrobiły się napęczniałe, bardziej mięsiste. Całkiem jak jej cipka – pomyślał.

I've got you under my skin... – zanucił swoją ulubioną piosenkę Nata Kinga Cole'a. Ostatnio słyszał ją w radio w wykonaniu kobiety i wyobrażał sobie, że Lena odzywa się do niego w te słowa...

Gdzież jest ten fragment, który zakreślił? Kiedy nie było trzeba, wpadał mu w oko co chwilę, a teraz jakby diabeł ogonem nakrył.

Znalazł wreszcie, wystukał na komórce, lekko tylko zmienił, żeby było do Leny, a nie „o niej", jak jest w oryginale, i wysłał.

„Wszystko, co mam, jest w Tobie zakochane. I niech sobie będą wszyscy mądrzy ze swoimi rozumami, a ja z moją miłością niech sobie będę głupi".

Odłożył komórkę i czekał.

Gdzie jesteś, rudzielcu przewspaniały? Odezwij się.

Długo to trwało. Już stracił nadzieję i z euforii spowodowanej, jak mu się wydawało, świetnym pomysłem przeszedł właśnie w stan głębokiego smutku, że tak to się kończy – głupio i nagle. Wreszcie usłyszał sygnał przychodzącej wiadomości.

Aż poczuł smak krwi w gardle z emocji.

„Jul, kochany, dziś Twoje imieniny, niech Ci się darzy. Bardzo tego chciałam, ale nie umiem tak, widać nie jesteśmy sobie pisani, bądź szczęśliwy. Lena".

O czym ona do niego pisze? Zapomniał, że ma imieniny, ale to nieważne. Skąd ten pomysł, że nie są sobie pisani, dlaczego? Chyba nie sądzi, że on nadal jest z Jolką?

Ostatnia próba, jeśli to nie pomoże, to już nic. Skończone. Ale przecież napisała „kochany", więc nie jest jej obojętny.

„Wargi mnie bolą od niepocałowania. Zresztą nie tylko wargi <3 Zadzwonię. Odbierzesz? Możesz rozmawiać?".

Zachwycał się kiedyś Kozioł, tom jej wierszy zebranych miał zawsze pod ręką na półce, ale nie sięgał do niego od wieków. Naprawdę jego serce od lat było najmniej używanym organem. Teraz, jakby zdziwione nagłym ożywieniem, nadrabiało zaległości, rozpędziło się i waliło mu jak młotem z byle powodu. A właściwie nie z byle jakiego, ale z niezmiennie jednego – na myśl o Helenie. Kto by pomyślał, że w tym wieku to wygląda tak samo, jakby się miało naście lat. Wiadomo? No właśnie, wóz albo przewóz, przecież nie mogą tak chodzić do siebie jak żuraw i czapla, na to on nie ma ani czasu, ani ochoty, ani cierpliwości.

„Mogę. Zadzwoń. Niech to już się skończy. Porozmawiajmy jeszcze ten jeden raz".

Wpatrywał się w ekran komórki. To się, kurwa, nie dzieje, on do niej o miłości, że lgnie do niej jak głupiec, o tym, że wargi go palą z tęsknoty za nią, a ona – skończmy to, nie męcz, waćpan, konia.

Chuj ci w dupę, moja waćpanno.

Podszedł do sukienki, zerwał ją z wieszaka, zwinął jak szmatę i wrzucił na dno szafy.

Płytę Bottiego, którą zostawiła na stoliku – mieli jej słuchać, ale byli zbyt zajęci – wyrzucił przez okno. I drugi chuj ci w dupę.

Kurwa!!!

Chwycił komórkę. Nie mógł opanować szału, najpierw tłukł nią o barierkę na balkonie, a potem rzucił z całej siły o ścianę. Roztrzaskał aparat, ekran pokrył się siatką grubych pęknięć – i dobrze ci tak, cholernico okrutna, będziesz stara, gruba, samotna i jak będziesz zarabiać wystarczająco dużo, czasem uda ci się kupić sobie chłopa na noc. Spieprzaj, skąd przyszłaś.

Wrzeszczał do siebie, do niej, do tych ścian, świadków tego żaru, który między nimi, w nim, tu wszędzie jeszcze się tli. Niech ją piekło pochłonie, diablicę cholerną. Nie chcę cię!!! – krzyczał tak, że całkiem ochrypł.

Miotał się jeszcze jakiś czas, stłukł kieliszek, w którym piła wino i na którym wciąż jeszcze widniała jej koralowa szminka. Zerwał poszwy z kołdry i poduszek, bo nosiły jej ślady, zawłaszczyły jej zapach.

Przepadnij, maro okrutna, nie chcę cię, wcale nie kocham!!!

Trąbka Bottiego wpadła w szał dźwięków, kakofonię nie do zniesienia, wysoko zawodziła, wołała, odpychała, buntowała się wraz z nim, aż nagle urwała i zapanował spokój, zostały jedynie lekka perkusja i fortepian z jazzowym zacięciem, kłótliwy, zadziorny.

Wyrzucił puste pudełko, a w odtwarzaczu była jej płyta, cholera!

Serce mu zamarło, wróciło do stanu naturalnego, czyli chłodnej egzystencji bez nadmiernych skoków. Stał, z zimną krwią słuchając tej solówki, tak bardzo dopasowanej do jego własnego nastroju. Wróciły mocne uderzenia fortepianu, trąbka próbowała wchodzić z nim w dyskurs, ale nie miała szans.

Nic z tego, Lena, nie mamy o czym mówić – zdawał się wygrywać klawiszami melodię wyjętą wprost z serca Jula.

Aż tu nagle, po tej kłótni instrumentów, przyszła spokojna fala dźwięków i poznał, jaki to utwór – *When I Fall In Love*, standard w takim niestandardowym wykonaniu.

Innym, jak ich miłość, jak Lena, jak on przy niej.

It will be forever…

Wrzeszczałby wniebogłosy, ale nie miał już siły.

Położył się w tych nagich poduszkach i kołdrze odartej z godności i usnął.

ROZDZIAŁ IX
14 CZERWCA 2014, SOBOTA

HELENA

1.

– Helenko, to niepodobna, żeby tak się zapracowywać. I co ja powiem Arkowi? Że znowu masz pilną robotę? Przecież on specjalnie tak ustawił wyjazd do Włoch, żeby pójść z nami jeszcze na te imieniny Kochanowskiego do Ogrodu Krasińskich. Doprawdy, zmuszasz mnie, żebym zadzwoniła na skargę do twojej matki. Chyba nie chcesz, żeby się o ciebie znowu zamartwiała? Kiedy tu z tobą przyjechała dwa tygodnie temu, obiecałam jej solennie zająć się tobą i nie odpuszczę.

Pani Michalina siedziała u nich w kuchni, popijała herbatę ze swojej filiżanki i upierała się, żeby Lena skończyła na dziś dopieszczanie projektu wprowadzenia na rynek nowego magazynu kulinarnego i wreszcie zaczęła się przebierać do wyjścia.

– Ale Arek w zupełności pani wystarczy za eskortę, a ja naprawdę nie czuję się na siłach iść między ludzi.

Pani Michalina pociągnęła kilka razy nosem. Widać, że była poruszona, ale próbowała to ukryć. Lena dawno ją już rozszyfrowała w tym względzie.

– Nie, nie i jeszcze raz nie. I proszę, niech ci nie przyjdzie do głowy wdziewanie tej koszulki w paski i dżinsów, bo tam dzisiaj spotkania z wieloma autorami, a potem są tańce przy orkiestrze pod gołym niebem. To taka impreza, że musimy wyglądać elegancko i zgodnie z duchem epoki, a w tym roku motyw przewodni to Boy-Żeleński.

– No sama pani widzi, nie mogę iść, nie jestem przygotowana. Włosy w nieładzie, nie mam uprasowanej sukienki, ba, nawet nie mam odpowiedniej sukienki. Adela, a może ty byś z nimi poszła? Chętnie zostanę z Kaśką.

Adela spojrzała wymownie na sąsiadkę, spodziewały się tego.

– Szczerze mówiąc, wolałabym, żebyś się ulotniła. Przepraszam, że to mówię, ale Kaśka jedzie dziś z Julitą do sanatorium do szwagra, a do mnie przychodzi Majka i mamy zamiar oglądać film. Właśnie szykuję zapiekane cannelloni ze szpinakiem.

– Ale ja nie będę wam przeszkadzać, posiedzę cichutko w swoim pokoju.

Przerwała nagle, bo pani Michalina dała jej kuksańca w bok. Teraz z kolei ona spojrzała wymownie na Helenę.

No tak, że też zapomniała, że Majka to dziewczyna Adeli. Nie może się do tego przyzwyczaić, to znaczy nie do homoseksualności Adeli, bo trochę podejrzewała, że tak jest, ale do tego, że przychodzi dziewczyna, a ona nie może do nich dołączyć.

– Przepraszam, oczywiście, w takiej sytuacji jednak pójdę na te imieniny do wuja.

– Do jakiego znowu wuja? – Pani Michalina zaczęła tracić do Leny cierpliwość.

– Jana, przecież mamy zaproszenie. – Lenka mrugnęła zawadiacko do starszej pani.

– I tak trzymać, dziewczyno! A teraz pora na niespodziankę. Adela, przynieś, z łaski swojej, bo zanim ja rozruszam stare kości, wieczór nas zastanie.

Adela wyszła z kuchni i po chwili wróciła, dzierżąc wysoko wieszak, a na nim zachwycającą sukienkę.

Lena spojrzała na nią pytająco, ale Adela wykonała krótki ruch głową w stronę pani Michaliny, po czym powiesiła kieckę na drzwiach od kuchni i z uśmiechem, nadal bez słowa, wróciła do szykowania zapiekanki.

– Czy to dla mnie? Nie mogę tego przyjąć, to musiało kosztować krocie.

– Nie tak znowu wiele, kochaneczko. Arek przywiózł materiał z Austrii, a ja ją uszyłam, więc można powiedzieć, że nic mnie nie kosztowała.

– Poza milionem przepracowanych godzin, a jak znam Arka, to nie oszczędzał na tym materiale, więc teraz jestem i jego dłużniczką.

– Nie przesadzaj, raz się na coś przydał ten jego majątek, który zbija na zagranicznych uczelniach. A ja lubię szyć i sprawiło mi to dziką przyjemność. Tym bardziej że ten krój taki niecodzienny.

– Bardzo. Jestem zachwycona pomysłem.

– Trochę wydłużyłam, bo nie sądzę, żebyś była zainteresowana pokazywaniem majtek, a tak by się skończyło, gdybym trzymała się oryginału. Pokażę ci później, sama przyznasz mi rację. Rąk nie mogłabyś w górę podnieść, żeby pępka nie odsłonić. Przymierz, proszę, zobaczę, czy nie trzeba czegoś poprawić. Wprawdzie nie ryzykowałam fasonu przy ciele, bo nie miałam szans na przymiarki, ale twoja mama dała mi na wzór jedną z twoich sukienek i myślę, że nieźle mi się udało trafić z wymiarami. W każdym razie taką mam nadzieję.

Przemówienie zmęczyło starszą panią, aż jej tchu zabrakło. Czekała z błyszczącymi oczami, aż Lena wróci z pokoju ubrana w sukienkę.

Adelę zatkało, a pani Michalina aż klasnęła w ręce.

– Idealna. Jakbyś się do niej urodziła.

– Kochana babciu – Lena nie mogła się oprzeć, by tak nie nazwać pani Michaliny – dziękuję, czuję się w niej bosko.

Przytuliła się do starszej pani w geście podziękowania, a ta oddała uścisk. Wcale nie ukrywała, że jest wzruszona, i trafnością prezentu, i reakcją Leny.

– Czy pani sąsiadka jest twoją babcią? – Kaśka wydawała się skonfundowana.

– Tak jakby – rzekła poważnie Helena. – Przyszywaną babcią, z wyboru, jeśli oczywiście się zgodzi.

– A ja też mogę sobie taką panią sąsiadkę babcię przyszyć?

Zaczęły się śmiać, po chwili przyłączyła się i Kaśka. Swoim zwyczajem wyrzuciła ręce w górę, potem kilka razy je opuściła i zaśpiewała sobie tylko znaną piosenkę.

– Oczywiście, moje drogie Pirlipatki, możecie nazywać mnie babcią, będę zaszczycona.

Wzniosły filiżankami z herbatą toast za nową babcię i zaczęły się zastanawiać nad dodatkami do sukienki.

Lena ożywiła się, chociaż nie sądziła, że to kiedyś nastąpi. Po urwanym niemalże w pół słowa kontakcie z Julem zapadła się w sobie. Całe dnie spędzała odrętwiała w swoim pokoju, w mieszkaniu rodziców; ojciec szalał, krzyczał, że Żydzi mu córkę w tej Warszawie odmienili, matka płakała po kątach, a ona nic.

Pani Michalina zdobyła u Adeli, a właściwie u Julity, telefon do domu Leny. Skontaktowała się z rodzicami Leny, potem znowu z Julitą, wyjaśniła sytuację i przesunęła o tydzień rozpoczęcie pracy przez Lenę. Po czym wsiadła w pociąg i pojechała do Koszalina przemówić dziewczynie do rozumu. Kiedy Lena zobaczyła ją w drzwiach, rozpłakała się pierwszy raz od kilku dni. Po czym płakała kilka godzin, a pani Michalina siedziała w kuchni z jej matką, ojciec wyszedł z domu, bo bał się, że przy gościu języka za zębami nie utrzyma.

Udało im się przekonać Helenę do powrotu do stolicy, chociaż ojciec uważał, że to głupi pomysł. Mama pojechała z nimi, zatrzymała się na tydzień u pani Michaliny i w tym czasie obie panie bardzo się zaprzyjaźniły. Były w stałym kontakcie, nadal bardzo zaniepokojone stanem Leny, która wprawdzie doszła jako tako do siebie, ale zobojętniała na wszystko. Ot, chodziła do pracy, potem pracę brała do domu, poza tym jadła byle co, chociaż Adela próbowała podtykać jej różne smakołyki, i nigdzie nie wychodziła.

Julita starała się dyskretnie mieć na nią oko w pracy, w wielkiej konfidencji zdawała relacje Adeli, a ta z kolei pani Michalinie. I tak to było przez ostatni tydzień.

Lena co i rusz biegała do przedpokoju, przed duże lustro, oglądać sukienkę. Lepszej nie mogłaby sobie wymarzyć – wyglądała jak damska wersja męskiej koszuli, tyle że nie miała rozcięcia z przodu. Rękawy trzy czwarte z mankietami wyciętymi w jaskółkę, wyglądało to, jakby ich nie zapięła na guziki (bo też ich nie było) albo zgubiła spinki od mankietów do koszuli swojego faceta. Kołnierzyk wyraźnie zaznaczony, sztywny, wysoko pod szyję. Za to z tyłu wycięcie do łopatek. Sukienka schodziła prosto w dół, jedynie przód był wycięty w łódkę, krócej niż tył. Długość dobrana tak, żeby najkorzystniej pokazać nogi, z przodu zaraz nad kolanami, a z tyłu do ich zgięcia. Żadnych kieszeni, chociaż pani Michalina zaznaczyła, że można je w każdej chwili doszyć. Bała się jednak, że pokaźny biust Leny straci na atrakcyjności przez te kieszenie, i miała rację.

Kolor był niecodzienny, w każdym razie Helena nigdy takiego nie widziała w ubiorze – fabrycznie nazwany *frost taupe*, czyli chłodny brąz z domieszką szarości, bardzo stonowany, niecodzienny, pewnie ryzykowny dla wielu kobiet, ale do rudych włosów Leny idealny.

– Tylko będziesz musiała upiąć wysoko włosy. – Adela przyglądała się krytycznie spływającym po plecach rudym falom. – Inaczej nie będzie widać tego wycięcia i finezyjnego zapięcia kołnierzyka na karku, i całą linię i jej oryginalność szlag trafi.

– Nie umiem, nigdy tego nie robiłam. Mogę związać w koński ogon, z tym sobie chyba poradzę?

– Nie będziesz musiała, zaraz będzie tu Piotr z Jankiem, zawiozą cię do Damiana do Tekstury, to fryzjer polecony przez Emila. Jeden upnie ci włosy, a drugi zrobi makijaż.

– Dziewczyny, czy wy wiecie coś, czego ja nie wiem? Umieram? Widziałyście moje wyniki badań?

– Wypluj to słowo. – Pani Michalina oburzyła się nie na żarty. – Nie kuś złego. Nic z tych rzeczy. Po prostu wiedziałyśmy, że sama tego nie zrobisz o tej porze, przynajmniej nie tak sprawnie, a ja chcę zdążyć na piętnastą, bo na dużej scenie Remigiusz Grzela prowadzi spotkanie ze Szczygłem, Tochmanem i jakąś babką, *Reflektorem w mrok*, o reporterach, a zaraz potem są wspominki o Różewiczu.

Lenie coś się nie zgadzało, ale była tak zakręcona i podekscytowana oglądaniem sukienki, że nie mogła zrozumieć co. Zresztą było jej to całkiem obojętne, nie szła tam dla przyjemności, tylko dlatego, że nie wypadało odmówić; no i Adela potrzebowała odrobiny przestrzeni dla siebie.

Wpadła Majka. Narobiła szumu, jak to ona, zawinęła Lenę w szale i wywlokła z domu. Na parkingu czekali na nią Piotr i Janek. Wzruszyła się, kiedy ich zobaczyła. Nie widzieli się od czasu ulewy, ale pisali do siebie na Facebooku. Oni też wybierali się na tę imprezę. Zawiozą Lenę do fryzjera, a po wszystkim ma zadzwonić i ją odbiorą.

Lena była onieśmielona nowym fryzjerem, ale zaraz zjawił się tam Emil, zaczęli żartować i się rozluźniła. Pomogło, że nic nie cięli, jedynie upinali. Damian zachwycił się jej włosami, chociaż zmartwiło go, że są tak wycieniowane, co mogło być problemem przy robieniu koka. Ostatecznie jednak doszli do wniosku, że jeśli nie będzie się trzymał gładko, specjalnie wyciągną trochę pasm i będzie kontrolowany nieład. Ale reszta włosów ma być gładko zaczesana, bez grzywki, cała twarz odsłonięta, brwi dość mocno podkreślone, do tego *smoky* w kolorach beżowym, brązowym i marsala, z elementami czarnego, takiego matowego i ciemnego jak węgiel. Bardzo odważny makijaż. Lena trochę się przed nim broniła, ale Emil pokazał jej *chart*, czyli kartkę z zarysem twarzy, na której maluje się makijaż, żeby go potem przedstawić klientkom; dodatkowo domalował na tej kartce rude włosy.

Zauważył sceptyczną minę Heleny, ale zaraz rozwiał jej obawy:

– Nic się, dziewczynko, nie bój, pięknie będzie, zaufaj mi.

Przechwycił jej wzrok w lustrze, spojrzała pytająco, wzruszył ramionami, jakby chciał powiedzieć: „Nie mam pojęcia, moja droga, o czym mówisz". Zanim wrócił do jej makijażu, sprawdził w lustrze własny, zatrzymał pozę, tak jak to robią modele, zrobił swojego słynnego dzióbka, po czym wrócił do malowania Leny.

– Naucz mnie tego, też chcę być tak pociągająca i tajemnicza na zdjęciach.

– Z tym się trzeba urodzić, droga panno.

– Emil, pokaż mi natychmiast, nie trzymaj tej wiedzy dla siebie.

Przez chwilę studiowali dzióbki i spojrzenia spod byka w obiektyw, aż Damian przegonił Emila sprzed lustra, bo mu nie dawał pracować.

Efekt zaskoczył nawet fryzjera. Odjęcie włosów z twarzy, a przez to odjęcie również z niej koloru, sprawiło, że oczy wysunęły się na pierwszy plan, duże, w kształcie migdałów, dziś zielone jak rzadko.

– Czy coś cię trapi, dziewczynko? – Emil stał za jej plecami, patrzył w odbicie oczu Leny w lustrze. Nagle poważny, bez śladu dzióbków i ustawek. Potrafił być i taki.

– Nic takiego, czego nie znałby świat, to tylko złamane serce.

Zdziwiła się, kiedy to powiedziała, bo chyba pierwszy raz od rozstania z Julem nazwała swój stan na głos. I nie umarła od tego, chociaż wcześniej sądziła, że tak się stanie.

– Na to mam tylko jedną radę, klin klinem, musisz zakochać się jeszcze raz. Na mnie nie patrz, moja droga. – Podniósł ręce w udawanym geście obronnym.

Zabrał się do malowania Leny. Damian zrobił wszystkim kawę, w tle puścił płytę Madonny. Z głośników popłynęła piosenka, która zawsze zachwycała Lenę, ale dziś jej słowa miały inne znaczenie niż kiedyś.

I've always been in love with you
I guess you've always known it's true
You took my love for granted, why oh why?
The show is over, say goodbye.

– Oł noł, dziewczynki Emilowi tego nie robią i nie płaczą. Damian, ratuj, podaj mi pudełko z chusteczkami, bo mi zaraz wszystko Lenka w ruinę obróci. I wyłącz tę piosenkę, lepiej daj tu radio, posłucha o aferze podsłuchowej u Sowy, zaraz jej przejdzie.

Pozbierała się jakoś, wstyd jej było przed nimi. Emil wykorzystał jej łzy czające się jeszcze wokół oczu i kreski zrobił cieniami.

– Jedno jest pewne, przy tobie zaoszczędzę na duraline. Nic ci nie trzeba poza tym czarnym cieniem i twoją własną wypłakaną wodą. Nie szczypie?

Lena zamrugała oczami. Wszystko dobrze i nawet się trzymało, o dziwo.

Spojrzała w lustro, miała wielkie oczy, odymione wokół brązem i czernią, z lekkim czerwonym akcentem, bez ostrych kresek, wszystko roztarte pędzlami, łagodne, miękkie w wyrazie, ale jednocześnie odważne. Zachwyciła się, a to jeszcze nie był koniec, bo dopiero po skończeniu oczu Emil zrobił jej twarz fluidem, konturowanie, nałożył róż i rozświetlacz. Usta całkiem *nude*, w jasnobeżowym kolorze, konturówka delikatnie ciemniejsza. Kiedy je wykończył, wręczył jej konturówkę i pomadkę.

– A to ode mnie, żebyś mogła sobie kilka razy dziś wieczorem poprawić usta.

– Ależ ja nie mogę tego przyjąć. Zapłacę ci za nie.

– Możesz i to zrobisz. A zapłacisz mi opowieściami, kogo wyrwałaś i dlaczego musiał obejść się smakiem. Albo nie.

To było jak magia. Przyszła szara, zmęczona smutkiem, wychodziła rozświetlona, odważna, piękna. Jedno jest pewne, żywcem jej nie wezmą. Ktokolwiek by próbował.

2.

Na szczęście miała buty do sukienki, sandały na platformach w naturalnym kolorze skóry, nie za ciepłym, więc pasowały idealnie. A kiedy pojawił się Arek, okazało się, że ma i torebkę. Wręczył jej pakuneczek ze słowami:

– Prezent na nową drogę życia zawodowego. Miałem ci dać wcześniej, ale babcia zagroziła mi śmiercią w męczarniach, bała się, że się zorientujesz, że coś się czai na drugim końcu tego prezentu.

– Dobra, dosyć tego. Co tu jest grane? Sukienka, fryzjer, makijaż, torebka, czy wy mnie chcecie sprzedać handlarzom nerek?

– Nie, ale chętnie cię po cygańsku porwę i poślubię. Wcześniej upoję, żebyś się nie opierała. Taki to plan, przejrzałaś mnie.

– Babciu, niech babcia zabierze tego zgrywusa, bo go zdzielę.

– Dla kogo babcia, dla tego babcia. Ta jest moja! Mnie będzie bronić, jeszcze ci doleje do kawy kropel na posłuszność. Pewnie już dolała.

– Jak dzieci, jak dzieci, nie kłóćcie się, wychodzimy. Lenka, pakuj do torebki te swoje czarodziejskie smarowidła i co tam jeszcze, nie zapomnij szala, parasolki, za trzy minuty masz być gotowa. A ty, huncwocie – zwróciła się do Arka – siku zrobiłeś przed wyjściem?

– Babciu, proszę mnie nie zawstydzać. Co za niecne praktyki, tak mnie ośmieszać przed moją przyszłą żoną.

– Słyszałam! – krzyknęła Lena ze swojego pokoju.

– Miałaś słyszeć. Przyzwyczajaj się.

Arek nachylił się do babci i spytał szeptem:

– Myślisz, że ona się nie zorientowała, że to wszystko zorganizował Juliusz?

Pani Michalina uciszyła go ręką, żeby zatuszować tę konwersację, i powiedziała nienaturalnie głośno:

– Kochani, jeśli nie zdążymy, nie dożyjecie wieczora, bo was osobiście pomorduję na środku parku pod główną sceną.

Lena z Arkiem, chichocząc jak dzieci, zaczęli wychodzić z domu. Pożegnali się z Adelą i Majką, narobili hałasu i tyle ich widziały.

3.

Było dosyć chłodno. Lena chciała pokazać nową sukienkę, jednak musiała przeprosić się z szalem i skrzętnie się nim owinęła. Żałowała, że nie ma kurtki, wieczorem szal może nie wystarczyć. No cóż, najwyżej pojedzie do domu.

Podobało jej się w Ogrodzie Krasińskich. W jednym miejscu zebrali się ludzie, których łączyła miłość do literatury, do kultury i do tego miasta. Można było kupić książkę, napić się kawy, posłuchać ciekawych prelegentów, a na koniec zaplanowano tańce. Pani Michalina uparła się, że zostaną do wieczora, ale było tak zimno, że Lena w to wątpiła.

Przed tańcami śpiewała przez chwilę Krystyna Tkacz, pani Michalina nie chciała tego za nic w świecie przegapić. Zaraz potem zaczęła grać orkiestra i tak jakoś się stało, że jednak postanowili jeszcze się pokręcić.

Lena była już zmęczona, ale trzymała ją adrenalina, bo te wszystkie zabiegi wokół niej dodały jej skrzydeł. Prostowała plecy, wyciągała szyję, za wszelką cenę chciała sobie udowodnić, że Jul nic ją już nie obchodzi.

Arek przyniósł jej wino w plastikowym kieliszku. Popijała je, bujając się w takt melodii; proponował jej też tańce, ale nie chciała, więc porwał babcię, która po kilku łykach białego wina, cała w rumieńcach, podrygiwała wesoło.

Obserwowała ich rozbawiona, wokół panował półmrok, było chłodno, ale wino ją rozgrzewało.

Nagle poczuła obejmujące ją ramiona, a po chwili marynarkę, która okryła jej ramiona spowite szalem.

Odwróciła się nerwowo i ujrzała Jula. Stał przed nią, ten sam, może trochę wychudzony, mniej pewny siebie niż zwykle, ale on. Patrzyła na niego wielkimi oczami, wytrzeszczała je, bo bała się, że zaraz zaczną zbierać się w nich łzy. Jakże kruchy był ten jej spokój.

Na początku delikatnie, potem bardziej zdecydowanie, przyciągnął ją do siebie. Położył usta na jej uchu i powiedział na głos, inaczej nie usłyszałaby go przy tej muzyce:

– Kocham cię, rudzielcu jedyny taki.

Na scenie pojawiła się para wokalistów. Orkiestra zaczęła grać melodyjny wstęp, Jul odstawił kieliszek Leny i poprowadził ją na zaimprowizowany parkiet.

Objął ją, a ona, tak jak kiedyś, zarzuciła mu obie ręce na szyję.

Ze sceny popłynął damski głos.

Nie pozwalaj mi w pół oddechu wyjść

Nie pozwolę ci w pół oddechu wyjść – to już Jul do Leny.

Wykrzyknikiem strasz. Cofnij mnie spod drzwi

Cofnę cię spod drzwi – znowu on.

Bo wybiegnę w noc, bo się porwać dam, byle komu do, byle gdzie na złość

Nie pozwolę ci.

Klepię życie jak różaniec, jak paciorki bliźniacze dni, smaku jak w opłatku mi brak

Bez ciebie memu życiu smaku brak.

Z butelki sączyć chcę abstrakcję

Zrobić skok w namiętność – na łeb
Dreszczy, dreszczy deszczu mi brak
Namiętności twej dreszczy mi brak...
Nie pozwalaj mi w pół oddechu wyjść
Wykrzyknikiem strasz. Cofnij mnie spod drzwi
Bo wybiegnę w noc, bo się porwać dam, byle komu do, byle gdzie na złość
Kocham cię. – Tym razem to ona.
Tonie słońce w horyzoncie
Mnie zalewa proza, ech
Rymów jak w wierszu mi brak
Rymu bez ciebie mi brak – to Jul wyszeptał w jej usta.
Gdzie motyle kolorowe
Fale, pod sercem sztorm
Kiedy cię nie ma, w sercu sztorm.
Pustka, byle ćmy nawet brak.

I tu już tylko melodia, nic więcej nie zostało do powiedzenia. Tańczyli przytuleni, jej policzek najpierw przy jego, potem odwróciła głowę lekko w prawo, przysuwając usta do jego ust. W napięciu czekała na gest Jula. Pocałował ją czule. Westchnął przy tym tak, jakby mu ulżyło. Przyjęła tę pieszczotę łapczywie, jak maratończyk wodę w upalny dzień.

– Jul, już nigdy nie pozwól mi wyjść, wykrzyknikiem strasz, cofnij mnie spod drzwi – dokończyła Lena wraz z ostatnim wersem piosenki.

Całowali się chwilę, stojąc bez ruchu, po czym wziął ją za rękę i poprowadził w kierunku bramy. Zrobiła kilka kroków i jak kiedyś, po wyjściu z Wrzenia, stanęła jak wryta.

– Musimy poszukać pani Michny i Arka.

– Oni już dawno pojechali, gtasie – powiedział pieszczotliwie. – Na nas też już s, zabieram cię do domu.

Donegal, Irlandia, 30 sierpni015 roku, godz. 4.30

PIS TREŚCI